CB039752

A DEMO-CRACIA NA ARMA-DILHA

intrínseca

MÍRIAM LEITÃO

A DEMOCRACIA NA ARMADILHA

CRÔNICAS DO DESGOVERNO

Aos meus queridos irmãos,
Beth
Ana
Wilma
Uriel Jr. (*in memoriam*)
Cláudio
Jeanete
Ulisses
Lysias (*in memoriam*)
Alexandre
Ricardo
Simone,
com os quais sempre compartilhei o amor à democracia.

“Quem não se mobiliza quando a liberdade está sob
ameaça jamais se mobilizará por coisa alguma.”

Hannah Arendt,
*Compreender: formação, exílio e
totalitarismo; ensaios (1930-1954).*

SUMÁRIO

APRE-SEN-TAÇÃO

O Brasil enterrava seus mortos diante de um presidente que tripudiava do sofrimento coletivo. Será difícil acreditar, no futuro, que tal absurdo ocorreu. Só o tempo permitirá ver a dimensão do que foi vivido nestes anos em que o país, desgovernado, enfrentou a mais letal pandemia em um século. Muitos livros serão escritos, em todos os gêneros, muitos estudos serão feitos em várias áreas do conhecimento até compreendermos o que houve. Todos os países sofreram na pandemia de covid-19, mas a nossa dor passou a ter outro nível de intensidade. Quem deveria organizar o país para resistir ao vírus aliou-se a ele. Vivemos a crise mais dolorosa com o pior governo que já tivemos.

A agenda que levou o presidente Jair Bolsonaro ao poder, em 1º de janeiro de 2019, era um pacto com o passado. Este século é o da conciliação com o meio ambiente, do respeito à diversidade étnica, cultural e de gênero. O século da ciência, da inovação e da educação pluralista. Da economia criativa e, principalmente, da liberdade. O pesadelo que se abateu sobre nós, mesmo antes da chegada ao país da pandemia, reconhecida por decreto como calamidade em março de 2020, foi o do retrocesso em todas essas pautas nas quais havíamos avançado nos trinta anos anteriores. A democracia, ponto central do pacto nacional firmado na Constituinte de 1988, foi atacada insistentemente. Fantasmas velhos voltaram a nos assombrar, como o uso político das Forças Armadas. Houve ainda uma deliberada demolição da proteção ambiental e da política de respeito aos indígenas.

A pandemia mostrou que o governo era ainda pior. O presidente exibia de forma ostensiva a sua doentia falta de solidariedade humana. Com palavras e decisões, estimulava o contágio e, portanto, a morte. Um ano depois da primeira morte, o Brasil era o país onde havia mais vítimas diárias. O mundo se afastou de nós. Éramos o epicentro da pandemia. Morriam milhares de brasileiros por dia, enquanto o presidente e seus filhos jogavam sobre o país palavras chulas e grosseiras. Era o escárnio. O dicionário educado não tinha mais adjetivos para qualificar as atitudes do presidente da República.

A crônica do momento, que o colunismo de jornal permite, é o registro de fatos no calor dos eventos. Uma coletânea de colunas é como um álbum de retratos que, vistos em ordem, formam o filme de uma época. O jornalista catalão Eugenio Xammar, falecido em 1973, é uma das minhas maiores inspirações. Ele é pouco conhecido no Brasil, a referência à sua obra eu encontrei quando buscava, numa livraria americana, fontes de informação para o meu livro *Saga brasileira*. Xammar foi correspondente na Alemanha de 1922 a 1936. Suas colunas sobre a hiperinflação, o aparecimento de Adolf Hitler e a chegada do ditador ao poder são valiosos instantâneos. Em um dos seus livros, *Crónicas desde Berlín (1930-1936)*, no texto da contracapa há a definição do que é o desafio de escrever do ângulo do jornalismo. "*Sometido a la presión de interpretar la historia cuando la historia todavía no se ha decidido.*"

Aqui há colunas publicadas ao longo de cinco anos, de 2016 até meados de 2021, no jornal *O Globo*. Em quase todas elas, eu tive a colaboração do jornalista Álvaro Gribel, que trabalha comigo há mais de uma década. O foco da coletânea fica na primeira metade do mandato de Bolsonaro, tempo mais do que suficiente para tornar claros seu fracasso administrativo, suas mentiras diárias e suas péssimas intenções institucionais. Os editores e eu decidimos que não era preciso esperar o último dia da administração para organizar este livro. Os absurdos do presidente se repetiam, mas foram ganhando intensidade, como se pode verificar pela leitura das colunas, dispostas em ordem cronológica. No princípio era um governo ruim, com uma pauta obsoleta; virou um risco à saúde pública e um perigo para a democracia. Ao fim, havia se transformado em um flagelo para o país.

Em maio de 2021, foi instaurada no Senado a Comissão Parlamentar de Inquérito para investigar atos e omissões do governo Bolsonaro no combate à pandemia. Desde o primeiro momento, a CPI acumulou provas da responsabilidade direta do presidente em grande parte das mortes no Brasil decorrentes do coronavírus.

Sua oposição às medidas de proteção e de prevenção ao contágio não era apenas incapacidade de ver o risco nem de sentir a dor alheia. Era um projeto. Ele apostou na ideia da "imunidade de rebanho", que seria supostamente atingida se os brasileiros se contaminassem maciçamente e o quanto antes. Essa ideia é, do ponto de vista científico, uma aberração. E é criminosa, porque aumenta o número de mortes.

No dia 6 de junho de 2021, *O Globo* noticiou que Bolsonaro havia feito, desde o início da pandemia, 84 eventos com aglomeração. Nesses atos, que aconteceram em setenta viagens do presidente com sua comitiva, só em três ele usou máscara. *O Estado de S. Paulo* no mesmo dia publicou um levantamento que citava 99 aglomerações, a maioria absoluta sem máscara. A disseminação do vírus era, portanto, um objetivo. A essa altura, o número de mortos no Brasil chegava a meio milhão. A demora da vacinação também não foi apenas incompetência. Fazia parte da mesma visão de que a imunização aconteceria naturalmente, pelo contágio. Além disso, como ficou comprovado na CPI, Bolsonaro tomava decisões ouvindo pessoas estranhas ao governo, em encontros informais. É o que ficou conhecido como "gabinete paralelo". Com um mês de trabalho da Comissão já havia elementos para enquadrá-lo em crime de responsabilidade e em crime comum. A CPI encontrou também indícios de corrupção no Ministério da Saúde na compra de vacinas.

Tudo o que aconteceu depois de fechada esta seleção de colunas só comprovou o que elas mostraram com antecipação. Bolsonaro cometeu crimes em diversas áreas e seu governo desastroso levou milhares de brasileiros à morte. Ao mesmo tempo, ele atacou todas as instituições do Estado, agredindo de maneira constante as bases da democracia brasileira. E as Forças Armadas deram espantosas demonstrações de submissão ao seu projeto político.

Bolsonaro ameaçou várias vezes o país de não respeitar o resultado das eleições presidenciais que serão realizadas em 2022. No começo de julho de 2021, ele foi explicitamente respaldado nessa intenção pelo ministro da Defesa. Todo autocrata inventa pretextos para seus atos. No caso de Bolsonaro, ele usou a figura do voto impresso, alegando, sem provas, que a urna eletrônica, instituída no país em 1996, permitia fraudes. Na defesa desse retrocesso, o presidente e seus apoiadores, inclusive os militares dos quais se cercou, passaram a minar a confiança no processo eleitoral e a chantagear o país. O roteiro era conhecido. Vencido um pretexto, ele criaria outro. Não importava mais o conflito da vez, Bolsonaro havia montado uma armadilha para a democracia brasileira. A tarefa imediata seria desarmá-la.

Para isso não bastaria derrotar Bolsonaro e os herdeiros do seu projeto de extrema direita. Seria preciso olhar para o futuro e fortalecer as bases do pacto civilizatório feito ao fim da ditadura militar. A preciosa democracia, dolorosamente conquistada, será mais forte quanto mais avançarmos no sonho de reduzir as nossas profundas desigualdades.

1. DIVÓRCIO POLÍTICO

24.4.2016

Os eleitores não se sentem representados por seus representantes. Esse é o divórcio que o país vive desde a sessão na Câmara dos Deputados que admitiu o andamento do processo de impeachment da presidente Dilma. Houve declarações de voto que foram paroquiais, superficiais e, principalmente, sem ligação com a pergunta feita. Houve até o inaceitável, que é a defesa da tortura. São fatos diferentes que merecem ser separados.

A exaltação da tortura, feita pelo deputado Jair Bolsonaro (PSC-RJ), como já comentei em meu blog, é apologia de crime imprescritível. A defesa da ditadura é ataque frontal à mais importante das cláusulas pétreas. Ele tem seu eleitorado, claro, mas o caso dele é para ser tratado separadamente porque é crime. É assunto para a Procuradoria-Geral da República e para a Câmara. Que providências tomarão diante de quem defende algo definido como crime contra a Humanidade? O Brasil não puniu os torturadores, mas a defesa da tortura por um deputado no exercício de seu mandato vai além do que a democracia pode aceitar.

No resto, houve vários níveis de constrangimento diante do circo que a maioria dos deputados — com raras e honrosas exceções — montou. A avaliação geral é de um Congresso despreparado. Houve fatos, na bizarrice das falas, que são fáceis de entender. Por exemplo, quando os deputados evocavam suas cidades ou setores, estavam fazendo o que ocorre em qualquer país: falando para as regiões ou áreas de interesse, onde nascem seus votos. Suas *constituencies*, como dizem os americanos.

Este é um ano de eleição nos municípios e vários deputados são candidatos a prefeito. Outros precisam eleger seus candidatos para construir as bases de apoio que os ajudarão na renovação dos mandatos em 2018. Portanto, as referências às suas cidades ou regiões do país são parte da política como ela é, em qualquer democracia do mundo.

Os brasileiros que ficaram atentos à sessão se espantaram também com o número de desconhecidos — deputados dos quais jamais haviam ouvido falar. A Câmara tem o que os jornalistas de política costumam chamar de "baixo clero". Apenas um grupo de representantes consegue se destacar entre os 513, enquanto os outros são mais conhecidos apenas em seus redutos. Isso acontece em qualquer Parlamento, mas há um agravante no caso brasileiro. O cálculo das sobras eleitorais permite que inúmeros deputados sejam eleitos ainda que não tenham tido voto para isso. A fórmula de cálculo do quociente eleitoral partidário distorce a representação. Um deputado do partido que tenha um número de votos muito maior do que o necessário para se eleger acaba carregando com ele vários outros candidatos com poucos votos. Foi o que aconteceu, por exemplo, no caso do deputado federal Tiririca (PR-SP). Com os votos que sobraram dele, muitos outros candidatos entraram sem terem tido votos suficientes. No mesmo estado, outros deputados não foram eleitos, embora tivessem sido mais votados do que aqueles que estão em Brasília. Há outras maneiras de calcular as sobras eleitorais que, se adotadas, corrigiriam parte dessas distorções. E isso nem exige uma reforma política.

Outra anomalia que saltava aos olhos naquele desfilar de deputados pelo microfone era a hiperfragmentação do sistema político. O número de partidos no Brasil vem crescendo desde a Constituinte e chegou a um ponto que o sistema ficou absolutamente disfuncional. Na longa sessão de quase dez horas, discursaram no plenário líderes de 26 legendas, e alguns eram líderes de si mesmos. O governo é vítima dessa profusão de partidos, mas também estimulou esse processo. Está aí o PSD de Gilberto Kassab como prova. O estudo de caso de outros países pode nos ajudar a encontrar solução viável para esse problema.

O país viu com desgosto aquela sessão de domingo. Pode, agora, apenas torcer o nariz e voltar as costas, com desprezo, para a Câmara dos Deputados, porém o mais sensato seria começar a mudar a política. Várias propostas de reforma foram bloqueadas. Algumas eram ruins mesmo. Se não é possível fazer uma grande reforma que tudo resolva, o que provavelmente demandaria uma nova Constituinte, o caminho talvez seja adotar uma série de mudanças que comecem a corrigir os defeitos do nosso sistema político. Manter tudo como está é perigoso. Nenhuma democracia sobrevive a um divórcio tão profundo entre representados e representantes.

2. A QUESTÃO MILITAR

21.9.2017

O Exército fez a mais explícita ameaça ao país em 32 anos de democracia através do episódio do general Antonio Hamilton Mourão. O general Mourão falou em intervenção militar. Seu chefe, o comandante do Exército, general Eduardo Villas Bôas, não só não o puniu, como o elogiou e, por fim, seguiu seu comandado, afirmando que a Constituição dá às Forças Armadas mandato para intervir.

A entrevista dada pelo comandante do Exército ao programa *Conversa com Bial*, da TV Globo, é estarrecedora porque o comandante, ao simular que discorda de Mourão, acabou deixando claro que concorda com seu companheiro de farda. Lembrou que a Constituição, no artigo 142, estabelece que as Forças Armadas podem intervir no país a pedido de um dos Poderes ou na iminência de caos. "Então as Forças Armadas teriam o mandato para fazê-lo. Caso não seja solucionado o problema, nós podemos intervir. É isso o que ele quis dizer", afirmou o comandante do Exército.

Pois é. E o que Mourão quis dizer é exatamente o que ele não deveria dizer, porque militares da ativa não podem fazer manifestação política. A sua declaração deveria ter sido vista, no mínimo, como quebra de hierarquia. Entende-se que ele não quebrou hierarquia alguma, porque, como se viu, seu chefe concorda com ele.

O general Mourão não nega o nome que tem. Foi também um general Mourão que saiu com suas tropas de Minas para o Rio no golpe de 1964. Não é a primeira vez que o amalucado general diz esse tipo de sandice. Da primeira vez, foi removido do posto, agora recebe um afago do seu superior. Bem que Mourão avisou que não está sozinho. "Na minha visão, que coincide com a dos companheiros do Alto-Comando do Exército, o país está vivendo uma situação de 'aproximações sucessivas'", declarou ele. E explicou de que ponto o país está se aproximando: "Até chegar o momento em que ou as instituições solucionam o problema político, com apelação do Judiciário, retirando da vida pública esses elementos envolvidos em todos os ilícitos, ou então teremos que impor isso." O general se referia aos líderes petistas e isso era uma clara ameaça de golpe militar.

E o poder civil do país? O governo Temer assistiu a tudo, acanhado. O ministro da Defesa soltou uma nota tímida dizendo que pediria explicações ao chefe do general e ficou por isso mesmo. Que explicação o chefe de Mourão deu pode-se imaginar agora, quando, entrevistado, elogiou seu subordinado: "Um gauchão, um grande soldado, figura fantástica." Em seguida, disse que Mourão foi mal interpretado e que é preciso entender o contexto, porque ele teria falado em reunião fechada. Mourão foi tão claro que não havia forma de interpretá-lo erradamente, e a reunião, apesar de fechada, na Loja Maçônica, era um encontro público e não um bate-papo entre amigos. Ele sabia que havia o risco de aquelas declarações saírem dali.

O general Mourão chantageou as instituições civis, citando especificamente o Judiciário, ao afirmar que ou elas retiram esses "elementos envolvidos em todos os ilícitos" ou então as Forças Armadas vão "impor isso". O país quer se livrar da corrupção. Disso não há dúvida. Só que será usada a pena do juiz e não a bota do general; será respeitado o devido processo legal e não a imposição castrense. O salvacionismo militar já nos custou caro demais por tempo prolongado demais. O país fará a sua depuração através das instituições democráticas.

O governo Michel Temer é fraco e teme as Forças Armadas. Bastou uma cara feia para os militares serem tirados da reforma da Previdência. Depois, eles foram poupados da proposta de congelamento de salário dos servidores federais. Agora aconteceu um episódio de indisciplina militar e de ameaça às instituições brasileiras, e o governo deixou que os militares resolvessem entre si. O general Villas Bôas disse que conversou com o general Mourão. E o assunto está encerrado.

O Brasil nunca exigiu que as Forças Armadas reconhecessem os crimes cometidos durante a ditadura. Ao contrário dos países vizinhos, ninguém jamais foi punido por torturas, mortes, ocultação de cadáveres. O general Villas Bôas até justificou a ditadura. Disse que era parte do contexto da época da Guerra Fria e lembrou que naquele regime o país saiu de 47ª economia para o 8º lugar. Os militares deixaram as contas públicas em absoluta desordem, o país pendurado no FMI e com a inflação galopante.

Só mesmo um governo claudicante como este pode não entender quão inaceitável é tudo isso que se passou diante de nós nos últimos dias.

3. CANDIDATOS E MERCADO

14.11.2017

Mercado financeiro não ganha eleição e agradá-lo, ou não, gera efeito apenas na oscilação dos ativos. Bancos costumam convidar candidatos para encontros e eles vão como se isso fosse relevante. Jair Bolsonaro foi perguntado sobre o que pensa da dívida pública. Respondeu que chamaria os credores para conversar. Essa resposta é tão sem noção que deixou os interlocutores mudos.

É preciso desconhecer coisa demais para dar uma resposta dessas. Todos os brasileiros que aplicam em títulos da dívida são credores. Todos os bancos, empresas, órgãos governamentais, não governamentais, cotistas de fundos, compradores de Tesouro Direto, investidores estrangeiros e locais, grandes e pequenos, são credores da dívida pública. Imagine o governo fazendo convocação geral a tão grande multidão para uma reunião de rediscussão da dívida. Seria a senha para uma corrida bancária de dimensões apocalípticas.

O episódio, contado por quem fala seriamente sobre eleição no mercado financeiro, mostra o grau de incerteza de 2018. Não bastará um economista liberal fazer um transplante de ideias no candidato. Ter um economista que se disponha a representar um candidato não é o mesmo que ter um programa econômico. Em outro contato, perguntado sobre retomada de crescimento, o deputado fez um longo discurso sobre o nióbio. É importante, tem aplicações diversas, o Brasil tem reservas estratégicas, porém o elemento representa apenas 0,7% das exportações brasileiras. Enéas, além de ter sido um candidato a presidente com uma frase única ("Meu nome é Enéas"), era grande defensor do nióbio. O problema é que não se movimenta uma economia complexa como a brasileira com nióbio.

O candidato Bolsonaro, da extrema direita, pode ser aceito por corretores desavisados, mas nenhum analista sério se deixa convencer apenas pelo fato de agora ele ter ao lado dele um economista que está falando em privatização. Suas verdadeiras crenças na economia são mais bem definidas como o nacional-estatismo dos governos militares. Isso põe o deputado próximo do pensamento de raiz do PT.

Lula não foi eleito porque agradou ao mercado com a Carta aos Brasileiros, e sim porque prometeu defender a estabilidade monetária que havia sido conquistada oito anos antes. O temor era da volta da inflação. Esse compromisso de Lula foi parte da estratégia para conquistar os votos da classe média. Ela, sim, ganha eleição.

É muito cedo para antever os cenários eleitorais, mas essa é, certamente, a disputa presidencial mais difícil desde a redemocratização, pelo nível impressionante de incertezas. A grande questão que permanece aberta é a situação jurídica de Lula. A Justiça está diante de uma falha no direito brasileiro: um réu não pode ser presidente, mas pode ser eleito presidente. Contradição insanável. Lula, sabiamente, tem executado a estratégia de fazer campanha com a ideia de quanto maior for sua chance eleitoral mais difícil será o dilema da Justiça Eleitoral e do STF em relação a ele. O pensamento de Lula na economia é mutante, como se sabe. Ele defendeu em campanha algo diferente do que implementou e que é diferente do que está dizendo agora. Lula defenderá a proposta que achar mais conveniente para seus propósitos eleitorais e, com certeza, terá mais de um ideário durante a campanha.

Esse é o quadro das propostas econômicas dos candidatos que estão na frente na disputa eleitoral. Lula já governou o Brasil e é bem conhecido. Neste começo de campanha tenta reconstituir a aliança com suas bases e por isso volta ao velho discurso. Já Bolsonaro tem um entendimento raso sobre o tema. A avaliação de que possa defender um pensamento liberal porque teve quatro aulas com um economista com essa crença só pode ser feita por quem tenha uma capacidade de análise igualmente superficial.

Estamos a um ano das eleições num país em que os cenários eleitorais são voláteis e há inúmeros casos de candidatos que pareciam viáveis até que perderam o pleito ou deixaram de estar na disputa. É cedo ainda. O ideal seria que os candidatos e suas equipes não formatassem ideias artificiais para receber elogios do mercado financeiro. É preciso muito mais do que isso para tirar o país da crise e levá-lo a um ciclo de crescimento sustentado.

4. BOLSONARO E O USO DA RELIGIÃO

28.8.2018

O candidato Jair Bolsonaro fez o sinal da cruz antes de entrar no local onde seria entrevistado e o repetiu no início das perguntas. Esse é um gesto católico que não é usado por evangélicos nem protestantes. O deputado se diz "cristão", mas deixa a definição imprecisa para ser aceito pelos evangélicos como um deles e não sofrer rejeição de outros grupos religiosos. Ao citar a Bíblia, demonstra total falta de intimidade com o livro que chama de "caixa de ferramentas". Bolsonaro tem usado a religião de diversas formas. Afirma que está cumprindo "uma missão de Deus". Colocar-se como um ungido, com uma missão divina, é uma forma de tentar atrair setores religiosos mais extremados.

Suas citações da Bíblia parecem mais repetição de algum trecho que lhe dão do que conhecimento advindo da leitura do texto sagrado. Isso ficou claro ao fim do debate da Rede TV!, quando ele respondeu à ex-ministra Marina Silva: "Leia o livro de Paulo." Não existe um livro chamado "Paulo". Existem vários livros escritos pelo apóstolo no seu trabalho de construir as bases doutrinárias do Cristianismo. São as epístolas às várias comunidades, os livros aos Romanos, Coríntios I e II, Gálatas, Efésios, Filipenses, Colossenses e Tessalonicenses I e II. Há também as endereçadas a Timóteo (duas), Tito e Filemon. Uma frase como essa de Bolsonaro revela desconhecimento elementar. Existem dois livros de Pedro e quatro com o nome de João — um do

Evangelho e três epístolas —, porém nenhum dos 66 livros da Bíblia protestante, nem dos 73 da Bíblia católica, chama-se Paulo.

Ao explicar o que tentara dizer a Marina naquela indicação de leitura, Bolsonaro errou um pouco mais. Disse que se referia a uma passagem em que é dito "venda suas capas e compre espadas" e atribuiu a frase a Paulo. Esse trecho está em Lucas. Bolsonaro foi além: "É que naquele tempo não existia arma de fogo, senão seria ponto 50 e fuzil."

Existem diferenças grandes ao longo da Bíblia, principalmente quando se comparam o Velho Testamento e o Novo Testamento. Jesus inicia, pela fé cristã, um tempo de perdão e paz. Se no primeiro há o "olho por olho", no segundo há o "dai a outra face". A mensagem pacifista de Jesus Cristo é inescapável. Recorrer a Cristo para justificar a violência ou a proposta de armar a população não faz sentido algum. No momento da fúria no Templo contra os vendilhões, Jesus não usou armas, usou sua autoridade moral. Mesmo quem jamais leu a Bíblia entende que não é de guerra, é de paz a principal mensagem de Cristo.

Que importância tem isso para as eleições? Nenhuma. Afinal, o Estado brasileiro é laico e, felizmente, assim deve permanecer. Mas a busca do eleitorado evangélico fez com que cada vez mais candidatos utilizassem a Bíblia como marketing. Certa vez, o ex-governador Garotinho disse que houve violência até no Céu, "onde Caim matou Abel". Como todos sabem, isso ocorreu fora do Paraíso. O prefeito Marcelo Crivella foi pior: depois de eleito, quis criar um caminho mais curto para os fiéis da sua igreja terem acesso aos serviços públicos.

A diversidade religiosa brasileira é muito maior do que está nas estatísticas, porque sempre esteve, em parte, encoberta pelo sincretismo. Princípios do Cristianismo são parte do conjunto de valores da nossa sociedade. Algumas das ideias-força já estão incorporadas à sabedoria geral, como a que Marina Silva utilizou — "ensina o teu filho no caminho que deve andar", uma orientação de bem educar. Bolsonaro cita sempre em seu favor João 8:32: "Conhecereis a verdade e a verdade vos libertará." É soberba usar assim, como se a verdade dele, Bolsonaro, é que libertasse. Jesus estava se referindo à verdade divina.

O TSE acabou de cassar dois deputados por pedirem voto em ato religioso. Religião e questões de Estado não devem se misturar. Esse foi um avanço civilizatório e um dos legados da Reforma Protestante. Certos líderes evangélicos têm feito essa mistura nos últimos tempos. Alguns sabem separar. Marina é evangélica, mas lembra sempre que o governo é laico. Geraldo Alckmin não convoca os católicos, apesar de ser um. Contudo, muitos postulantes têm alimentado essa mistura, indo pedir a bênção de pastores em atos públicos. Essa mistura jamais dará um bom resultado. Púlpito e palanque devem estar distantes. O uso da Bíblia e da religião na política serve para atemorizar ou enganar eleitores. Isso ameaça a soberania do voto.

5. BOLSONARO E O VAZIO DE IDEIAS

20.9.2018

O candidato que está à frente nas pesquisas de intenção de votos é justamente aquele do qual menos se sabe, quando o assunto é projeto para a economia. Ontem já houve confusão. Paulo Guedes falou em criação de uma espécie de CPMF, Bolsonaro negou e o economista explicou que o imposto poderia ser criado em substituição a outros, diminuindo a carga. Ninguém sabe qual é a proposta econômica de Bolsonaro, porque ele nada entende do assunto, e as ideias propostas por Guedes são inviáveis ou não têm relação com o conjunto de crenças do candidato.

A leitura do programa divulgado pela candidatura e as entrevistas do candidato e do seu economista em chefe, Paulo Guedes, não ajudaram muito a esclarecer o que seria o projeto de Bolsonaro. Guedes teria falado, num encontro fechado, em suspender toda a contribuição patronal para a Previdência e mudar para o regime de capitalização. Isso seria financiado pela volta da CPMF. Ontem, explicou que não seria um imposto a mais e sim uma espécie de imposto único que substituiria vários outros impostos federais. É preciso apresentar alguma conta para saber do que se está falando. A Previdência já tem um déficit de quase R$ 300 bilhões por ano; a saída para a capitalização teria um custo astronômico. Um imposto novo não cobriria essas duas fontes de desequilíbrio: a isenção total às empresas e o custo de transição para um novo regime. E, além disso, ele promete outras reduções de impostos.

O ajuste fiscal se baseia na proposta delirante de conseguir R$ 2 trilhões com a venda de todas as estatais e de todos os ativos da União. Inviável, impossível e contraditório. Depois de ter defendido a venda até da Petrobras na sabatina da GloboNews, Jair Bolsonaro voltou atrás. O balanço da União tem uma relação de 700 mil ativos. Isso inclui, por exemplo, o Palácio do Planalto. Alguém vai vender? É possível vender todos os prédios ocupados pelos três Poderes da República, os parques nacionais, as florestas nacionais, as áreas de conservação? Tirando tudo que é inviável vender, sobraria, segundo cálculos da Fazenda, algo como R$ 200 bilhões em ativos. Para vender cada um deles tem que se cumprir uma lista infindável de obrigações, mas vamos imaginar que tudo seja simplificado. Como seria vendido, por exemplo, o prédio do Ministério da Fazenda no Centro do Rio? Difícil achar comprador para um edifício enorme, que precisará de muitos investimentos até para a climatização, e numa área com grande espaço ocioso em meio a prédios novos e baratos. A conta não guarda a mínima relação com a realidade econômica e comercial.

A promessa é fazer tudo isso — liquidação geral de ativos e privatização — rapidamente, porque o déficit seria zerado no primeiro ano de governo. Quando, na GloboNews, Paulo Guedes foi perguntado sobre os prazos legais e os obstáculos para a privatização, a resposta que deu foi: "Eu me recuso a ficar dentro da caixa, eu falo de uma aliança de centro-direita, nós não somos prisioneiros da caixa." Se ele se referia a uma saída não convencional, precisaria explicar como seria possível contornar obrigações legais de avaliação e modelagem, ou instituições como Ministério Público, Congresso, Tribunal de Contas da União.

A campanha de Bolsonaro é obscura em todas as áreas, não apenas na econômica. Na segurança, resume-se a permitir o porte de armas. Não há um projeto sobre o que o Estado fará para reduzir a criminalidade. Na educação, a proposta é apenas de abertura de uma escola militar por estado. Sobre saúde, questão climática, logística, cultura ou qualquer outra área, não há propostas, simplesmente porque não há ideias. A campanha é improvisada, organizada por alguns militares, os filhos do candidato e um ou outro amigo. Uma estrutura claramente insuficiente e que não se dispôs a pensar um projeto para o Brasil.

Antes do atentado que sofreu, cada entrevista, debate e declaração do candidato só fazia aumentar sua rejeição. Para citar um exemplo: o país ainda chocado com a perda do Museu Nacional e ele me sai com um "já queimou, agora quer que eu faça o quê?". Seu vice, o general Hamilton Mourão, tem ido na mesma toada, como fez na declaração ofensiva de que lares em que só há mães e avós são fábricas de desajustados. Quanto menos Bolsonaro fala, mais ele é poupado do constrangimento de exibir seu enorme vazio de ideias e propostas.

6. O MEIO AMBIENTE E O BOLSONARISMO

13.10.2018

O alerta não vem de um ambientalista, mas de um dirigente de instituição financeira internacional com quem conversei. O que o preocupa, num cenário de vitória de Jair Bolsonaro, é o absoluto desprezo pela questão ambiental e climática. Na visão dele, é óbvio que a competitividade e a capacidade de financiamento do agronegócio serão maiores quanto mais pacificada for a relação com o meio ambiente. Um general da campanha de Bolsonaro reclamou que no Brasil não se pode derrubar "uma árvore sem que alguém venha encher o saco". No ano passado, só na Amazônia e no Cerrado foram derrubados 14 milhões de árvores.

O raciocínio do banqueiro é assim: se o produtor do Cerrado, por exemplo, quer ter água para produzir, precisará cumprir rigorosamente os limites das áreas de preservação em suas terras. Se cumprir esses limites, ele poderá ser financiado por capital externo, que não aceitaria, a esta altura, emprestar para desmatadores. Esse financiamento pode ser feito a juros baixos, sem depender do subsídio estatal.

O mais lógico seria, segundo o banqueiro, que o diálogo que começava a existir entre o agronegócio e o ambientalismo fosse estimulado. Contudo, na eventualidade de um governo Jair Bolsonaro, ficará mais difícil. A bancada do agronegócio que aderiu ao candidato busca respaldo para suas posições mais extremadas. E ele já disse que submeterá o assunto ao Ministério da Agricultura, acabando com a pasta do Meio Ambiente.

O general Oswaldo Ferreira, que está tocando os planos do candidato para a área de infraestrutura e de meio ambiente, lembrou ao *Estado de S. Paulo* os anos 1970, quando ele era um tenente "feliz da vida" trabalhando na BR-163. "Derrubei todas as árvores que tinha à frente sem ninguém encher o saco. Hoje, o cara, para derrubar uma árvore, vem um punhado de gente encher o saco."

A verdade é o contrário do que acredita o general. O Brasil derruba muita árvore, esse é o problema. No ano passado, foram 6.947 quilômetros quadrados de floresta desmatada na Amazônia e 7.408 quilômetros quadrados no Cerrado. É assim que se chega à conta da derrubada de 14 milhões de árvores, só em 2017, segundo Tasso Azevedo, do Observatório do Clima. "E os dados de 2018 podem ser 30% maiores, como mostram as pesquisas do Imazon."

O Brasil tem que cumprir objetivos internacionais de desmatamento líquido zero em 2023. Mesmo que o país, num governo Bolsonaro, saia do Acordo de Paris, os grandes bancos internacionais e multilaterais continuarão tendo que seguir regras de não financiar produtores vistos como desmatadores. Países podem escolher líderes que negam o problema ambiental e climático. Aconteceu nos Estados Unidos. Porém, a despeito das crenças de Donald Trump, as empresas americanas continuam fazendo a transição para uma economia de baixo carbono na agricultura, na indústria automobilística e até no setor de petróleo. É inexorável a mudança para um novo padrão sustentável, mas o estrago de curto prazo pode ser muito ruim se o país escolher voltar a visões de mundo totalmente desatualizadas. "No meu tempo", diz o general, "não tinha MP e Ibama para encher o saco."

O Ministério Público continuará em qualquer governo com sua independência, incomodando qualquer que seja o governo. Nesta campanha, Ciro Gomes, do PDT, disse que queria pôr o MP na "caixinha", o ex-ministro José Dirceu declarou que é preciso tirar do MP o poder de investigação, e esse general da campanha de Bolsonaro sonha com a volta ao tempo em que o MP não limitava o poder militar no seu ataque ao meio ambiente. Um governo com essa visão pode fazer um grande estrago na estrutura dos órgãos de controle do Executivo, como Ibama, Inpe, ICMBio.

O governo Dilma, como escrevi neste espaço várias vezes, passou por cima do Ibama e reduziu áreas de preservação. O governo Temer diminuiu o tamanho da preciosa Floresta Nacional do Jamanxim, no Pará. Um governo com posições radicais pode ser bem pior. Mas enfrentará resistência, principalmente das instituições científicas independentes que produzem dados para qualificar o debate brasileiro. Além disso, o Brasil poderá perder bons negócios. Meio ambiente há muito deixou de ser questão ideológica. A tentativa de volta no tempo será um tiro no pé. E quem me disse isso, repito, foi um banqueiro.

7. OS DESERDADOS DA TERRA DO MEIO

14.10.2018

É da natureza do segundo turno ser polarizado. São dois os candidatos que sobram da primeira disputa e eles precisam definir-se como lados claramente opostos, mesmo que não sejam tanto assim. Na terra do meio ficam os eleitores dos que perderam a eleição e vão procurar, por aproximação, o seu candidato. Desta vez, há muitos que andam confusos nesse terreno do meio, que parece estar desaparecendo na polarização agressiva que toma conta do país.

Manifestei na TV uma opinião que provocou a fúria dos seguidores de Jair Bolsonaro. Eu a repito aqui: os riscos à democracia não são equivalentes nos dois cenários eleitorais. São maiores com Bolsonaro. O PT jogou o jogo democrático. O partido cometeu os erros que jamais deixei de criticar — quem segue esta coluna sabe —, mas o partido de fato fortaleceu a Polícia Federal, escolheu o primeiro da lista para o Ministério Público, nomeou ministros do Supremo que, em sua maioria, tiveram e têm posições de independência. Aprovou as leis da Delação, da Ficha Limpa e do Acesso à Informação. O partido acabou vendo seus dirigentes denunciados pelo MP e condenados pela Justiça. Em vez de fazer autocrítica pelo vasto esquema de corrupção no qual se envolveu, o PT preferiu dizer que o julgamento não foi justo e que é perseguido por procuradores e por juízes. Também não reconheceu os erros que cometeu na economia e que levaram o país à recessão e ao desemprego.

Jair Bolsonaro, porém, fez de forma sistemática em sua carreira política a apologia do regime ditatorial, exaltando até mesmo os piores crimes do período, como a tortura e a morte de adversários políticos. Isso é incontestável. Há palavras demais dele confirmando essa visão. Durante esta campanha, vinculou sua candidatura às Forças Armadas e elas nada fizeram para desfazer essa vinculação e deixar claro que, como instituição, não têm candidato. Pelo menos não deveriam ter, mas o silêncio é bem eloquente. Para piorar, seu candidato a vice, general Hamilton Mourão, lembrou a possibilidade do autogolpe, ato em que um presidente, sentindo-se ameaçado, aumenta os próprios poderes.

Na terra do meio, muita gente não quer nem um nem outro e oscila entre o branco, o nulo e a abstenção. Os candidatos que perderam abriram mão de sua liderança e preferiram dizer a obviedade de que os eleitores são livres. São, mas para isto servem os líderes: para dizer o que pensam em momento difícil. Esse é o ônus da liderança. Ao se omitirem, eles deixaram abandonados os da terra do meio.

O normal no segundo turno é que os candidatos caminhem para o centro. O PT fracassou em formar a sua frente democrática, em parte porque nunca fez uma autocrítica convincente nem retirou pontos obscuros do seu programa, como a ameaça à imprensa. A declaração de José Dirceu, felizmente renegada pelo candidato Fernando Haddad, foi clara demais para ser esquecida. Ele disse que agora é hora de "tomar o poder", e isso é diferente de ganhar eleição. É bravata do ex-ministro. Eles não têm os meios para essa tomada de poder, no entanto, quem teme o risco PT viu aí a confirmação de seus temores. Além disso, o PT tem a má prática de desqualificar e ofender seus críticos, o que torna difícil a construção de pontes.

Bolsonaro não tem feito esforço algum para atenuar os muitos excessos de linguagem que comete ao longo de sua vida, até porque acha que, por causa dessas posições, está em situação confortável nas pesquisas. Mesmo com seu favoritismo, continua colocando em suspeição o processo eleitoral. Diante da pesquisa de intenção de voto após o resultado do primeiro turno, que dava a ele 16 pontos de vantagem sobre o adversário, Bolsonaro disse que as pesquisas eram preparação para a fraude. Esse tipo de desconfiança alimentada por ele em seus eleitores faz mal à democracia. Os atos de violência praticados por seus eleitores aumentam, enquanto Bolsonaro diz que não manda nos 49 milhões de brasileiros que votaram nele. Felizmente, agora, passou a condenar esses atos, porém, como líder, deve se esforçar mais para conter essa onda de agressividade na política, até porque já foi vítima dela.

A terra do meio pode ser evitada na estratégia eleitoral, mas é inevitável enfrentá-la na hora de administrar o país. Não se governa com sucesso com teses extremadas. Quem ganhar a eleição terá que buscar a moderação ou não terá sucesso no seu governo.

8. O KIT OFERECIDO POR BOLSONARO

25.10.2018

Os eleitores de Jair Bolsonaro foram atraídos por pelo menos uma das várias promessas incluídas em seu apelo eleitoral. E cada um fez sua escolha no kit que o candidato do PSL ofereceu. Alguns acreditam que ele tem uma solução milagrosa contra a violência, como um dia houve quem apostasse que Collor mataria a inflação com um tiro. Outros acham que o conservadorismo dos costumes vai prevalecer. Há os que votam nele porque os pastores mandaram. Muitos votam com raiva da crise econômica e do desemprego. Uma grande parte dos eleitores está com ele por ser antipetista. Alguns imaginam que ele acabará com a corrupção.

Todo candidato que chega tão confortável à reta final da campanha é porque conseguiu "se vender" bem como produto eleitoral. Pela soma de seus acertos e dos erros dos adversários. Mas cada grupo de eleitores projeta em Bolsonaro a solução para o seu problema, ainda que ele não esteja oferecendo uma proposta concatenada que indique saber o caminho para resolver cada drama. A violência, por exemplo, é assunto complexo que não será resolvido com liberação de posse e porte de armas nem com redução da maioridade penal. Ele não deu qualquer resposta para quem quer, de fato, saber como vai enfrentar e vencer o poder das facções criminosas, do tráfico, das milícias, da falta de integração entre as polícias, dos presídios. Para nada disso houve respostas nas entrevistas, no seu programa ou na mídia social. Mas o sinal dos dedos do candidato simulando uma arma passou a ideia de que ele dará "um tiro" e tudo estará resolvido.

A corrupção vem sendo enfrentada pelas instituições que o Brasil construiu ao longo dos últimos trinta anos, as mesmas que tantos em sua campanha afrontam, como fez seu filho Eduardo contra o STF. O governo ajudou quando não interferiu na Polícia Federal. O Ministério Público e a Justiça Federal continuarão seu trabalho de investigação e punição dos casos de desvios, mesmo os que venham a acontecer num eventual governo Bolsonaro. No entanto, sua campanha tem o discurso mítico de que ele vai resolver tudo rapidamente, só por chegar lá. Não há uma proposta de transparência e controle que confirme racionalmente essa ideia. É apenas o marketing de que ele vai limpar tudo, como prometeu Jânio Quadros com sua vassoura, ou Collor, com sua caça aos marajás. É da natureza das campanhas eleitorais que as propostas sejam simplificadas pelo marketing, mas uma democracia já amadurecida como a do Brasil merecia ter mais do que meia dúzia de clichês sem significados concretos.

Na economia, Jair Bolsonaro promete tirar o Estado "do cangote de quem produz". Até agora, porém, tudo o que falou não mostra como o governo vai reduzir impostos na atual crise fiscal. Pelo contrário, algumas ideias aumentam o rombo. O mercado financeiro começou a aderir com alguma reserva e agora o discurso que se ouve é consensual. Jair Bolsonaro virou o capitão dos liberais. Ele não tem qualquer *track record*, para usar palavras dos operadores, mas quando o mercado monta uma posição, azar dos fatos. Até fora da área financeira há eleitores dizendo que votam nele porque ele é um liberal. As contradições entre o que dizem e pensam os núcleos político e econômico do candidato são conhecidas, porém o mercado acredita que o economista Paulo Guedes tem poderes mágicos.

Há também os que se identificam com declarações do candidato que reforçam os preconceitos. Estes sempre existiram, evidentemente, do contrário não estariam as mulheres em condições de desigualdade. Gays em situação de fragilidade. Negros sendo as maiores vítimas de homicídio. Mulheres com problemas que vão das distorções no mercado de trabalho ao feminicídio. Bolsonaro diz agora que acabará com o "coitadismo" desses grupos. Nunca deve ter olhado uma estatística das desigualdades brasileiras.

O que ocorre é que muitos eleitores explicam seu voto não pelo kit Bolsonaro inteiro e sim por partes dele. Um diz que é porque está desempregado, o outro, revoltado com a corrupção, ou é contra o PT, outro porque acha que Bolsonaro representa os valores da família, e há os que acreditam que os impostos vão cair ou que ele é um liberal. E assim vão para as urnas com partes do seu candidato.

9. CONSTITUIÇÃO NO PAÍS DE BOLSONARO

7.11.2018

Na sessão solene do Congresso, ontem, as autoridades se revezaram batendo na mesma tecla: é preciso respeitar a Constituição. Alvo de todos os recados, o presidente eleito, Jair Bolsonaro, disse que "na democracia só há um norte: o da nossa Constituição". Se estavam todos de acordo em cumprir a Lei Magna, promulgada há trinta anos em dia emocionante, por que mesmo essa repetição? Porque Bolsonaro é o maior teste que as instituições enfrentam.

O governo que se forma teve ontem dois momentos importantes e definidores. Pela manhã, cercado de representantes dos Poderes, Bolsonaro ouviu que só há um caminho, o constitucional. De tarde, o futuro ministro da Justiça, Sergio Moro, respondeu pacientemente a uma hora e meia de perguntas de jornalistas. Ele definiu o presidente eleito com adjetivos que normalmente não são associados a ele: "ponderado", "moderado" e "sensato". Moro disse que não vê "risco à democracia e ao Estado de direito".

Bolsonaro deu baixa no Exército no mesmo ano da promulgação da Constituição (1988) e começou sua bem-sucedida carreira política, que o levou da vereança aos sucessivos mandatos como deputado. Agora chega, pelo voto, ao cargo maior do Executivo. Saiu do Exército desgostoso com o soldo e o tratamento recebido ao se insurgir, mas com todas as convicções políticas que tinham à época as Forças Armadas, nas quais ele entrou como oficial formado pela Aman no ano em que o então presidente Ernesto Geisel fechou o Congresso.

Bolsonaro se notabilizou não pelos projetos, não pela liderança, não pela capacidade de negociação política, e sim pelas declarações polêmicas e agressivas, muitas delas de desprezo pela democracia. Na campanha, algumas de suas falas arranharam partes da Lei Maior, como a que estabelece, no artigo 3º, que, entre os objetivos da República, estão a igualdade entre gêneros e a luta contra a discriminação. O presidente do STF, ministro Dias Toffoli, foi votar, no dia 28, com a Constituição na mão e passou o dia lembrando o artigo 3º.

Ontem, a procuradora-geral da República, Raquel Dodge, foi mais enfática: "Não basta reverenciá-la, é preciso cumpri-la." Bolsonaro não aplaudiu a procuradora que o denunciou por racismo. Antes de Raquel, Ela Wiecko, quando ocupava o cargo de vice-procuradora-geral, já o denunciara por apologia ao estupro, ação que permanece na mão do ministro Luiz Fux. Raquel Dodge lembrou, não por acaso, que a Carta Magna prestigia as minorias, a erradicação da pobreza, a proteção ao meio ambiente. "A Constituição repudia toda forma de discriminação."

Por que os líderes do país têm insistido tanto em lembrar o documento que encerrou oficialmente, há três décadas, um período de arbítrio, de suspensão de direitos e garantias individuais e supressão de voto para os cargos executivos? Porque é aniversário da Carta na qual foi escrito o pacto que nos uniu e nos trouxe até aqui.

Há um momento na trilogia tebana de Sófocles em que Teseu, rei de Atenas, diz a Creonte, governante de Tebas: "Terei de estar atento a essas circunstâncias para evitar que considerem a minha pátria tão fraca a ponto de curvar-se a um homem só." Será esse o temor que leva tantos a lembrar que o Brasil jamais pode se afastar do texto pactuado há trinta anos?

O juiz Sergio Moro mostrou ontem a outra face do governo. Sereno, mesmo diante das perguntas mais difíceis, ele defendeu a decisão de ir para o governo Bolsonaro porque tem a ideia de que conseguirá consolidar os avanços institucionais de combate à corrupção obtidos nos últimos anos. Tentará aprovar um primeiro pacote nos primeiros seis meses. Admitiu ter divergências em alguns pontos com o presidente eleito, mas afirmou saber que estará subordinado a ele. "Existem receios, a meu ver infundados, e minha presença no governo pode ter o efeito de afastar esses receios. Sou um juiz, um homem de leis. Jamais admitiria qualquer solução que não fosse lei", disse Moro.

Será que Moro vai moderar o governo em que várias pessoas já demonstraram tendências autoritárias, até em fatos como a tentativa de impedir a presença da imprensa ontem no plenário do Senado? Moro é apenas uma peça nesse complicado xadrez. Os Poderes moderadores da República serão todas as instituições nas quais temos investido o melhor nos últimos trinta anos.

10. ESCOLHER O BRASIL COMO DESTINO

22.11.2018

O presidente eleito, Jair Bolsonaro, acha que o Brasil é um país sem fronteiras, por isso quer uma política mais rígida contra imigrantes. "Não podemos admitir a entrada indiscriminada de quem quer que seja aqui, simplesmente porque quer vir para cá." Vittorio Bolzonaro — assim mesmo, com "z" — tinha 10 anos em 1888, quando seus pais embarcaram com ele e seus irmãos em Gênova e, semanas depois, desembarcaram em Santos. Eles simplesmente quiseram vir para cá. Vittorio vem a ser bisavô do futuro presidente.

A vinda de imigrantes italianos, alemães, japoneses, sírio-libaneses, judeus, poloneses, portugueses, turcos, tantos outros, faz de nós o que somos. É impossível imaginar o Brasil sem as ondas migratórias que o formaram. "Se essa lei [da imigração] continuar em vigor, qualquer um pode entrar e chega aqui com mais direito que nós", disse o presidente, não deixando pista do que tentava dizer com essa ideia de que quem vem de outro país tem vantagens sobre os brasileiros natos. Nunca será fácil migrar. O belo livro de Eva Blay *O Brasil como destino* relata as dores e as esperanças dos judeus que escolheram São Paulo para reconstruir suas vidas.

Em dezembro, em Marrakech, será assinado o Pacto Global para Migração, e o Brasil terá de escolher seu lado. No ano que vem, uma resolução sobre o tema será negociada. Se o Brasil quiser fechar fronteiras e aumentar as barreiras contra imigrantes, isso pode afetar mais os brasileiros lá fora do que os candidatos a entrar no país. Existem 1,2 milhão de migrantes no Brasil e 2,5 milhões de brasileiros no exterior. Estados Unidos, Hungria, Áustria e República Tcheca, todos com governos de ultradireita, estão ameaçando deixar o acordo, alegando que ele força os países a aceitar os imigrantes. Mas é o contrário. Segundo os negociadores, o objetivo seria facilitar a volta do refugiado ao seu país de origem.

Na conversa que o presidente eleito Jair Bolsonaro teve com o primeiro-ministro ultranacionalista húngaro, Viktor Orbán, na segunda-feira (19), ele parecia ter escolhido um lado. Depois, informou aos repórteres que Orbán está feliz com a eleição no Brasil. O Parlamento Europeu aprovou uma moção contra Orbán por ele violar o Estado de direito, a liberdade de imprensa, a independência da Justiça, o funcionamento das organizações não governamentais e os direitos de migrantes e refugiados. Ele pode perder o direito de votar no Parlamento Europeu. Em suma, não é boa companhia. A menos que se queira o isolamento.

Na mesma conversa da segunda-feira, o presidente eleito disse que o "brasileiro não sabe o que é ditadura, o que é sofrer nas mãos dessas pessoas". Repetia aquela sua estranha ideia de que no Brasil não teve ditadura e que o regime de 1964 não foi o que de fato foi. Fez a afirmação porque acabara de falar com o premiê húngaro e se referia à ditadura comunista que houve lá. O problema é que Orbán está sendo acusado de restringir as liberdades no mesmo país que sofreu com o comunismo, mas agora por outras ideias políticas.

O Brasil não está sendo ameaçado por ondas de migrantes. Tem um problema para resolver na fronteira com a Venezuela. É uma crise humanitária, de refugiados, mais do que de migrantes, causada por um governo que restringiu as liberdades e perseguiu a imprensa até deixar de ser uma democracia. Sem o contraditório, sem a alternância do poder, sem oposição, sem os pesos e contrapesos de um regime aberto, a Venezuela foi aprofundando a crise econômica e social que hoje faz com que seus cidadãos corram para outros países. O atual governo errou pela demora em admitir que aquele era um problema federal. O futuro governo vai errar se achar que basta fechar as fronteiras e construir muros.

O mais preocupante nessas e em outras declarações do presidente eleito é o risco de isolamento internacional. Quando o governo Donald Trump erra, corre o risco de perder parte da liderança dos Estados Unidos. Mas outra administração pode corrigir isso a tempo. Para o Brasil, o isolamento é muito mais indesejável e pode trazer vários prejuízos políticos e econômicos. É natural ter leis com controles de entrada de estrangeiros no país. O que não faz parte da nossa natureza é a xenofobia, a reação contra pessoas que venham de outros países por escolherem o Brasil como destino. Como um dia fez a família italiana Bolzonaro.

11. O QUE NÃO É DIREITO NEM NUNCA SERÁ

12.12.2018

O governo Bolsonaro pegou caminhos errados que podem levar o Brasil a perigosos retrocessos. A Funai vai ser entregue a uma ministra que acredita que a religião deve comandar as ações do Estado. Isso é tão perigoso quanto entregar o órgão para a Agricultura. O ministro do Meio Ambiente acha que o país não deveria gastar dinheiro enviando cientistas para as Conferências do Clima. O ministro das Relações Exteriores montou uma equipe de transição com pessoas sem as mínimas qualificações para isso.

O presidente eleito, Jair Bolsonaro, venceu a eleição defendendo posições de direita para todas as questões que envolvem meio ambiente, direitos humanos e indígenas. É natural que faça suas escolhas. Como é natural que os analistas alertem para os riscos que certas decisões radicais podem representar.

Nas primeiras entrevistas concedidas pelo futuro ministro Ricardo Salles, do Meio Ambiente, ele disse que há uma discussão acadêmica sobre se a razão do aquecimento global é geológica ou provocada pela ação humana. Não há mais. Isso foi superado. Hoje há um consenso científico internacional de que a causa geológica existe, porém leva milhões de anos, e o que está havendo é que, pela ação humana, esse processo está se acelerando perigosamente. Salles acha que esse é um assunto abstrato. Errado, é concreto. O risco do aquecimento é gerar elevação do nível do mar, ondas de calor ou de frios extremos, desequilíbrios fatais.

Ricardo Salles disse que fez um bom trabalho em São Paulo, acabando com lixões e aumentando a proteção de nascentes. Isso é ótimo. Mas a visão que ele demonstra ter das negociações internacionais sobre o clima são espantosamente equivocadas.

Ele acha que as metas de redução do desmatamento foram uma imposição internacional que restringe aos brasileiros o uso do território e que isso afeta a soberania. Errado. Foi o Brasil que ofereceu essas metas, dentro do esforço internacional. Ele criticou o fato de que há restrições ao uso da totalidade da terra de uma propriedade privada. Sim, há. E isso é lei brasileira, são as reservas legais com percentuais para cada bioma.

Ele critica a participação brasileira nas negociações do clima, dizendo que "nós estamos vendo funcionários viajando para tudo quanto é conferência do clima". Esse esforço nasceu na Rio 92 e será um erro monstruoso se o Brasil abrir mão do seu protagonismo nessa área e se isolar.

O futuro ministro das Relações Exteriores, Ernesto Araújo, também tem defendido o isolamento, como acabou de fazer com o Pacto Global para Migração. Ernesto Araújo nem demonstra ter autonomia na área. No Itamaraty, em reunião, disse que o país continuaria a ser a sede da COP-25. Depois, avisou que tinha recebido ordens no sentido contrário. Mas seu pior erro foi a escolha da equipe de transição que proporá uma reforma no Itamaraty. Seria como chamar a baixa oficialidade para reformar o Exército.

De todos os riscos, talvez o pior tenha sido entregar a questão indígena nas mãos da ministra de Direitos Humanos, Damares Alves, que acredita que a Igreja precisa governar o Brasil. Ela pode ter a fé que quiser, no entanto, se tem uma visão de que "chegou a hora de a Igreja governar", como informou Bernardo Mello Franco em sua coluna, reportando uma fala da pastora em 2016, passa a ser preocupante. E ela tem a ideia de que essa é uma missão divina. "Se a gente não ocupar o espaço, Deus vai cobrar."

Há duas formas de ameaçar a cultura indígena: uma é pela ocupação da sua terra; outra é pela invasão de seu conjunto de crenças e valores. Desde os jesuítas esse tem sido o conflito. Se alguém tem uma visão messiânica sobre o seu papel no contato com os indígenas não pode ocupar um posto tão estratégico. A ministra disse que saberá separar. Saberá? Suas palavras até o momento indicam o contrário, por exemplo, quando ela diz que adoraria ficar em casa enquanto seu marido rala para lhe dar joias. Essa e outras exóticas declarações da ministra sobre o papel da mulher mostram que ela não viu sequer o século XX passar. Mas as mulheres continuarão avançando em todos os campos. Se achar que as religiões precisam ocupar as tribos será o começo do fim para muitas culturas.

Ter posições de direita sobre vários assuntos é tão natural quanto ter posições de esquerda. Mas há o atraso, o obscurantismo, o isolacionismo. O risco é que estejamos tomando essas trilhas.

12. NEGAR O PASSADO COMO ARMA POLÍTICA

16.12.2018

Nos últimos dias, ficou mais difícil a estratégia que tem sido usada pelo presidente eleito e por seus apoiadores de negar o passado recente da História brasileira. Os cinquenta anos do AI-5 foram uma pauta obrigatória porque o Ato Institucional revirou a vida do país, impactou a imprensa, a produção cultural, levou à morte centenas de pessoas, e milhares foram presas e torturadas. É fato marcante que completa meio século. Muitos contemporâneos permanecem vivos para contar como a história foi.

As frequentes declarações do presidente eleito, Jair Bolsonaro, de que não houve ditadura seguem um padrão conhecido. A negação sempre foi arma política usada por qualquer campo, e muito útil para esconder os crimes de períodos autoritários. Lembrar as datas, por sua vez, é parte do conjunto de vacinas contra a repetição dos mesmos erros. Tentações autoritárias sempre espreitaram a democracia.

O brilhante advogado Técio Lins e Silva era um jovem concluindo o curso de Direito e não pôde colar grau. A festa foi impedida pelo AI-5, que fechou o Theatro Municipal. Qual o problema de uma turma da icônica Faculdade Nacional de Direito fazer seu congraçamento? Que risco representava o histórico Theatro Municipal? O Ato Institucional espalhou abusos e irracionalidades.

Em um artigo escrito recentemente, a escritora Heloisa Starling busca Hannah Arendt e o livro *As origens do totalitarismo* para lembrar como a negação da verdade é arma conhecida. "A mentira, diz Arendt, consiste em negar, reescrever e alterar fatos, até mesmo diante dos próprios olhos daqueles que testemunharam esses mesmos fatos", escreveu Heloisa.

Então não há inocência nas declarações sequenciais dadas pelo presidente eleito e seu grupo. "Não houve 'ditadura militar' no Brasil! Mentiram para você, jovem!", escreveu Bolsonaro em um tuíte. Em entrevistas: "Foi uma intervenção democrática [...] o povo brasileiro não sabe o que é ditadura ainda." São abundantes, frequentes, disseminadas.

Os dados e os fatos também são abundantes. A imprensa trouxe algumas estatísticas nos últimos dias. *O Estado de S. Paulo* contou que foram 950 peças de teatro censuradas, quinhentos filmes, quinhentas letras de música. E, se quiserem mais números, houve mais de quatrocentos mortos, 20 mil torturados, 7 mil exilados. O Congresso foi fechado duas vezes após o Ato.

Há o cotidiano daquele tempo, que foi o mais duro dentro da ditadura, o da década da vigência do AI-5. Quem conta é Técio:

— Qualquer pessoa que tenha um mínimo de conhecimento da vida sabe o que é não ter *habeas corpus*. É impedir que o advogado possa se valer desse instrumento extraordinário para conter a violência e o abuso de poder. A primeira coisa que o AI-5 fez foi suspendê-lo, e tínhamos que ser advogados na Justiça Militar sem *habeas corpus*. Quando ouvíamos de uma autoridade militar que aquele preso era um "perigoso subversivo" já era um salvo-conduto para a vida, porque quando diziam "não tem ninguém aqui com esse nome", aí as coisas eram muito duras, porque era sintoma de que aquela pessoa corria risco de desaparecer.

Rubens Paiva desapareceu no dia 20 de janeiro de 1971. Sem acusação formada, sem militância, o empresário e ex-deputado foi preso pela Aeronáutica, entregue depois ao Batalhão da Polícia do Exército, na rua Barão de Mesquita, na Tijuca, Zona Norte do Rio de Janeiro. Nunca mais foi visto. Sua mulher, Eunice Paiva, começa então um doloroso, longo e impressionante processo de superação. Ela, uma dona de casa com cinco filhos, sem qualquer envolvimento político, ao sair da prisão, onde esteve por alguns dias, inicia uma luta em várias frentes. Cria sozinha os filhos, volta à universidade, faz Faculdade de Direito, integra-se à luta das famílias de desaparecidos políticos, vira uma das líderes do movimento da Anistia e das Diretas. Eunice morreu na quinta-feira, 13 de dezembro, no dia em que o AI-5 fazia cinquenta anos, numa coincidência simbólica.

Para a direita brasileira seria mais inteligente governar defendendo valores democráticos e implantando políticas públicas nas quais acredita. Mas a direita que chega ao poder prefere defender o indefensável daquele regime e, assim, se misturar ao pior dele. A negação do passado sempre foi arma política. O difícil é entender com que objetivo é usada agora e que vantagem traz para o governo Bolsonaro.

13. AS DIVISÕES ATÉ NA HORA DE SOMAR

2.1.2019

O presidente Jair Bolsonaro poderia ter só somado ontem, mas preferiu dividir. Era momento de festa cívica, o da posse de um presidente eleito, resultado da oitava eleição consecutiva desde a redemocratização. Mas ele escolheu restringir em vez de ampliar. Isso ficou claro até no momento mais tocante, quando, no Parlatório, a primeira-dama, Michelle, falou aos deficientes auditivos usando a linguagem de libras para incluí-los na cerimônia. Logo depois, Bolsonaro afirmou que ia acabar com o politicamente correto. O gesto que sua mulher acabara de fazer era politicamente correto.

Nos seus discursos, Bolsonaro deu sinais em sentidos opostos. Convocou o Congresso para ajudá-lo a reconstruir o país e resgatar a esperança. Num improviso, brincou que estava "casando" com o Congresso. Falou em dar mais poderes aos estados e municípios. Disse que reafirmava seu compromisso de construir uma sociedade sem discriminação e sem divisão. Afirmou que queria a ajuda do Congresso para libertar a pátria da "irresponsabilidade econômica". Precisou ser lembrado pelo presidente do Senado, Eunício Oliveira (MDB-CE), de que ele não começava do zero, que vários avanços econômicos foram conseguidos na gestão do ex-presidente Temer.

Sua insistência no que chama de "ideologia de gênero", ou "viés ideológico", é a repetição do que disse na campanha, mas é contraditório. Este é um governo com viés e ideologia. Foi eleito entoando discurso de direita. Governará com essas ideias. Isso é natural. O que ofende os fatos é dizer que agora o país estará "livre das amarras ideológicas". Está só trocando amarras, pelo visto.

No ponto mais perigoso do seu discurso no Congresso, Bolsonaro coletivizou o ato do criminoso que atentou contra a sua vida durante a campanha ao dizer: "Quando os inimigos da pátria, da ordem e da liberdade tentaram pôr fim à minha vida, milhões de brasileiros foram às ruas." Nessa narrativa ele joga o epíteto de "inimigos da pátria" aos seus adversários políticos e os mistura com o autor do atentado. Cria uma ambiguidade temerária. Disse que foi eleito a partir da reação da sociedade a esses "inimigos". O Brasil conhece o risco das narrativas que distorcem os fatos. Conhece também o perigo dos líderes que se apropriam da bandeira nacional como sendo expressão de uma ideologia, em vez de ser o manto que nos une.

Na economia, o presidente Bolsonaro alinhou uma série de bons objetivos. O país pode de fato entrar num círculo virtuoso, como ele disse, se houver aumento da confiança depois de reformas e medidas que elevem a eficiência no setor. "Realizaremos reformas estruturantes, que serão essenciais para a saúde financeira e a sustentabilidade das contas públicas." Bolsonaro diz que seu governo trará a confiança "no cumprimento de que não gastará mais do que arrecada". É importante que ele reafirme esse compromisso, mas será preciso união em torno de medidas impopulares para que a promessa do ministro Paulo Guedes, de zerar o déficit público em um ano, vire realidade. Essas "reformas estruturantes" realmente acontecerão, caso o presidente Bolsonaro tenha muito mais convicção do que tem demonstrado. Em geral, suas falas sobre o assunto são hesitantes.

Um ponto destoante foi o tratamento dado à imprensa nacional e estrangeira credenciada para cobrir a posse. Os cuidados com a segurança do presidente eram necessários, sem dúvida. No entanto, isso foi usado como pretexto para cercear o trabalho dos repórteres. Eu estive nas coberturas de posse em Brasília desde a do presidente João Figueiredo. Jamais me deparei com os absurdos que aconteceram ontem, como o de exigir que os jornalistas chegassem sete horas antes do evento para ficar confinados em cercados. A segurança chegou a ponto de confiscar maçãs que jornalistas levavam consigo. Foi só um toque a mais de *nonsense* em meio a uma coleção de abusos.

O presidente Bolsonaro disse que uma de suas prioridades é "proteger e revigorar a democracia brasileira". Isso é animador, principalmente vindo de quem, no passado, elogiou regimes de força. A democracia pressupõe uma imprensa livre e atuante. Que os excessos de ontem não sejam o prenúncio de uma relação autoritária, mas apenas um erro a ser corrigido.

14. ERROS DO GOVERNO NA AMAZÔNIA

13.2.2019

Em termos de Amazônia, o atual governo está se especializando em criar falsas polêmicas, como se já não fossem suficientes os problemas que a região realmente enfrenta. O Planalto considera que é preciso monitorar uma reunião de bispos da Igreja Católica sobre a Amazônia porque entende que será um atentado à soberania brasileira se líderes católicos criticarem o governo. "Nós não damos palpite sobre o deserto do Saara ou o Alasca", disse ontem o general Augusto Heleno, ministro-chefe do Gabinete de Segurança Institucional do Brasil, o GSI. O ministro do Meio Ambiente, Ricardo Salles, atacou um morto. Fez acusações irresponsáveis contra o líder seringueiro Chico Mendes, assassinado há trinta anos.

A vitória de Jair Bolsonaro se deveu em parte ao forte envolvimento dos líderes das igrejas evangélicas. O ideal é que nenhuma religião fizesse militância partidária e eleitoral, porque essa mistura de púlpito e palanque interfere no direito de escolha do eleitor. Contudo, qualquer denominação religiosa é livre para defender temas que achar mais coerentes com seus valores. O mesmo grupo político que não se preocupou com o uso das igrejas evangélicas na caminhada eleitoral de Jair Bolsonaro agora acha perigoso o que a Igreja Católica discutirá no Sínodo da Amazônia, a ser realizado em outubro, em Roma.

O Estado é laico. Isso todos sabem, mas é sempre bom lembrar, nestes tempos em que ministros acham que podem fazer proselitismo religioso nas decisões de políticas públicas. As igrejas também são livres para terem a sua visão dos fatos. É delirante a ideia de que se houver críticas ao governo Bolsonaro a soberania do Brasil estará ameaçada. Primeiro, crítica ao governo não é atentado à pátria. Segundo, a Amazônia não é apenas brasileira, é um bioma que se espalha por nove países. Terceiro, a Igreja Católica vem alertando sobre a urgência de proteção do meio ambiente muito antes de o governo Bolsonaro existir. É de 2015 a Encíclica Laudato Si, do papa Francisco.

Em entrevista à repórter Tânia Monteiro, do *Estado de S. Paulo*, o ministro Augusto Heleno admitiu que há uma preocupação no Planalto com as reuniões preparatórias do Sínodo. Disse que o assunto "vai ser objeto de estudo cuidadoso pelo GSI". E promete: "Vamos entrar fundo nisso."

Melhor faria o GSI se aproveitasse a experiência que o general Heleno e outros integrantes da cúpula do governo acumularam quando serviram na Amazônia para entrar fundo nos problemas reais da região: a invasão de grileiros em florestas e parques nacionais, o desmatamento ilegal e predatório, a ameaça aos indígenas, a destruição da biodiversidade, os documentos falsos de propriedade de terra, o uso da região como rota do crime organizado.

As divergências que os especialistas de diversas áreas, as entidades do terceiro setor e, eventualmente, dos integrantes do clero tenham em relação às posições do governo Bolsonaro sobre questões ambientais e climáticas são apenas isto: divergências. Uma sociedade democrática é, por natureza, plural. As pessoas divergem, discutem, se manifestam, são convencidas, convencem, mudam de ideia. Hoje os partidos que se opõem à atual administração estão enfraquecidos em grande parte por seus próprios equívocos políticos. Isso não significa que o governo não enfrentará, na sociedade, vozes discordantes das decisões que tomar em qualquer área, principalmente no caso de temas mais sensíveis.

Os militares que comandaram o Exército brasileiro na Amazônia, e que hoje estão no governo, conhecem o terreno de andar nele.

Quem não demonstra entendimento mínimo é o ministro Ricardo Salles. A acusação que fez a Chico Mendes desqualifica o próprio ministro e não o líder seringueiro. Salles fez no programa *Roda Viva* uma acusação sem prova, e sem fonte, contra quem não pode se defender. Disse que "as pessoas do agro da região disseram...". E o que disseram? "Que Chico Mendes usava os seringueiros para se beneficiar e fazia manipulação de opinião." Sem fontes, sem fatos, a aleivosia do ministro do Meio Ambiente revela muito sobre o próprio ministro e o seu caráter.

Há adversários a enfrentar na Amazônia, os militares brasileiros os conhecem porque sempre estiveram presentes na região. Não é o Vaticano. Não é Chico Mendes.

15. AS REVELAÇÕES DA CRISE POLÍTICA

17.2.2019

O governo Bolsonaro tem 48 dias e já viveu várias crises — a mais recente tem elementos perigosos e reveladores. Primeiro, o caso do ministro-chefe da Secretaria-Geral da Presidência, Gustavo Bebianno, envolvendo suposto desvio de fundos públicos nos moldes da "velha política" que o presidente Jair Bolsonaro prometeu combater. Segundo, exibiu também de forma extravagante a anomalia que se temia: a intervenção da família do presidente nas questões de governo. Por fim, Bolsonaro tentou ajeitar tudo oferecendo a Bebianno uma diretoria na Usina Hidrelétrica de Itaipu, como se cargo fosse moeda de troca.

Bebianno foi copa e cozinha de Bolsonaro desde a pré-campanha. Não há o que o atinja que não respingue no presidente. Fez parte do círculo mais restrito que iniciou a caminhada que levou Bolsonaro ao Planalto. Foi o coordenador da campanha e, portanto, tinha o poder de distribuir dinheiro. O esquema que está sendo revelado é conhecido no Brasil. Verba eleitoral vai para "candidatos-laranja", que depois não sabem explicar como foi usado o dinheiro. Nesse caso, não falta nada, nem a gráfica suspeita.

A primeira reação do grupo governista foi a odiosa frase do presidente do PSL, Luciano Bivar, para explicar os duzentos e poucos votos na candidata que recebeu a maior parte do fundo partidário destinado à legenda. "Política não é muito a vocação da mulher. Essa regra [de 30% de candidaturas femininas] violenta o homem." O país está tão calejado em ouvir frases discriminatórias que essa nem provocou surpresa. Afinal, na mesma semana, o Supremo Tribunal Federal suspendeu os processos contra Bolsonaro, acusado de incitação ao estupro. O STF fez isso porque ele virou presidente e assim determina a lei, mas o tribunal não consegue explicar por que não o julgou em tempo hábil.

Bolsonaro nunca escondeu de ninguém seu pensamento jurássico sobre várias questões, no entanto, ele garantiu na campanha que combateria a corrupção. Já surgiram vários casos, como o do ministro do Turismo, Marcelo Álvaro Antônio, que teria usado quatro "candidatas-laranja" na campanha do PSL em Minas Gerais. O mesmo esquema no qual agora está envolvido Bebianno. A família presidencial não explicou também as movimentações bancárias do senador Flávio Bolsonaro e de seu ex-assessor Fabrício Queiroz.

O presidente Bolsonaro disse que mandou a Polícia Federal investigar as suspeitas sobre as "candidaturas-laranja" do PSL que receberam recursos do partido. Imagina-se que a PF investigue, em geral, sem esperar pedidos presidenciais, até para não aceitar vetos presidenciais. Os assuntos que precisam ser investigados que o sejam.

A questão que permanece aberta, porém, independentemente da exoneração de Gustavo Bebianno, é que muito cedo começaram a aparecer sinais do que eles definiam como "velha política" no grupo mais próximo do presidente. Também muito mais cedo do que se supunha surgiram turbulências provocadas pelos filhos do presidente. O Brasil não elegeu um clã, até porque a democracia não toleraria isso. Elegeu Jair Bolsonaro. Os três filhos do primeiro dos três casamentos do presidente foram eleitos e exercem seus mandatos. É natural que tudo que eles façam ganhe destaque, mas eles têm exagerado. O vereador Carlos Bolsonaro interferir em assuntos do Planalto é completamente fora de propósito. E o que ele diz é sempre confirmado pelo pai.

Tudo nesse episódio é esdrúxulo. E disso sabem integrantes do governo. Mesmo que a turma das patentes entre tentando pôr equilíbrio na bagunça, será difícil evitar novos episódios. Carlos, Eduardo e Flávio jamais terão perfil discreto porque nunca tiveram. Aliás, de todos, Flávio é o menos inflamado, porém é o mais encrencado pessoalmente. Jair Bolsonaro criou os filhos assim, eles se espelham no pai. A família jamais se notabilizou pela sensatez e pelo equilíbrio. Só que agora é tempo de governar, e esses poucos dias de exercício do poder têm dado sinais inquietantes.

O desfecho do caso Bebianno já foi dado, sejam quais forem os próximos desdobramentos. A "filhocracia", na feliz definição do colega Ancelmo Gois na coluna de quinta-feira (14), está instalada, os métodos da velha política estão presentes no novo governo e diretoria de empresa pública é moeda de troca e prêmio de consolação. A crise confirmou as piores previsões sobre o governo Bolsonaro.

16. A QUESTÃO MILITAR NO ATUAL GOVERNO

6.3.2019

Os comandantes militares, principalmente do Exército, viram o crescimento do então candidato Jair Bolsonaro como uma oportunidade de tratar uma velha questão mal resolvida com a sociedade brasileira. O general Villas Bôas, comandante do Exército até dois meses atrás, soltou suas notas em momentos oportunos para deixar claro o seu lado quando o país ainda estava no processo decisório. Urnas fechadas, o desembarque no novo governo foi natural e coerente. Mas uma nova questão começou: será bom ou ruim para as Forças Armadas tamanha simbiose?

O governo Bolsonaro é resultado de uma mistura eclética. Há o ultraconservadorismo dos costumes, que não tem necessariamente correspondência com os valores da instituição nem é conveniente estar ligado à imagem das Forças. Até porque é um conservadorismo farisaico, que gosta de proclamar-se, mas não de viver sob seus ditames. Que relação tem alguém que diz, como Bolsonaro, que usava o auxílio-moradia para "comer gente" com a defesa da família tradicional? A interferência da religião em decisões de Estado também não tem conexão com os valores laicos das Forças Armadas. Nelas, integrantes de várias denominações convivem.

Os militares estão sendo vistos como panaceia para qualquer tipo de impasse. Neste momento, quadros da reserva estão povoando todas as áreas. Generais muito bem qualificados foram nomeados para ministérios e têm tido bom desempenho, a ponto de virarem um dos poucos elos de concordância entre eleitores que estiveram em lados opostos. Foi, por exemplo, com alívio que o país viu os militares liderando as negociações na tensão surgida na fronteira com a Venezuela. Assim, respeitou-se a tradicional posição brasileira de rejeitar o papel de ser linha auxiliar dos Estados Unidos na região.

A guerrilha digital do bolsonarismo continua atacando os que manifestam qualquer divergência em relação ao governo. Seus líderes, inclusive os filhos do presidente, não entenderam o básico sobre o que é governar. Não lançam pontes, aprofundam as divisões. Não diluem desentendimentos, cultivam rancores. Não cedem, querem a eliminação dos que divergem. O episódio do ataque a Lula protagonizado pelo deputado Eduardo Bolsonaro, no momento em que o ex-presidente vivia dor profunda com a perda do neto, é uma demonstração do problema. Essa cultura do conflito não faz bem à imagem das Forças Armadas, que precisam ser vistas como instituições de todo o país e não de uma facção política e ideológica.

Há também os casos de corrupção que começaram precocemente a aparecer no novo governo. Movimentações bancárias suspeitas e "candidaturas-laranja". Tudo próximo ao centro do novo governo. Isso constrange qualquer sócio do poder que defenda com sinceridade o combate à corrupção.

As Forças Armadas passaram os últimos trinta anos ressentidas com a interpretação dos fatos políticos ocorridos durante a ditadura. Em seus quartéis e escolas, em conversas internas e em algumas declarações públicas, manifestavam a convicção de que não tomaram o poder, foram chamadas em momento de risco. Ficaram ofendidas com a Comissão da Verdade, mas nunca condenaram a tortura nem admitiram que pessoas morreram em dependências militares.

Quando a campanha de Bolsonaro começou a decolar, os seus apoiadores dentro das Forças Armadas foram deixando claro de que lado estavam. Parecia ser a oportunidade de recontar a História e mostrar as qualificações dos seus quadros. O capitão reformado havia saído mal do Exército, depois de atos de indisciplina, mas tinha feito sua carreira política defendendo os ex-colegas de farda. Bolsonaro disse, logo depois da posse, uma frase comprometedora ao então comandante do Exército, general Villas Bôas: "O que conversamos ficará entre nós. O senhor é um dos responsáveis por eu estar aqui." Era a confissão pública de politização nas Forças Armadas.

Essa simbiose com o governo Bolsonaro é o movimento mais arriscado feito pelas Forças Armadas nos últimos tempos. Elas estão emprestando seu prestígio a um governo cheio de controvérsias e conflituoso. Já são mais de cem militares no primeiro e no segundo escalões, como informou *O Estado de S. Paulo*. Na área do meio ambiente, depois da demissão de 27 superintendentes regionais, fala-se em nomear apenas militares. Eles estão orgulhosos exercendo o poder nas áreas sob seu comando. O risco é virarem bucha de canhão nas guerras que interessam apenas ao bolsonarismo.

17. ATAQUE À IMPRENSA E AUTORITARISMO

12.3.2019

Há várias formas de ameaçar a liberdade de imprensa. O governo Bolsonaro tenta um novo tipo, que é expor na rede os jornalistas como forma de tolher, intimidar pessoas que estão no exercício da profissão. Já fez isso várias vezes usando os sites, perfis e *bots* que controla desde a campanha. Neste caso que atingiu uma repórter do *Estadão*, Bolsonaro usou o cargo de presidente para divulgar uma mentira, e isso é um crime duplo porque a Presidência tem poderes que não podem ser usados com essa leviandade.

O presidente Jair Bolsonaro não gosta dos jornais e dos jornalistas que não o seguem de forma acrítica. Acha que pode, através das redes sociais, substituir entrevistas por *lives* do Facebook, trocar os anúncios oficiais da Presidência por disparos no Twitter, promover, com seus filhos, falsos jornalistas e perseguir os profissionais dos quais eles não gostam. Não dará certo, como outras investidas autoritárias também fracassaram.

Eu escrevi em 2004 várias colunas criticando duramente as investidas contra a imprensa pelo governo Lula, em seu início. Elas estão publicadas no meu primeiro livro, *Convém sonhar*. O então ministro-chefe da Casa Civil, José Dirceu, havia proposto a criação de duas agências para controlar os jornalistas. Na exposição de motivos para o Congresso, argumentou que sua iniciativa se devia ao fato de não haver uma instituição capaz de "fiscalizar e punir as condutas inadequadas dos jornalistas".

Os poderosos estavam errados, assim como os de hoje. Os jornalistas estão submetidos a todas as leis do país. E, principalmente, ao escrutínio de quem nos lê, ouve, assiste, segue. Se naquela época o PT queria inventar uma agência que punisse os discordantes, agora o presidente Bolsonaro cria milícias digitais que simulam o movimento natural da opinião pública e às quais ele, pessoalmente, dá a senha de atacar.

O caso deste fim de semana deve ser analisado cuidadosamente para se entender a forma Bolsonaro de ameaçar a liberdade de imprensa. Um blog assinado pelo jornalista e documentarista marroquino Jawab Rhalib, hospedado no site francês chamado Mediapart, publica trechos de uma suposta entrevista da repórter Constança Rezende, do *Estadão*, e inventa a frase "a intenção é arruinar Flávio Bolsonaro e o governo". Rhalib não a entrevistou. Recorreu a uma conversa dela com uma pessoa que se apresentou como estudante para entrevistá-la. Na própria transcrição feita pelo blog não aparece a frase atribuída a ela e ressaltada na postagem do presidente brasileiro.

Bolsonaro deu curso a uma mentira e insuflou seguidores a atacar a jornalista. A Agência Lupa fez a verificação e mostrou que era falso, o *Estadão* também desmentiu, mas o linchamento virtual continuou, com o aval do próprio presidente. Ontem à tarde, o Mediapart publicou em português, em sua conta no Twitter, que não tem responsabilidade sobre a seção de blogs — destinada a leitores — e que a informação divulgada por Bolsonaro não era verdadeira. A propósito, quem ameaça o senador, filho do presidente, é ele próprio e seu amigo Fabrício Queiroz. Quando esclarecerem as movimentações bancárias estranhas, cessará o problema.

Não é a primeira vez que o bolsonarismo constrange jornalistas. Os métodos já são conhecidos: xingamentos, uso de pedaços de verdade para construir uma grande mentira, intimidação, exposição do rosto do repórter com o aviso de que aquela pessoa é o alvo da vez. Isso foi feito várias vezes nestes poucos meses que vão da campanha e da transição ao exercício do poder.

O ataque virtual é idêntico ao que fazia o ex-presidente Hugo Chávez. Ele era capaz de, no meio de uma multidão que o aclamava, como vi em Caracas, apontar para um jornalista presente ao evento e acusá-lo de ser um inimigo do bolivarianismo, colocando-o em risco físico. Como agora se aponta na rede quem, supostamente, é inimigo do bolsonarismo.

Em abril de 2004, escrevi neste espaço contra governantes autoritários. "São perigosos, estejam eles na esquerda ou na direita, sejam de que partido for." Naquela época me referia a essa tentativa do PT de criar agências para controle da imprensa. O projeto acabou sendo retirado diante das muitas críticas. O governo usou então sites aos quais repassava grandes somas de dinheiro para criticar alguns jornalistas. Aquela coluna escrita há quinze anos tem frases que parecem atualíssimas, como a que diz: "Senhores governantes, por favor governem." É o que está faltando a Bolsonaro. Dedicar-se ao exercício do cargo para o qual foi eleito e que tem usado de forma tão abusiva.

18. MARIELLE ERA FORÇA E PROMESSA

14.3.2019

"Quem era Marielle?" A pergunta é do deputado Eduardo Bolsonaro. "Estou falando com todo o respeito. Ninguém conhecia Marielle Franco antes de ela ser assassinada." O parlamentar tem que redobrar seu respeito. Marielle era um fenômeno da política. Mulher, negra e tendo crescido na Maré, sem qualquer parente na política, de um partido pequeno, fez uma campanha sem recursos e que a consagrou com mais de 46 mil votos. Ela foi votada principalmente nas áreas pobres da cidade.

Quem era Marielle? Era uma vereadora despontando com uma força de liderança enorme. Na democracia, os representantes são o esteio das instituições e por isso vivem sob constante escrutínio da população. Marielle encarnava exatamente os que mais precisam ter voz num país desigual e cheio de injustiças como o Brasil: as mulheres, os negros, os pobres, os que são perseguidos por sua orientação sexual. Trabalhou para construir essa liderança, por dez anos foi funcionária de uma Casa Legislativa, acompanhava o chefe, deputado Marcelo Freixo, numa CPI árdua, a das milícias, problema que ou é enfrentado ou o Rio de Janeiro naufragará na barbárie. Os chefes da milícia são, como ninguém desconhece, ex-integrantes das forças de segurança do estado. Atuam numa zona de sombra perigosa, afinal o estado treina e arma seus agentes com o objetivo de proteger os cidadãos e não para ocupar parte do território, sequestrar populações, ameaçá-las e matar os que eles consideram seus inimigos.

Segundo o deputado Bolsonaro, ninguém sabia quem era Marielle Franco antes do crime. Seus eleitores sabiam, as pessoas que foram espontaneamente às ruas nas horas seguintes para chorar sua morte sabiam. E, infelizmente, sabiam também os que a mataram e os que tramaram tão minuciosamente o seu assassinato. Se não era ninguém, como sugere o deputado Bolsonaro, por que o policial militar reformado Ronnie Lessa e o ex-PM Élcio Queiroz programaram a execução com tanta frieza e a esperaram com tanta determinação?

Ela era uma força emergente que já no seu primeiro mandato ameaçava e incomodava. O país precisa saber tudo sobre esse caso porque ele é um atentado à democracia. O Estado democrático de direito não pode conviver com o fato de um representante eleito ser assassinado pelas ideias que tinha e defendia. Isso ocorre nas ditaduras, que se instalam na marginalidade, na ausência da lei. Mas a democracia não pode aceitar o silêncio, as respostas incompletas, nem as interpretações enviesadas sobre os motivos que levaram ao crime. É "improvável" a tese de que foi por ódio que Ronnie Lessa a matou. Um ódio dele, só dele, e não a ponta executora de um plano para eliminar uma voz que ficava mais alta a cada dia.

O senador Flávio Bolsonaro fez também uma pergunta, diante dos fatos expostos pela Delegacia de Homicídios ao prender os dois suspeitos. "Agora virou fator importante para o crime o cara, coincidentemente, morar no condomínio dele [do presidente Jair Bolsonaro]?", questionou, referindo-se à residência de Ronnie Lessa. De novo, há um erro de olhar. É estranho que os órgãos de segurança e todos os envolvidos na proteção do presidente não se preocupem com o fato de o presidente morar tão perto de alguém que tinha ligações com criminosos, era um matador de aluguel e possuía um arsenal onde havia 117 fuzis. Afinal, Bolsonaro foi esfaqueado durante a campanha. E esse foi o argumento para se fazer uma blindagem tão grande na posse que impôs aos jornalistas constrangimentos inéditos. Mas, depois da posse, quando vinha de Brasília para a sua casa no Rio, ele ficava em extrema proximidade de um matador de aluguel.

Há distorção da realidade nas perguntas feitas pelos dois filhos do presidente diante da apresentação pela polícia dos suspeitos de assassinarem Marielle. A pergunta exata é saber quem mandou matar uma representante do povo do Rio na Câmara Municipal. O esclarecimento do crime é fundamental para dar respostas à família, aos que amavam Marielle, aos que se sentiam representados por ela, aos que vislumbravam o seu futuro. É também a única forma de fortalecer a democracia. A cada dia — e já são 365 deles — que não se sabe a motivação nem o nome dos mandantes dessa conspiração e morte, maior é o risco que corre a democracia brasileira.

19. ERRO EM EDUCAÇÃO CUSTA CARO DEMAIS

28.3.2019

Que o governo tem errado em muitas áreas não é novidade, mas ele não tem se dado conta da gravidade que é errar em educação. O ministério está parado. Não toma decisões e gasta todas as energias e as horas vivendo crises que ele próprio cria, demitindo pessoas que acabou de nomear ou revogando-se a si mesmo. Essa é apenas mais uma semana perdida no MEC. Não há setor em que os erros e a paralisia sejam mais perigosos do que este. Na educação não se perde um minuto e já perdemos um trimestre. O presidente Jair Bolsonaro escolheu o ministro de forma insensata e persiste nele.

O debate ontem na Câmara foi constrangedor pelo que o ministro Ricardo Vélez Rodriguez demonstrou não saber. O melhor momento foi o discurso da deputada Tábata Amaral (PDT-SP), em que ela resumiu o sentimento: "A sua incapacidade de apresentar uma proposta e saber dados básicos e fundamentais é um desrespeito não só à educação, não só ao ministério, não só ao Parlamento, mas ao Brasil como um todo."

O Brasil teve alguns avanços importantes em educação nos últimos anos. Iniciou um processo de avaliação no governo Fernando Henrique. E isso nos deu a capacidade de quantificar e comparar atrasos e casos de êxito. Houve o envolvimento da sociedade civil, com a criação de organizações. Empresas fundaram institutos que têm auxiliado gestores públicos. Jornais debatem o assunto em eventos com especialistas nacionais e internacionais. A busca é a mesma: fazer um mutirão nacional para permitir a superação do atraso que mais ameaça o país e seu futuro. Há casos de sucesso que podem ser destacados para serem copiados. Já visitei escolas pelo Brasil e fiz reportagens mostrando alguns desses exemplos que são pérolas no nosso mar de derrotas e que nos animam a seguir em frente. Há esperança, há caminhos.

O Fundeb termina no ano que vem e até agora não recebeu qualquer atenção do MEC. O Fundo, criado inicialmente como Fundef no governo FHC e ampliado ao incluir o ensino médio no governo Lula, responde por 60% dos gastos na educação do ensino básico. Tem recursos municipais, estaduais e federais, combate a desigualdade imensa das chances dos nossos estudantes. Se ele acabar, sem que haja um mecanismo de financiamento, haverá o colapso.

O MEC não conseguiu chegar a uma conclusão sobre o que fazer a respeito da Base Nacional Comum Curricular. Preocupa-se apenas com miudezas, em perseguir pessoas ou ideias consideradas ameaças ao atual governo. Não consegue dizer nem do que se defende. Tudo em relação à reforma do ensino médio está parado. Foi extinto o comitê de avaliação de tecnologias inovadoras. Há rotinas que precisam ser tocadas e que estão paralisadas, até coisas simples como providenciar um edital para compra de livro didático. Como se sabe, escola tem calendário. Quando o ministério pretende tomar decisões que permitam aos alunos terem livros nas mãos?

Vários programas que fazem a articulação dos estados com o governo federal em ações conjuntas não funcionam. Reuniões não são realizadas, urgências são ignoradas, prazos são perdidos. Entre as poucas providências está o e-mail do ministro enviado a todas as escolas obrigando-as a ler uma carta que terminava com o lema da campanha de Bolsonaro. As crianças, além de ouvir essa leitura, cantariam o Hino Nacional e seriam filmadas. A gravação seria enviada ao MEC. Essa estultice foi abandonada diante das críticas.

O ministro Vélez Rodriguez parece estar no mundo fantasioso de Alice. Nomeia, para depois sair gritando: "Cortem as cabeças, cortem as cabeças." E são as mesmas que ele escolheu por critérios insondáveis. O segundo presidente do Inep, que acaba de cair, a única coisa que fez em seu curto mandato foi dizer que todo o conteúdo das provas do Enem teria que passar pelo crivo de Bolsonaro. O primeiro presidente do Instituto só entendeu o sistema de avaliação depois que os funcionários desenharam.

O diálogo brasileiro sobre educação evoluiu e amadureceu. Ainda temos um desempenho muito ruim em qualquer comparação internacional, mas estávamos procurando a saída, tendo vitórias parciais, construindo possibilidades. O grupo que chegou não tem ideia de por onde passa o desafio da educação contemporânea. O governo Bolsonaro está errando mais justamente na área que não aceita erros nem retrocessos.

20. DIREITA FESTIVA EM NEGAÇÃO

31.3.2019

Hoje é 31 de março. Podia ser um dia qualquer, no entanto o presidente Jair Bolsonaro o transformou em mais um motivo de atrito, desgaste e divisões no país. Quando o presidente deu a ordem para que as Forças Armadas fizessem as "comemorações devidas", ele reabriu feridas e incomodou até os militares. Eles tentaram encontrar um tom, na ordem do dia e nos eventos, que reafirmasse sua versão sobre os fatos históricos e que evitasse a provocação sempre presente nas palavras e atitudes do presidente. Não conseguiram, e o general Edson Leal Pujol, comandante do Exército, acabou repetindo que o Exército de nada se arrepende.

Essa é a data do golpe contra a democracia ocorrido em 1964. Quando alguém festeja um regime autoritário é porque gostaria de repeti-lo. Essa é a sombra sobre este momento direita festiva. A apologia da ditadura foi de uma constância monótona na carreira política de Bolsonaro. Dentro dos quartéis, alguns evoluíram. Admitem que aquele foi um período triste da História do Brasil que feriu brasileiros. A instituição, contudo, jamais admitiu qualquer erro. Preferiu cristalizar uma versão falsa e impedir a necessária e saudável autocrítica.

A nota do ministro da Defesa, general Fernando Azevedo e Silva, e dos comandos militares é branda. Faz uma digressão histórica, passa por eventos, chega à Guerra Fria para dizer: "Tanto o comunismo quanto o nazifascismo passaram a constituir as principais ameaças à liberdade e à democracia." Segundo a nota, esse foi o ambiente de 1964. As Forças Armadas teriam apenas atendido ao clamor popular e da imprensa. No início da nota, são descritos de forma tão pálida os tórridos acontecimentos de 31 de março de 1964 que eles ficam irreconhecíveis. Segundo essa versão, o Congresso, em 2 de abril, declarou a vacância do cargo de presidente; no dia 11, Castelo Branco foi eleito presidente; e no dia 15 tomou posse. Passados 55 anos, as Forças Armadas "reafirmam o compromisso com a liberdade e a democracia, pelas quais têm lutado ao longo da História".

O desconcertante é ver as Forças Armadas ainda em negação, 55 anos depois. Os fatos já fazem parte da História, são incontornáveis. As cassações, as mortes, as torturas, o exílio, o fechamento do Congresso, a censura à imprensa, o AI-5 não podem ser negados. Pode-se discutir o contexto. Contudo, é forçoso reconhecer o que realmente aconteceu, sob pena de o desvio ser naturalizado, como parte da história e da natureza mesma das Forças Armadas.

Outros países, vizinhos nossos, foram por caminho diverso até a conciliação com a História. Bolsonaro não entendeu que os governos de direita da região querem ser democráticos e não defender um passado indefensável. Em suas viagens ele tem espalhado constrangimento entre as autoridades do continente, como fez ao homenagear os ex-presidentes Alfredo Stroessner, no Paraguai, e Augusto Pinochet, no Chile. Bolsonaro não tem solução. Ele escolheu defender o que houve de pior naquele tempo. Identifica-se com ditadores e torturadores e os reverencia, o que o torna, a esta altura, um caso clínico. Triste é constatar a incapacidade de os militares brasileiros reconhecerem que houve erros e crimes no período de 21 anos em que as Forças Armadas governaram o Brasil.

O general da reserva Luiz Eduardo Rocha Paiva foi escolhido para chefiar um grupo que vai rever a Comissão de Anistia. Quando eu o entrevistei, em 2012, para um documentário sobre o deputado Rubens Paiva, um dos desaparecidos políticos durante a ditadura militar, ele fez uma conta macabra. Conforme disse, se fôssemos pegar os que denunciaram na Justiça Militar terem sido torturados e os que o declararam depois, teríamos "uma média de meio torturado por dia a quatro torturados por dia". Ele concluiu, com essa estranha contabilidade, que isso era pouco.

Há militares da ativa com pensamentos mais arejados. Eles explicitam o que foi apenas insinuado na nota do ministro da Defesa e dos comandantes militares, na qual se mencionou "aprendizados daqueles tempos difíceis". O problema é o que não está na nota. A negação da realidade é o caminho mais curto para a repetição de tragédias. O nome da tomada do poder pelas Forças Armadas é golpe. Ponto. Durante 21 anos o governo militar foi uma ditadura. Ponto. Não há uma conversa adulta sobre aquele tempo sem essas duas palavras.

21. DAS BIZARRICES E DAS MENTIRAS

7.4.2019

O que é espantoso neste governo é como ele é capaz de perder o próprio tempo e o nosso. Bizarrices, debates ociosos ocupam as horas e consomem energias que deveriam estar dedicadas ao esforço de enfrentar os inúmeros problemas do país. Perder tempo quando se tem tanto a fazer é ruim. Mas algumas das mentiras ameaçam. Se a ditadura foi ditadura, se Hitler era de direita ou esquerda, se é melhor, como disse Bolsonaro, ver dados bancários em vez de consultar o IBGE para saber o número de desempregados, se o diálogo do presidente com os partidos é velha ou nova política. Esses são exemplos de temas pautados por este governo. Parecem só inutilidades, mas são, muitas vezes, mentiras perigosas.

O presidente dizer que não se arrepende de ter feito xixi na cama com 5 anos é bizarro. Quando ele compara esse ato infantil involuntário com a defesa que fez na vida adulta do fechamento do Congresso, passa a ser ameaça. Ele nunca soube dar peso às próprias palavras. O problema é que exibir, como chefe de governo, essa desordem no sistema de valores é assustador.

É preciso saber separar. De tudo o que fez, falou e provocou na última semana, o mais perigoso foi a revisão do passado. Quem diz que não houve golpe nem ditadura no Brasil não está provocando polêmica, está mentindo. Algumas questões da História comportam interpretações, outras, não. Esta é uma república que já viveu dois graves e longos ciclos autoritários.

O regime que fechou várias vezes o Congresso, interferiu no Judiciário, suspendeu garantias constitucionais, impôs uma Constituição autoritária, cassou, prendeu, torturou, matou e ocultou cadáveres de opositores, proibiu estudante de estudar, suspendeu eleições e censurou a imprensa foi uma ditadura. Não cabe relativizar. É fato absoluto. Relativa é a tendência política de cada um. O presidente Bolsonaro gostou do período, acha que foi um bom momento e que os atos do regime não foram crimes. Cada um é livre para ter a própria opinião. Pode gostar ou não. No caso de um presidente da República, essa preferência tem que pôr em alerta as instituições.

A discussão não é apenas bizantina, não é mais uma esquisitice do governo nem deve ser vista com a condescendência que se dedica aos loucos. Na quarta-feira (3), o ministro Vélez Rodriguez falou em mudar livros escolares. A ideia de impor aos jovens uma versão mentirosa dos fatos históricos é criminosa e ataca a ordem constitucional. Tratar como sendo mais um sintoma de sandice pode ser o pior risco. A queda do ministro não resolve o problema, porque a ideia pode sobreviver a ele.

A revisão histórica em relação ao nazismo é horripilante, porque é a tentativa de reescrever uma das páginas mais dolorosas do século XX: o Holocausto dos judeus na Alemanha de Hitler. Não se brinca com questão de tal gravidade. Relativizar o que houve é o primeiro passo para esquecer o que jamais pode ser esquecido.

Na extraordinária capacidade do governo de nos fazer perder tempo, apesar da agenda lotada de questões urgentes, há uma enorme dose de falta de noção. Dias e dias foram perdidos com ofensas em redes sociais de pai e filhos a potenciais aliados na agenda econômica, como o presidente da Câmara, Rodrigo Maia (DEM-RJ). As lutas internas travadas entre os seguidores do presidente, os tuítes mal escritos, insensatos e agressivos dos filhos do presidente, a criação de entidades desconhecidas do mundo real são exemplos do mais puro desperdício de tempo.

O perigo é o país se cansar de tanto assunto sem sentido que o governo traz à tona e deixar de reagir com a veemência necessária àquelas questões que realmente nos ameaçam. Intervir na metodologia do IBGE, reescrever livros de História, deixar a educação à deriva, fazer apologia de crimes políticos passados são riscos graves contra os quais o país precisa se proteger.

Quem foi eleito governa durante o seu mandato, cumpre sua agenda, monta sua aliança, nomeia os ministros, tenta passar no Congresso as medidas que acha relevantes para seu projeto. Esse é o jogo democrático. Quem foi eleito não vira dono do país. As instituições precisam estar atentas aos perigos reais que podem estar por trás de uma frase sem noção, de um ato descabido, uma leviandade, uma mentira que se tenta impor como verdade. A democracia em tempos modernos não tem morte súbita. Morre aos poucos.

22. COMO PERDER OS CEM PRIMEIROS DIAS

10.4.2019

Nestes cem dias, o pior inimigo do governo Bolsonaro foi o governo Bolsonaro. O melhor período da lua de mel de qualquer administração com a população foi queimado num processo que deixou como saldo a queda de sua popularidade e um grande estoque de brigas inúteis e de energia desperdiçada. Na área econômica, trabalha-se com foco em objetivos concretos que vão além da reforma da Previdência. Mesmo assim, perdeu-se tempo. De todos os erros, o pior foi no Ministério da Educação, que, não por acaso, no 99º dia teve troca de comando. Infelizmente não houve mudança de ideias.

Desde os primeiros dias ficou claro que o ministro Vélez Rodriguez era a escolha errada. O presidente deixou o ministério sangrando por um trimestre, com paralisia e brigas de facções entre os assessores de Vélez. O novo ministro, Abraham Weintraub, tem, como os que chegam, o benefício da dúvida. Se comandar o MEC com as ideias que defendeu em palestras e vídeos nas redes sociais, é certo que o diversionismo permanecerá na área mais importante do país. Se ele continuar sua cruzada ideológica, perderemos o ano letivo.

Os erros na educação foram tão ruidosos que outros desacertos ganharam menos atenção que o necessário. No Itamaraty, o ministro Ernesto Araújo apresenta os sintomas do mesmo tipo de delírio que o ex-ministro Vélez Rodriguez. Enquanto nos expõe ao ridículo diante do mundo, vai desmontando a Casa de Rio Branco.

No Ministério do Meio Ambiente, o ministro Ricardo Salles fez pouco e causou muito dano. Logo no começo da gestão falou que criaria um sistema de monitoramento de desmatamento. O Brasil já tem. É feito pelo Inpe, instituição de excelência científica do Estado brasileiro que faz esse serviço desde 1988. O ministro teve atuação pífia diante do rompimento da barragem de Brumadinho, em Minas Gerais, e antes que se termine a avaliação das perdas humanas e ambientais já propõe que a Vale faça uma conversão das multas. Ele demitiu os 27 superintendentes do Ibama. O órgão desconsiderou o parecer dos técnicos e autorizou o licenciamento para exploração de petróleo em áreas de alto risco. Salles não está dando nova orientação à pasta. Está destruindo o arcabouço institucional de proteção da biodiversidade. É o ministro do desmonte ambiental.

O governo Bolsonaro se desgastou porque quis. Atacou os partidos como se eles fossem sinônimos de corrupção, ignorando que com 52 deputados não se consegue maioria num colégio de 513. E sem maioria não se aprovam projetos nem se governa. E mesmo esses 52 do partido do presidente já se dividiram e tiveram até brigas públicas.

Uma pesquisa com parlamentares, divulgada ontem pela Corretora XP, mostra que subiu de 12% para 55% o índice de deputados que consideram ruim ou péssima a relação da Câmara com o Planalto. No começo do ano legislativo, 57% achavam que o relacionamento era bom ou ótimo. Agora, apenas 16% fazem avaliação favorável. O presidente espalhou a impressão, por suas declarações, de que dessa forma está evitando a corrupção. Confunde o ato político de dialogar com as práticas ilegais. Melhor faria se explicasse o que aconteceu com o "laranjal" do ministro do Turismo ou com os depósitos estranhos dos funcionários do gabinete do agora senador Flávio Bolsonaro (PSL-RJ).

A área econômica, uma das poucas que se salvam, errou quando aceitou fazer um projeto de Previdência novo. Poderia ter aproveitado a emenda do governo anterior, que já estava tramitando. Com uma emenda aglutinativa poderia melhorar o projeto. Até no governo admite-se que isso foi um erro. Com os canais de diálogo com o Congresso entupidos, o governo tem de refazer passos que já haviam sido dados na reforma da Previdência. Ontem o projeto ainda batia cabeça na Comissão de Constituição e Justiça. E há outras reformas que precisarão de boa negociação com o Congresso.

O presidente e seus filhos continuaram a artilharia nas redes sociais mirando os adversários ou supostos oponentes. Estão atingindo o próprio governo. Perderam tempo e energia que deveriam dedicar à busca de solução para os problemas do país. Em alguns casos cometeram o crime de divulgar notícias falsas. O que de fato o governo ganhou com isso foi a confirmação da crítica de que o presidente Jair Bolsonaro não estava preparado para governar. Ganhou um mandato, já pensa no próximo e ainda não sabe o que fazer para administrar o país.

23. PGR NÃO PODE ESPELHAR O GOVERNO

21.4.2019

Havia muitas esperanças em Raquel Dodge, várias se frustraram. Havia alguns temores e eles se confirmaram. Seu mandato terminará dentro de cinco meses e não deve ser renovado. A dúvida é o que virá depois. Se o presidente Jair Bolsonaro ficar dentro da lista tríplice do Ministério Público Federal tem mais chances de acertar. Se buscar um espelho seu no MPF, encontrará. Sempre haverá quem se disponha a ser um aliado do Executivo, mas não é papel da PGR defender o governo.

Se Bolsonaro escolher alguém do Ministério Público Militar para a PGR estará produzindo um monstrengo institucional, porque quem escolhe o procurador-geral militar é o procurador-geral da República. Se buscar alguém fora da lista tríplice que se encaixe na ideologia que ele professa, vai encontrar, porque existem procuradores que defendem coisas como a escola sem partido e a transformação de terras indígenas em centros de mineração. Nesse momento o MPF está em plena campanha com procuradores buscando votos. Outros correm por fora e fazem acenos para o presidente. Quem for escolhido só fará bem o seu papel se entender que na democracia os Poderes são independentes, e o pressuposto é que haja pesos e contrapesos.

Toda instituição tem a defesa dos interesses corporativos, mas também a defesa dos valores comuns. A lista tríplice representa muito mais a segunda vertente, no entanto é acusada de ser uma distorção sindical. Têm lista tríplice os 26 Ministérios Públicos estaduais, o MPDF, o MPM. E, portanto, o MPF.

O procurador Geraldo Brindeiro, nomeado por FHC, ficou com a pecha de ser o "engavetador-geral". O procurador-geral da República precisa ser pessoa de Estado e não de governo. Brindeiro é acusado de ter sido de governo. Os escolhidos na lista, a partir de 2003, pelo governo do PT não foram servis aos interesses do Poder naquele momento e isso foi fundamental para o avanço da democracia. Basta conferir o que fizeram esses procuradores-gerais: Antonio Fernando denunciou o mensalão; Roberto Gurgel conduziu, instruiu e pediu a condenação dos envolvidos no mensalão; Rodrigo Janot pediu a execução das penas, começou a Operação Lava-Jato e fez a força-tarefa. Raquel Dodge, contudo, fez menos do que poderia contra o governo que a indicou, de Michel Temer. É criticada por inação e por algumas atuações discutíveis.

Primeira mulher a chefiar a PGR, Raquel foi saudada por ter atuado com desassombro no caso do ex-deputado federal do Acre Hildebrando Pascoal (PFL), por ter sido boa chefe das Câmaras Criminais e por contar com um histórico de defesa de minorias, principalmente indígenas. Temia-se que pudesse enfraquecer a Lava-Jato. Ela tentou. Em um evento recente, entrou com uma ADPF (Arguição de Descumprimento de Preceito Fundamental) contra a força-tarefa de Curitiba por conta da proposta de se criar uma fundação para gerir recursos para a Lava-Jato. Havia sido um erro da Lava-Jato. Mas, em vez de tratar disso internamente, ela entrou no Supremo contra os procuradores. Só que duas horas antes o assunto já fora resolvido. Os procuradores de Curitiba haviam soltado nota recuando do projeto.

Pouca gente tem dúvida de que foi um erro pensar nessa fundação. Mas essa prática de direcionar dinheiro recuperado de crimes para projetos sociais já foi implementada várias vezes. Um exemplo disso, que recebeu até o Prêmio Innovare de 2011, foi o destino do dinheiro pago pela Cesp em um TAC (Termo de Ajustamento de Conduta) pelos erros na construção de uma hidrelétrica em Presidente Prudente, no interior paulista. O MPF direcionou os recursos para projetos de redução do impacto ambiental causado na região e para a construção do Hospital Regional do Câncer.

Raquel errou ao ficar em silêncio na sessão do dia 14 de março, quando o presidente do STF, o ministro Dias Toffoli, anunciou que estava abrindo um inquérito contra os ataques ao STF na internet. Só depois de pressionada é que ela perguntou qual era o fato determinado para a abertura do inquérito. Na última semana, após a censura à revista digital *Crusoé*, ela pediu o arquivamento do inquérito. Mas isso ocorreu às 14h, quando o MPF inteiro se perguntava por que a procuradora-geral ainda não se pronunciara. Errática é o adjetivo mais usado em relação a Raquel. Fechada numa concha, disposta a ser a anti-Janot, ela acabou pecando por omissão.

Em setembro, Bolsonaro vai escolher a próxima pessoa a comandar a PGR. Quer ignorar a lista tríplice e achar alguém que espelhe o governo. Dependendo da escolha, vai aprofundar a crise da democracia brasileira.

24. O PASSADO NÃO TEM FUTURO

5.5.2019

Economistas do governo têm dito que chegou agora ao poder no Brasil uma aliança entre liberais na economia e conservadores nos costumes. É uma narrativa, porém não define esta administração. Liberais têm amargado derrotas. Certas decisões e declarações são contrárias ao progresso e à tendência dos tempos atuais. Quando o governo nega a mudança climática, dá sinal verde para o desmatamento, demonstra preconceito contra as diversidades étnica e de gênero e anuncia que combaterá o feminismo, não está sendo conservador, está sendo reacionário.

A palavra é vista como ofensa política, mas tem definição precisa. O cientista político Mark Lilla, professor de Columbia, explica essa corrente do pensamento no livro *A mente naufragada*. "Os reacionários não são conservadores. Onde os outros veem o rio do tempo fluindo como sempre fluiu, o reacionário enxerga os destroços do Paraíso. Ele é um exilado do tempo."

Quando o presidente Bolsonaro manda tirar do ar uma propaganda porque ela exibe a natural diversidade dos jovens, ele confessa a natureza da sua reação. Não é liberal um governo em que o chefe de Estado interfere em banco público e determina como deve ser a sua política de marketing. O Banco do Brasil não é estatal, tem sócios privados. A ordem do presidente custou os R$ 17 milhões da campanha, fora as perdas intangíveis na imagem da instituição. É um sinal de que os economistas liberais terão de engolir suas teses sendo ofendidas no cotidiano da prática administrativa. A agenda liberal andou pouquíssimo, mas o governo já criou barreiras ao comércio de leite em pó, prometeu mais subsídios ao agronegócio e quis decidir o preço do diesel. Bolsonaro ainda não entendeu o que é ser um liberal na economia.

A política ambiental informa qual é a essência do governo. Defender a biodiversidade, proteger o patrimônio natural, ouvir os alertas da ciência, combater as causas das mudanças climáticas são imperativos do tempo atual. Isso não é de esquerda nem de direita. Está baseado em fatos e dados. Há ambientalistas e climatologistas de tendências políticas diversas e com propostas diferentes. O que os une é a compreensão de que o conceito de progresso evoluiu. O Parlamento inglês, de maioria conservadora, rendeu-se à pressão da sociedade e aprovou uma proposta trabalhista. Decretou emergência climática no país, o que vai estimular o esforço para zerar as emissões dos gases do efeito estufa.

Joaquim Nabuco era monarquista até na República, Rui Barbosa era republicano desde o Império. Qual dos dois era reacionário? Nenhum deles. Membros do Partido Liberal, eram ambos ferrenhos abolicionistas. Estavam envolvidos na luta pela mudança mais importante daquele tempo. Na época, os clubes da lavoura defendiam a ordem escravocrata como sustentáculo da economia. O escritor José de Alencar, do Partido Conservador, lutava pela manutenção da escravidão, que chamava de "a instituição" nas cartas públicas a dom Pedro II. José de Alencar, nesse ponto, foi um reacionário.

Hoje há integrantes do ruralismo convencidos de que é preciso respeitar a reserva legal, fazer o rastreamento do seu produto, combater o desmatamento ilegal. Sabem que isso abrirá portas e portos ao agronegócio brasileiro. Por ano, o Brasil derruba florestas na Amazônia numa dimensão equivalente, em quilômetros quadrados, a seis vezes o município de São Paulo. Uma grande parte dessa destruição é feita pela grilagem, a ocupação criminosa de terras públicas. Quem acha que essa selvageria deve ser estimulada repete nos dias de hoje a opção dos clubes da lavoura. Não é conservador, é reacionário.

Na sociedade, os tempos mudam sempre. As mulheres vêm seguindo uma trajetória de autonomia na vida pessoal e de mais poder nas esferas pública e profissional. A defesa da submissão da mulher não cabe neste mundo. As diversidades étnica, cultural e de gênero são parte das mudanças sociais. Os que lutam contra elas querem um mundo que não existe. Como diz Mark Lilla: "Os reacionários da nossa época descobriram que a nostalgia pode ser uma forte motivação política." Esse olhar para trás pode ter sucesso, mas será sempre temporário. Esse passado não tem futuro.

25. ATAQUE A MILITARES EXPLICA GOVERNO

12.5.2019

O importante nos episódios recorrentes de ataques do mentor ideológico do presidente e dos seus filhos aos ministros militares é a manifestação do estilo deste governo de alimentar polêmicas desgastantes, usar o tom inadequado na comunicação e queimar os próprios quadros. O presidente Jair Bolsonaro emite mensagens duplas. Avisa por seu porta-voz que as discussões devem ser encerradas e em seguida as realimenta pelas redes sociais ou em falas ambíguas.

O debate estéril que atravessou a semana inteira, e na qual teve de se envolver até o general Villas Bôas, precisa ser entendido porque é revelador. Quando Olavo de Carvalho ataca alguém, ele desqualifica a si mesmo, porque não é um debate de ideias, mas uma coleção de palavras chulas e ofensas grosseiras. Ele não tem relevância alguma, passa a ser assunto porque o presidente o colocou em um panteão particular. Lá, Bolsonaro, seus filhos e seus seguidores mais fanáticos prestam-lhe homenagens tão frequentes quanto imerecidas. Fica pior quando essa adoração envolve símbolos nacionais e recursos públicos.

A Grã-Cruz da Ordem de Rio Branco não é propriedade do presidente da República. O mandato acaba um dia e a insígnia continua, para ser dada pelo Ministério das Relações Exteriores a pessoas que tenham relevância. Não é, definitivamente, o caso de algumas das escolhas deste ano. Na Ordem de Rio Branco, o presidente foi ajudado por seu ministro Ernesto Araújo, cujo desequilíbrio se mede pela comparação que fez de Bolsonaro com Jesus Cristo. Pessoas que deliram a esse grau não podem ser levadas a sério. Olavo de Carvalho já estava atacando os militares do governo quando o presidente mandou fazer um jantar em torno dele na embaixada em Washington que consumiu, claro, recursos públicos.

O alvo durante vários dias foi o chefe da Secretaria de Governo, Carlos Alberto dos Santos Cruz. O ministro tem um currículo militar impressionante e uma história pessoal de superação. Fez sua carreira com brilho incomum e ganhou projeção internacional no comando de tropas da ONU, de paz e de guerra. Assumiu com planos de diálogo mesmo com quem tem pensamento oposto ao seu. Nesse papel ele encontra, com frequência, os limites do próprio governo, cujo entendimento sobre como lidar com divergência de pensamento é muito primitivo. Os disparos contra Santos Cruz poderiam ser ignorados, mas ganham destaque porque são feitos por aquele que o presidente elegeu como seu mentor ideológico. Se Olavo de Carvalho recebe tantas homenagens do governo e ataca dessa forma um dos ministros, a dúvida recai sobre o próprio presidente: o que ele quer com essa automutilação?

A "fritura" neste governo começa de forma gratuita e é violenta. Dessa vez foi usada uma frase de entrevista antiga dada pelo ministro. O que transformou esse pequeno truque em onda forte foram os comentários que o presidente e seus filhos postaram nas redes sociais. Mesmo quando as postagens não faziam referência direta ao assunto, ajudavam a inflamar toda a torcida que se formou. Ela é minoritária, mas a histeria é sempre barulhenta.

A ambiguidade do presidente é que é o problema. E as anomalias que ele estimula. Bolsonaro permite que pessoa em tudo desimportante, alheia ao debate nacional, imersa em ressentimento, imiscua-se em assuntos de um ministério estratégico como o da Educação, indique o chanceler e ofenda os militares que ele nomeou para o governo. É Jair Bolsonaro que está em questão, dado que é o presidente eleito para administrar o Brasil por quatro anos. Quatro meses se passaram e com atos e palavras ele atinge o seu próprio governo, como se a ele fizesse oposição. O presidente pode demitir o ministro Santos Cruz da Secretaria de Governo, porém é estranho que condecore e renda homenagens a uma pessoa que ataca quem ele nomeou. E mesmo após as agressões continue a cultuá-lo.

Eu já escrevi aqui que o movimento mais arriscado dos militares brasileiros foi a simbiose com o atual governo. A ditadura foi uma exceção, mas as Forças Armadas sempre tiveram por missão unir o país. E este governo investe em conflitos. Nos episódios desta semana, em que alguns generais foram alvo, ficaram evidentes a confusão mental do presidente da República e os seus métodos estranhos de governar.

26. A EDUCAÇÃO EM UM DESERTO DE IDEIAS

16.5.2019

O ministro Abraham Weintraub não perde uma oportunidade de errar. Ele errou quando anunciou cortes de despesas como uma forma de punição e, depois, ao transformá-los em cortes lineares, embora algumas universidades tenham sido mais atingidas. Erra sistematicamente ao fazer da educação um campo de batalha e quando desperdiça uma ida à Câmara com uma apresentação em que foge do tema para repetir platitudes. Vários parlamentares da oposição também fugiram do assunto, que mobilizou manifestantes em todo o Brasil.

O país já estava em crise fiscal, mas o Orçamento de 2019 foi feito prevendo-se um crescimento do PIB de 2,5%. Era a previsão da época e partia do pressuposto de que o novo governo conseguiria manter o clima de otimismo típico do início de mandatos. Está sendo cortada para 1,5%. Pelo cálculo do Ministério da Economia, R$ 30 bilhões deixarão de entrar nos cofres públicos. Foi com frustrações assim que se fizeram os contingenciamentos em todos os governos. Alguns são revertidos, outros, não. Dessa vez, o temor é que o bloqueio vire corte. Há pouca esperança de algum aumento milagroso de arrecadação. Diante disso, todas as áreas estão enfrentando uma redução de despesas.

O ministro Weintraub poderia ter feito esforço com diálogo e explicações claras. Preferiu, porém, suas batalhas inúteis e histriônicas. Anunciou que puniria três universidades que faziam "balbúrdia". Determinou cortes lineares, em seguida usou bombons para fazer um truque estatístico: colocou cem chocolates numa *live* com o presidente para explicar que o corte nas universidades seria pequeno. Errou o raciocínio. Porque a redução será só para as despesas que podem ser movimentadas, as discricionárias. Ao contrário do que ele disse, o corte atinge barbaramente as universidades. Ontem ele fez outro raciocínio maluco: como o país atingiu a meta de professores com mestrado (75%) e de doutorado (35%), pode-se fazer um desvio de recursos. "Na iniciativa privada, quando você supera as metas, você desvia os seus recursos para as metas que estão aquém, que é o ensino fundamental", disse.

O governo federal financia o ensino superior. As creches e o fundamental são responsabilidade dos municípios. Os estados cuidam do ensino médio. Os casos à parte são os institutos federais, as escolas militares. Se ele quer mesmo levar mais recursos para o ensino básico deveria estar debruçado sobre o Fundeb, criado no governo Fernando Henrique e ampliado no governo Lula. O Fundo é apenas em parte dinheiro federal, mas está com data marcada para acabar e o assunto passa batido como se não fosse o que é: a grande fonte de financiamento da educação nos estados e municípios. Criar esse conflito entre despesas do ensino básico e universitário é falsificar o debate.

Na apresentação inicial, o ministro se perdeu em um diagnóstico que o país já conhece. Que temos tido desempenho melhor nos anos iniciais do que nos finais. Que estamos péssimos no ensino médio. Que há uma correlação entre escolaridade da mãe e avanço dos filhos na escola. Que existem casos bons em alguns municípios ou estados. Quem acompanha o tema já sabe. O Brasil tem estudado a educação desde que o ministro Paulo Renato de Souza iniciou o esforço de avaliar o ensino. O país passou a acompanhar os rankings internacionais, se preocupar com o nosso atraso, mobilizar a sociedade, torcer pelos alunos nas olimpíadas de matemática. Se o ministro chegou agora ao tema, deveria ter se preparado. E, a propósito, feito gráficos menos sofríveis.

Curioso é o ponto a partir do qual ele começou a dizer que é a favor do diálogo: "Mas quero um confronto de ideias." Falta explicar quais são as ideias dele, porque desde que assumiu o cargo nos faz perder tempo com suas diatribes contra filosofia e sociologia, com comparações primárias, com o tropeço que deu no nome do grande Franz Kafka, chamando-o de kafta, e quando errou grosseiramente a ordem de grandeza do custo de uma avaliação, trocando R$ 500 milhões por R$ 500 mil.

A educação tem problemas em todos os níveis, urgências graves. A oposição, que cometeu erros a seu tempo, deveria ter se concentrado no tema. Mas a maioria dos parlamentares só usou o palanque e a ampla transmissão da ida do ministro à Casa Legislativa para repetir as palavras de ordem de sempre. Com os atrasos históricos, e os erros presentes, a crise na educação só vai piorar. Infelizmente.

27. O LIMITE ENTRE AS RUAS E O GOVERNO

28.5.2019

Quem foi para a rua, mesmo para criticar as instituições democráticas, tinha o direito de estar lá. Na democracia, essa liberdade é consagrada. A questão a discutir não é o ato em si, mas toda a ambiguidade presente em alguns atos e certas palavras das autoridades. O presidente Jair Bolsonaro, que considerou legítimas as manifestações de domingo (26), a seu favor, chamou de "idiotas úteis" os que fizeram os protestos do dia 15, contra seu governo. São dois pesos, duas medidas. Ele não foi, mas deu um mote enviesado quando divulgou, dias antes, um texto em que sugere que está sendo impedido de governar, e ontem ao falar que o movimento a seu favor fora "um recado contra aqueles que teimam nas velhas práticas".

Bolsonaro deixa subentendidos demais quando fala sobre a relação com o Congresso. Insinua que seus problemas são derivados do fato de os políticos o pressionarem para usar a moeda da corrupção nas negociações a fim de formar uma coalizão. E essa mensagem esteve presente nos atos de domingo, personificada no ataque direto ao presidente da Câmara dos Deputados, Rodrigo Maia (DEM-RJ).

Já as críticas ao STF estiveram presentes até na boca de parlamentares do partido de Bolsonaro. O deputado estadual Filippe Poubel (PSL-RJ) repetiu a frase do terceiro filho do presidente, deputado Eduardo Bolsonaro: "Para fechar o Supremo só precisa de um soldado e um cabo." O senador Major Olímpio (PSL-SP) ameaçou: "Nos aguarde, STF."

Isso não quer dizer que a maioria dos que foram às ruas tinha esse objetivo, mas isso ter sido dito em alto e bom som por parlamentares do partido do presidente não pode ser subestimado. A democracia aceita protestos contra as instituições que a sustentam, porém essas falas, entre tantas outras, mostraram que o governo Bolsonaro flerta frequentemente com a ameaça à democracia.

O país está diante de uma situação difícil. A economia não deslancha, a confiança dos empresários e operadores de mercado está em queda livre, as contas públicas apresentam forte déficit. Além disso, é necessário passar pelo Congresso matérias complexas, como a reforma da Previdência, o crédito suplementar de R$ 248 bilhões e a mudança na Lei do Teto de Gastos, para permitir o acordo com a Petrobras e a distribuição dos recursos. Se não mantiver um bom diálogo com o Parlamento, o Executivo pode enfrentar derrotas e alterações indesejáveis nos projetos.

A manifestação não foi tão grande que tivesse dado a Bolsonaro o capital político extra com o qual ele sonhava. Mas foi relevante. E poderia até fortalecer as reformas, se Bolsonaro demonstrasse empenho em construir uma maioria para aprová-las. Ele estimulou a ida às ruas para dar uma resposta aos protestos contra os cortes na educação no dia 15. Não foi por entusiasmo com a mudança da Previdência. Como ele próprio já disse várias vezes, se pudesse não faria a reforma.

O grande problema tem sido a dificuldade de o presidente Bolsonaro entender que quem é eleito governa, quem não tem maioria tem que negociá-la, quem comanda o Executivo precisa defender seu projeto diariamente. Que as redes sociais sempre serão uma forma subsidiária de comunicação e que o tempo de suas declarações irresponsáveis — quando era apenas um parlamentar de desempenho pífio — encerrou-se ao ser escolhido para liderar o país, nas últimas eleições.

Nas manifestações de domingo havia pessoas defendendo suas convicções. Excelente. Foi para isso que o país lutou contra o período ditatorial que por tanto tempo reprimiu, muitas vezes com violência, qualquer passeata e que editou um Ato Institucional que proibia reuniões políticas. A democracia aceita até que se manifestem os saudosistas do tempo em que a liberdade foi cerceada. Contudo, cabe às lideranças do país tomar precauções para não acabar incentivando um tipo de ataque às instituições como algumas vistas nas ruas no domingo. Pedir o fechamento do Supremo, demonizar qualquer negociação política como sendo pressão pela "volta das velhas práticas", afirmar, como fez Bolsonaro, que é preciso "libertar" o país é atravessar uma linha que não deve ser transposta numa república que teve duas ditaduras nos últimos noventa anos. Que as ruas falem sempre o que quiserem, mas que os governantes tenham a lucidez de não ecoar os extremos.

28. RISCO AMBIENTAL ATINGE A ECONOMIA

1.6.2019

Investidores de um país europeu procuraram uma autoridade brasileira da área econômica. A primeira pergunta não foi sobre a questão fiscal e sim sobre o meio ambiente. Queriam saber que garantias o Brasil daria quanto ao respeito às leis ambientais. Disseram que olham com extremo cuidado esse assunto, tanto que nunca investiram na Vale porque não sentiam confiança na governança da empresa nessa área e hoje sabem que acertaram. Contaram que os investidores de seus países querem saber exatamente que tipo de prática suas aplicações estão estimulando.

A reunião que houve na segunda-feira (27/5) entre o ministro Ricardo Salles e os embaixadores da Noruega e da Alemanha foi constrangedora. Eles pediram dados concretos que justificassem as suspeitas levantadas pelo ministro sobre a direção do Fundo Amazônia, e ele respondeu com críticas genéricas. Principais doadores, os dois países não têm ingerência sobre o dinheiro do Fundo, mas a estrutura de governança foi amarrada em contrato. O ministro, ao desmontar o Comitê Orientador do Fundo Amazônia, pode ter quebrado esse contrato. Há neste momento, segundo uma fonte que acompanha as conversas, perplexidade e pessimismo entre os noruegueses. Se os financiadores recuarem, os governos estaduais sentirão falta desse dinheiro instantaneamente. Há secretarias de Meio Ambiente, como as do Pará e do Acre, cuja maioria dos projetos é financiada pelo Fundo Amazônia.

Por diversas formas esse comportamento desastrado na área ambiental pode afetar a economia. O presidente Jair Bolsonaro pode dizer que não enganou ninguém e que seu projeto de campanha incluía acabar com o ministério setorial. O governo, porém, não está entendendo que suas decisões ambientais afetarão a economia.

O ministro Ricardo Salles detesta o meio ambiente, nunca tinha ido à Amazônia e é adepto fervoroso do centralismo estatal. Seus atos invertem o lema da campanha de Bolsonaro e impõem mais Brasília e menos Brasil nos conselhos ambientais. O que fez no Conama gerou protestos e poderá levar a ações na Justiça, mas o que está fazendo no Comitê do Fundo pode levar o país a perder dinheiro grande.

Os senadores Flávio Bolsonaro (PSL-RJ) e Márcio Bittar (MDB--AC) apresentaram um projeto tão estupidamente radical que seria cômico se não fosse grave. Propõem o fim de toda reserva legal em fazendas. Todas. Só para se ter uma ideia: 80% da Mata Atlântica encontra-se nas reservas legais. Cumprido à risca, isso acabaria com o que resta do bioma que protege a vida na região onde moram 70% dos brasileiros. Cento e dezesseis pesquisadores da Embrapa assinaram um documento mostrando os riscos à produção agrícola e à vida se essa proposta for aprovada. A primeira lei que criou a reserva legal é de 1934. O senador Flávio Bolsonaro quer um retrocesso de 85 anos. O passado que esse governo busca é bem pretérito.

A proteção ambiental deixou de ser, há tempos, um assunto de nicho. Hoje o termo "ambientalista" vai muito além da sua concepção original. Gestores de dinheiro de investidores, como os citados no início desta coluna, não perguntam sobre meio ambiente por ativismo. Os donos do dinheiro que administram não querem investir em países e negócios que significam risco ambiental.

Há óbvio risco de barreiras às *commodities* brasileiras. Se o ruralismo não reagir a tempo e com visão estratégica, o setor vai sentir o impacto. Mas a questão transcende o agronegócio. Um país que se isola, e vira um pária na questão ambiental e climática, é uma economia vulnerável. Os investidores de qualquer área estão neste momento de olho em cada um dos movimentos do governo.

Em seu documento, os pesquisadores da Embrapa explicam pacientemente como a reserva legal eleva a produtividade das fazendas e dizem que o redigiram pelas "numerosas discussões recentes no contexto das propriedades rurais". Segundo eles, a relação entre polinização e controle biológico por insetos com a produção é direta: "Levando-se em conta os dados da produção de 2012, a polinização mediada por insetos foi responsável por 30% da produção de 44 culturas brasileiras."

O governo Bolsonaro brinca, por ignorância, com coisa séria. E enfrentará muito mais consequências do que consegue perceber na sua curta visão ideológica.

29. O PRESIDENTE EM SEU LABIRINTO

2.6.2019

Está tudo dando errado, mas ele acha que fez tudo certo, apenas não está sendo entendido. A economia encolheu no primeiro trimestre, a máquina pública está parada em várias áreas estratégicas, como a educação, a relação do governo com o Congresso é tumultuada e a popularidade presidencial caiu nos primeiros meses de mandato. Apesar disso, Jair Bolsonaro diz que é o único presidente que conseguiu "nomear um gabinete técnico, respeitar o Parlamento e cumprir o compromisso constitucional de independência dos Poderes". Mostra desconexão com fatos passados e presentes.

O presidente Bolsonaro, ao longo de toda a entrevista que deu à revista *Veja*, faz afirmações espantosas. Diz que antes votava contra a reforma da Previdência porque na Câmara "você tem informação de orelhada". Pergunta o que é "governabilidade", como se fosse algo a ser menosprezado. Sobrevoa com explicações rasas o escândalo que ronda seu filho Flávio e seu velho amigo Fabrício Queiroz. O único erro que admite ter cometido foi com a nomeação do ex-ministro Vélez Rodriguez para a Educação, escolhido por Olavo de Carvalho. Uma escolha bem técnica, como se vê! Quando deu errado é que Bolsonaro se lembrou de perguntar onde Olavo o conhecera. "De publicações", respondeu seu guru. E o presidente então reagiu: "Pô, Olavo, você namorou pela internet?" E assim vai Bolsonaro, exibindo seu estreito entendimento dos fatos. Ele diz que "é claro" que há sabotagem contra seu governo. Disso, sinceramente, ele não precisa.

Na economia o que se discute é como evitar a recessão. O país parece a um evento de voltar a ela. Como o primeiro trimestre ficou negativo e foi atingido pelo encolhimento da produção da Vale, o consenso é que o país terá um número ligeiramente positivo no segundo trimestre, escapando da definição técnica de recessão. Não porque vai crescer, mas porque será favorecido pela estatística. Quando se comparar o segundo trimestre deste ano com o mesmo período do ano passado, o resultado será favorável por causa da greve dos caminhoneiros, que derrubou a economia naquele período de 2018. As contas são feitas assim.

Na economia não se tem expectativa de um fato positivo, e sim o de se ganhar um pontinho na comparação com um passado ainda pior. Mas se não há recessão oficialmente, o ambiente é sem dúvida recessivo, e o desemprego, como se constatou mais uma vez na sexta-feira (31/5), devastador. A reação do governo ao número negativo do PIB está sendo copiar o ex-presidente Michel Temer e avisar que será liberado dinheiro do FGTS. Se forem contas inativas, não será suficiente; se forem contas ativas, a liberação terá de ser feita paulatinamente, sob pena de desorganizar o sistema de financiamento imobiliário. No mercado financeiro, a proposta que aparece é para uma redução da taxa de juros, remédio que não é bem-visto pelo Banco Central neste momento.

O governo joga todas as fichas na reforma da Previdência, que é, como se sabe, condição necessária para o reequilíbrio das contas, porém não suficiente. A atual administração herdou uma economia cheia de problemas que se acumularam ao longo dos últimos anos. Bolsonaro não resolveria tudo num passe de mágica. Mas até agora, cinco meses passados, ele não tem apresentado fórmulas para a saída da encrenca. Não há solução mágica, mas o grupo que chegou ao poder em janeiro dizia que havia, fazendo até mesmo a promessa de zerar o déficit público no primeiro ano.

Nos últimos dias, o presidente falou que estava costurando um pacto com os três Poderes. Incluiu, com a anuência do presidente do

STF, Dias Toffoli, o Judiciário. "É bom ter a Justiça ao nosso lado", disse, para arrepio dos juristas. Contraditoriamente, criticou o STF por estar a um passo de criminalizar a homofobia e prometeu indicar um ministro evangélico para o Supremo. Alegou sofrer pressões terríveis, às quais "outros não resistiriam", inventou que a imprensa dizia que ele não seria eleito se não mentisse. E foi nesse roldão, com seus improvisos desastrosos.

A crise do país é grave, sair dessa paralisia econômica exigirá empenho e competência. O presidente parece envolvido demais com questões irrelevantes ou com interpretações duvidosas da realidade. O risco de uma nova recessão é real. Pode não acontecer no próximo trimestre, mas é ela que está à espreita.

30. VISÃO MILITAR NUM DIA DE QUEDA

14.6.2019

Os militares que estão no governo Bolsonaro não querem ser vistos como um grupo ou uma ala. Por isso tiveram o cuidado de jamais fazer uma reunião conjunta, me contou um deles. Mesmo assim, são vistos como grupo e criticados em bloco. Ontem caiu o general Carlos Alberto dos Santos Cruz, que sempre foi alvo dos filhos do presidente e de Olavo de Carvalho. E cair, por isso, é até comenda. O general Luiz Eduardo Ramos, que vai assumir o seu posto na chefia da Secretaria de Governo, tem experiência no relacionamento com políticos porque foi assessor parlamentar do Exército e tem habilidade para ouvir os diversos segmentos da sociedade. Se avançar com essas qualidades pode dar certo, ou também ser vítima do mesmo grupo do barulho do governo Bolsonaro.

O maior temor que os militares que estão no governo têm é o de que venham a perder a credibilidade que conquistaram em trinta anos de silêncio e disciplina, após o fim da ditadura. Na visão que ouvi de um deles esta semana, o que vivem agora é inédito.

— Em nenhum governo, desde a redemocratização, tivemos o protagonismo que temos neste. Isso pode ser um ônus se o governo der errado.

Segundo essa avaliação que ouvi, o presidente Bolsonaro não estaria errado em criar outras agendas, ainda que algumas provoquem polêmica, como a liberação de armas e a mudança no Código de Trânsito. Porque se ele ficasse apenas na reforma da Previdência poderia dar a impressão de uma administração paralisada.

No geral, acham que o governo em alguns setores vai na direção correta, mas que a comunicação e a articulação com o Congresso são áreas de crise crônica. E que os ministros que acertam não conseguem mostrar seu trabalho pelo destaque que têm os que erram. Entre os mais criticados está o ministro da Educação.

A queda de Santos Cruz acontece num dia que já não ia bem para o presidente Jair Bolsonaro. Seu decreto que desfez as centenas de conselhos da administração federal foi derrotado no Supremo Tribunal Federal. Mas houve uma notícia positiva. Afinal, o relatório do deputado Samuel Moreira (PSDB-SP) foi lido dentro do prazo na comissão especial e manteve intactos vários pontos da reforma da Previdência proposta pelo governo Bolsonaro, como a idade mínima, que é uma luta de décadas no Brasil.

Para o ministro Paulo Guedes, contudo, a maior importância dessa reforma era a capitalização. Na visão dele, isso justificava o nome "Nova Previdência", porque iniciaria um círculo virtuoso que levaria a economia a ter mais poupança, mais empregos e mais investimento. Por isso o relatório teve para o ministro da Economia um gosto amargo. Para os parlamentares, a rejeição à capitalização foi por um motivo prático: o projeto do governo pedia autorização para criar um novo regime do qual nada se sabia, exceto que conteria o sistema "nocional" que garantiria um valor mínimo a ser pago pelo Tesouro em caso de insuficiência de poupança na conta individual. Parece confuso. E é.

O valor de R$ 913 bilhões apresentado pelo relator dá à equipe a sensação de estar bem perto da meta de economizar R$ 1 trilhão em dez anos com a reforma, porém essa conta embute a receita com o aumento da CSLL dos bancos. A economia, na prática, é menor.

O relatório costurado com os líderes dos partidos que apoiam a reforma removeu o que era intragável do ponto de vista político: a mudança no BPC e na aposentadoria rural, que atingiria os mais pobres. Além disso, ampliou um pouco a faixa que permite receber o abono salarial. Por outro lado, criou privilégios para o grupo mais beneficiado do funcionalismo, formado por quem tem o direito de se aposentar pelo valor do último salário e seguir os reajustes da ativa.

De qualquer maneira, o dia, de magras notícias boas, era de dar destaque ao fato de que a reforma da Previdência avançou mais um passo no Congresso. Bolsonaro, porém, conseguiu criar uma nova crise com a demissão do general Santos Cruz. A nomeação do general Ramos não deixa o posto vazio. Mas o motivo da queda mostra mais uma vez a face de um governo tutelado. Essa influência dos filhos de Bolsonaro e de Olavo de Carvalho sobre o presidente é considerada pelos militares que estão no governo, conforme me disseram dois deles, a parte mais incômoda e desconfortável da atual administração à qual se ligaram.

31. QUEDAS MOSTRAM FALHAS DO GOVERNO

21.6.2019

Todo presidente tem o direito de nomear e demitir pessoas que estão em cargo de confiança, mas os governos se revelam na maneira como executam esses atos de desligamento. A queda, em si, do presidente do BNDES, Joaquim Levy, poderia ter sido simples se fosse feita da forma protocolar, com bons modos e um nome já escolhido para substituí-lo. Vários fatos, porém, fazem do episódio um exemplo do mau comportamento do atual governo: foi por impulso, de forma grosseira e improvisada. O primeiro sinal desse estilo havia aparecido na demissão do ministro Gustavo Bebianno, que, apesar de ter sido a sombra de Bolsonaro na campanha eleitoral, foi despachado pelo presidente da Secretaria-Geral da Presidência para atender a um capricho do filho Carlos.

Foram três demissões de generais ao longo da semana passada, além dessa decapitação na área econômica no fim de semana. A saída de Santos Cruz deixou uma sombra ainda não dissipada sobre o motivo que levou Bolsonaro a demitir o ministro, que chegara com planos de quebrar barreiras entre a sociedade e o governo. A demissão do general mostrou que o presidente pode atingir com o seu impulso de cortar cabeças até os amigos mais próximos.

No caso de Levy, Bolsonaro inventou um motivo e fez várias acusações vagas. Levy teria levado pessoa "suspeita" para a diretoria, não abrira a caixa-preta do banco e, por fim, disse que estava "por aqui" com ele. Não havia qualquer emergência que provocasse tal reação do presidente. Ninguém sabia no governo explicar o que levou Bolsonaro a fazer o que fez naquele momento. Chama-se "quebra-queixo" a abordagem em bloco de jornalistas com seus microfones em cima das autoridades. Nessas ocasiões, algumas falam coisas impensadas e depois culpam a pressão inesperada. Bolsonaro buscou o quebra-queixo no sábado (15) para avisar que poderia demitir Levy até sem passar a decisão pelo ministro da Economia.

O Ministério da Economia teve que apagar o incêndio e explicar que Paulo Guedes não foi atropelado. Ao contrário, Levy só durou tanto no cargo porque Bolsonaro teve consideração com o ministro, a quem vinha pedindo a cabeça do então presidente do BNDES havia meses. Seja como for, teria sido muito mais simples Bolsonaro esperar segunda-feira para avisar a Guedes que a paciência chegara ao fim e deixar que o ministro desligasse quem ele convidou.

Há outro fato que revela o processo decisório no governo Bolsonaro. No café da manhã com jornalistas na sexta-feira passada (14), o presidente falou sobre a influência do seu filho Carlos. "Eu converso com ele, mas não sigo 100% do que ele fala." Qualquer número acima de zero já seria uma anomalia. Bolsonaro revela, assim, que implantou no país a figura do copresidente, e quem tem todo esse poder é um vereador do Rio de Janeiro. Nesse mesmo dia, disse que Carlos é o filho que ele mais ouve. Define esse seu segundo como "imediatista", ou seja, quer logo na bandeja as cabeças que pede ao pai. Mas ele, Bolsonaro, seria diferente. A manhã do sábado em que o presidente, por impulso, deu o ultimato a Levy mostra que tal pai, tal filho. A questão é que o país não elegeu uma família presidente do Brasil, elegeu apenas o pai dos filhos.

A demissão do general Franklimberg da presidência da Funai mostrou os poderes que Bolsonaro dá a determinados aliados, no caso, Nabhan Garcia. O secretário de Assuntos Fundiários do Ministério da Agricultura gosta de se apresentar como vice-ministro, cargo inexistente, e recentemente pediu ao governo o direito de usar uma placa verde e amarela em seu carro, como os ministros. O que ele recebeu esta semana foi muito maior que isso. O presidente não aceitou a mudança que o Congresso fez na medida provisória da reforma administrativa e editou na quarta-feira (19) outra MP reentregando à Secretaria de Nabhan o que ele realmente quer: o direito de demarcar terras indígenas.

Quem aceita trabalhar com Bolsonaro sabe, a essa altura, que tudo pode acontecer. Pode ser demitido por ordem de um vereador do Rio ou passar por humilhação pública por um impulso do presidente. Pode ter suas ordens desautorizadas, seja por conta de uma nomeação para um conselho, seja pelo estilo adotado em uma campanha publicitária, seja pelo preço do diesel.

Bolsonaro também avisou que deixa "a pessoa se enrolar" um pouco antes de demitir. Nem isso é verdade. O ministro do Turismo, Marcelo Álvaro Antônio, pode se enrolar o quanto for no caso dos "laranjas", que permanece. O que as demissões de auxiliares do governo Bolsonaro mostram, na verdade, é que não há qualquer critério. É um governo intempestivo.

32. O VERDADEIRO CONFLITO DO BRASIL

23.6.2019

No Salão Tiradentes lotado, em Araxá (MG), no Festival Literário, o escritor angolano José Eduardo Agualusa, numa mesa sobre democracia e literatura, falou que no exterior se tem uma noção mais clara do que acontece no Brasil. "Não acho que aqui seja uma questão entre esquerda e direita, não acho mesmo. Aqui é uma luta entre inteligência e estupidez, entre civilização e barbárie." Há momentos decisivos na vida de qualquer povo em que é isso que se coloca, como lembrou a historiadora Heloisa Starling logo depois, citando Hannah Arendt, leitura indicada para este tempo do Brasil.

Há valores que são universais e é a eles que devemos deferência e não a cada vez mais enganosa fronteira entre direita e esquerda. O esforço é para manter conquistas, que dávamos como garantidas, como a autonomia da mulher, o respeito à orientação sexual, o combate ao racismo, a proteção do meio ambiente, a defesa dos povos indígenas. A partir desse pacto básico civilizatório, podem ser explicitadas diferenças sobre questões em que grupos políticos tenham visões diferentes. O problema no Brasil atual é que a clivagem começa a ser sobre os valores universais.

Entregar a demarcação de terras indígenas ao Ministério da Agricultura é acirrar um conflito de terras, fortalecendo o lado mais forte. Entre os próprios produtores há os que discordam da mudança.

O avanço sobre terras indígenas se dá através de grileiros que invadem, derrubam, colocam gado, vendem a terra e o comprador a passa adiante. Em determinado momento, o suposto proprietário da terra pública dirá que aquela área estava já consolidada quando a comprou e que o erro está no limite da demarcação. E de pedaço em pedaço vão sendo reduzidos os territórios protegidos, seja terra indígena, seja outro tipo de área de conservação. O Estado só pode entrar aí se for com um olhar o mais neutro possível. Não pode armar e fortalecer o grupo agressor. Quem conhece o agronegócio sabe que nenhuma generalização é possível, porque os que realmente estão produzindo e exportando entendem que esse e outros sinais dados atualmente no Brasil, de desprezo aos direitos humanos e à biodiversidade, colocam seus negócios em risco.

A defesa dos direitos da mulher está exatamente nessa clivagem entre inteligência e estupidez, entre civilização e barbárie. Desde a primeira onda feminista, a das sufragistas no começo do século XX, até a quarta onda, comandada pelas jovens mulheres de hoje, o mundo vem avançando nesse tema espinhoso, como me explicou em entrevista esta semana a escritora Heloisa Buarque de Hollanda. Mas, no Brasil atual, o poder retrocedeu a ponto de uma ministra defender a "submissão da mulher" com argumentos religiosos, e os diplomatas brasileiros se recusarem a apoiar um documento da ONU porque, em determinado trecho, o texto defende o direito à "saúde reprodutiva da mulher". Esse retrocesso fundamentalista é a estupidez. A inteligência está do lado em que sempre esteve: em considerar que é preciso continuar a longa luta por igualdade entre homens e mulheres em todas as áreas, seja no mercado de trabalho, seja dentro das famílias. A igualdade sempre será um norte civilizatório. A defesa de uma hierarquia entre pessoas determinada pelo gênero é a barbárie da qual temos nos distanciado ao longo de toda a luta feminista.

O Supremo acaba de dar um passo civilizatório, ao criminalizar a homofobia. Algumas vozes se levantaram contra a proposta com ideias esdrúxulas de que isso ameaça a liberdade religiosa ou prejudica os próprios homoafetivos no mercado de trabalho. De novo aqui se aplica a definição de Agualusa. Não é o conflito entre direita e esquerda que se coloca nessa questão. É simplesmente estúpido e bárbaro aceitar o ódio contra pessoas por elas não serem heterossexuais.

Heloisa Starling trouxe para Araxá um ônibus que abre e se transforma num centro de exposição com a mostra *Conflitos*. Nos primeiros dois dias, 1.200 crianças e adolescentes já haviam visitado a coleção de fotos e filmes que exibem a violência de alguns conflitos brasileiros, como Canudos e a Guerra do Contestado. Este é o momento de entender o que nos une, nos separa, nos identifica e nos trouxe até aqui. Antes que nos acostumemos à banalidade do mal.

33. O PRESIDENTE QUE DESIDRATA

4.7.2019

A entrada do próprio presidente da República para desidratar a reforma da Previdência é algo realmente inusitado. Contudo, foi o que Jair Bolsonaro fez ontem. A mudança pela qual ele se bateu beneficiava quem já é beneficiado. Fica estranha a situação do ministro Paulo Guedes, que reagiu de maneira tão eloquente acusando a Câmara de ter cedido ao lobby de servidores do Legislativo mas ficou em silêncio diante da pressão do presidente da República para aumentar as vantagens dos funcionários do setor de segurança. Os policiais federais e rodoviários federais já tinham, na reforma, uma idade mínima dez anos menor que a do resto da população, mas quiseram mais vantagens. E tiveram como lobista o presidente.

Parlamentares relataram terem se sentido ameaçados pelos policiais. Em certo momento da tarde, falou-se em redução da idade mínima para 52 e 53 anos. Era proposta do governo, no entanto os policiais federais não aceitaram. O que complica é que eles têm dezenas de lideranças e a negociação fica fragmentada. Com todas essas dificuldades e pressões, o relator, o deputado federal Samuel Moreira (PSDB-SP), decidiu não ceder e manteve os 55 anos. Foi um dia muito tenso, e o presidente da República, que não se mobilizou por nenhum ponto, nem mesmo pela inclusão dos estados e municípios, não poupou esforços para defender os policiais.

Durante as conversas mantidas com a equipe econômica, os policiais civis, federais e rodoviários federais disseram inicialmente que queriam para si regras semelhantes às dos militares das Forças Armadas. Os economistas afirmaram que aceitariam a demanda, desde que eles aceitassem também o mesmo tempo de trabalho para aposentadoria. Os policiais não concordaram. Nas Forças Armadas não há idade mínima, o pessoal, porém, tem que comprovar trinta anos de trabalho militar para ter direito à integralidade. Os policiais queriam 25 anos de serviço policial comprovado e, além disso, direito à integralidade e à paridade, ou seja, aposentar-se com o último salário e com os proventos reajustados com todos os aumentos da ativa.

— Eles exigem uma regra melhor que a de todo mundo. Nós oferecemos uma transição melhor, parecida com a do professor, e ainda melhor. Eles recusaram. Apesar de terem uma idade mínima muito menor que a dos outros brasileiros, estão achando o fim do mundo, dizem que somos contra a polícia — relata um dos negociadores.

Os policiais alegaram que eles têm mais risco de morte. Integrantes do governo mostraram a eles os dados que provam que policiais militares têm alta taxa de mortalidade. Já as estatísticas de morte dos policiais civis, federais e rodoviários federais são iguais às dos demais servidores.

A declaração de Bolsonaro ontem, diante de oficiais-generais das Forças Armadas, de que todos têm que fazer sacrifícios para aprovar a reforma era apenas retórica. O que houve, de fato, é que a proposta das Forças Armadas, enviada por projeto de lei, inclui um substancial aumento de salário para os militares, várias formas diferentes de adicionais e não tem idade mínima. As regras de transição são muito mais suaves que as dos civis. É tanto aumento que a economia que seria de R$ 90 bilhões em dez anos cai para uma redução líquida de despesa de R$ 10 bilhões. Isso quando se desconta, da economia com a reforma, o custo do aumento de soldos. Portanto, Bolsonaro, quando fala que todos darão a sua cota de sacrifício, sabe que alguns estão dando uma cota muito menor desse sacrifício.

Na última versão do relatório de Samuel Moreira anulou-se a possibilidade de alíquota extra de cobrança previdenciária dos servidores estaduais e municipais. A mudança do BPC, incluindo-se o valor da concessão na Constituição, também caiu. Foi revogado o aumento da CSLL para cooperativas de crédito.

Outro problema que fez piorar o clima ontem foi o das emendas dos parlamentares. O governo promete, mas eles não confiam que o dinheiro será liberado. E não confiam porque o que foi prometido na votação do PLN 4 — que aprovou crédito suplementar ao Tesouro — ainda não foi liberado. O governo, com despesas contingenciadas, teria que cortar outros gastos para liberar essas emendas. Sobrou lobby e faltou o dinheiro das emendas nos debates de ontem.

34. SALLES EM CONFLITO COM DADOS E FATOS

7.7.2019

O ministro Ricardo Salles gosta da frase "não é bem assim" para responder a qualquer argumento do qual discorde. Mas a frase é perfeita para responder ao que ele diz. Segundo Salles, havia um terço de ONGs no Comitê Orientador do Fundo Amazônia. É falso. Ele diz que o desmatamento "se estabilizou" entre 2004 e 2012; na verdade, despencou 70%. Afirma que está havendo muita liberação de agrotóxicos porque nos anos anteriores eles ficaram retidos por ineficiência da Anvisa. No ano passado, de janeiro a 24 de junho, foram 193 produtos liberados. Este ano, no mesmo período, foram 239. Houve aumento, e nada esteve parado nos últimos três anos.

Com números e fatos imprecisos, o ministro monta teses insustentáveis. Numa entrevista à GloboNews, da qual participei junto com outros colegas, diante de uma pergunta sobre o desmatamento, ele respondeu: "Vamos lá, o Brasil tem 5 milhões de quilômetros na Amazônia. A quantidade de quilômetros desmatados no ano passado foi ao redor de 8 mil. Dá zero vírgula zero vírgula dois por cento. Percentualmente, já temos um desmatamento zero. É a terceira casa decimal depois do zero. Isso tem que ser dito com todas as letras."

É preciso dizer, com números e letras, o quanto o ministro errou aqui. Inventou duas vírgulas seguidas depois do zero. Não é a terceira casa decimal. Depois, ele corrigiu para 0,16%, mas o problema é que a ideia é toda descabida. Nas redes sociais, foram feitos cálculos sobre o absurdo do raciocínio, mostrando que se a mesma conta for feita com os 61 mil homicídios pelos mais de 200 milhões de habitantes o país teria homicídio zero. Dá para fazer sumir todos os problemas se a gente quiser brincar com os números.

A verdade é que o desmatamento, após ação decisiva do governo Lula, caiu de 27,7 mil quilômetros quadrados, em 2004, para 4,5 mil quilômetros quadrados, em 2012. Desse ano em diante, o governo iniciou as hidrelétricas na Amazônia, reduziu o tamanho de Unidades de Conservação e deu outros sinais que levaram ao aumento da perda anual da floresta. E, neste junho, o desmatamento subiu 88% em relação a junho passado.

Durante a entrevista, Salles repetiu várias vezes que há uma ligação entre combate ao desmatamento e pobreza na Amazônia ou, então, que a pobreza é a causa do desmatamento. Não faz sentido. Nem uma coisa nem outra. O Brasil teve um crescimento do PIB mais forte no período em que o desmatamento caiu, e mesmo na recessão o PIB aumentou. "Quando se deixa o morador numa situação de ilegalidade, ou de asfixiamento econômico, ele não verá o filho dele morrer de fome sem tentar gerar alguma receita para si próprio", disse Salles.

Não são os pobres que fazem isso. É preciso capital para ter motosserra, trator, correntão e caminhão para desmatar e escoar. Ele sabe porque contou de um flagrante que deu em São Paulo, quando era secretário, em que foram retidos cinco caminhões e tratores.

Segundo o ministro, "de maneira irresponsável" foram criadas no Brasil Unidades de Conservação englobando terras onde já havia produção: "Quem delimitou desconsiderou as áreas produtivas, ignorou essas pessoas, deu o calote nessas pessoas." A verdade: 95% das Unidades de Conservação da Amazônia foram criadas em terras públicas. Quem estava lá não deveria estar. De qualquer maneira, é fácil saber quem estava antes da criação com o histórico das imagens de satélite.

Os embaixadores da Noruega e da Alemanha não concordaram com a nova formação do Comitê Orientador do Fundo Amazônia e pediram outra proposta. O ministro diz que dissolveu o Comitê porque um terço era formado por ONGs. O fato: menos de um terço era da sociedade civil. Aí se incluíam CNI, Contag, SBPC, a indústria de madeira. E havia também um fórum de ONGs e outro de associações indígenas. Esses dois representariam 8,3% dos 24 membros.

O ministro atribui as críticas vindas da Europa ao medo dos concorrentes do agronegócio. A Europa é protecionista, mas não produz o suficiente. Não é competidora, e sim cliente. O segundo maior. Salles diz que há uma campanha contra o Brasil e que "um dos maiores focos de detratores são entidades, autores e pessoas do próprio Brasil". Esse era o raciocínio usado na ditadura para atacar quem dizia que havia tortura no país. Está na hora de o ministro se reconciliar com números, fatos e conceitos.

35. ABSURDOS DIÁRIOS DE BOLSONARO

14.7.2019

Tanto tempo depois, já era de esperar que o presidente Jair Bolsonaro soubesse as funções do cargo que exerce. Seis meses é prazo suficiente para qualquer aprendizado, ainda que o natural seria que ele já soubesse, ao se candidatar, quais seriam as funções de quem chega ao cargo máximo do país. A grotesca e inconstitucional defesa do trabalho infantil num país que vem lutando contra essa chaga há anos, a ideia de nomear um de seus filhos para o posto diplomático mais estratégico do país e a declaração mesquinha sobre o cantor e compositor João Gilberto mostram que ele não entendeu o mais elementar do papel de governar para todos os brasileiros.

Com Bolsonaro não dá para registrar todas as impropriedades dele de uma vez. São tantas nestes seis meses e meio que ocupariam um jornal inteiro. Os absurdos têm de ser listados em bases diárias, no máximo semanais, para caberem no espaço de uma coluna.

A semana terminou em vitória para ele, pela aprovação da reforma da Previdência, mas o projeto caminhou a despeito dele. Durante esse período da tramitação, Bolsonaro levantou sucessivas polêmicas sobre os mais aleatórios assuntos, como se ainda fosse o deputado bizarro que ocupou por 28 anos o mandato sem relatar um único projeto. Enquanto a reforma andava, ele não construía pontes, não dialogava e atacava quem defendia o projeto. Ele sequer entendeu a reforma que propôs. Prova disso é sua mobilização em favor dos policiais. O projeto consagra uma situação estranha: o policial legislativo será o trabalhador que se aposentará mais cedo, apesar de seu trabalho ser ficar andando entre os tapetes azuis e verdes das duas Casas. Jair Bolsonaro continua sendo o que foi: um político paroquial e corporativista, com posições histéricas em questões de direitos humanos e que faz declarações histriônicas e impensadas.

O grande João Gilberto, que mudou a música brasileira, influenciou gerações, projetou o nome do Brasil no exterior e nos deixou um legado de maravilhas sonoras, nem se importaria em saber que sua morte não teve as condolências do presidente. Só que a Presidência se manifesta pelo país e não pelas preferências pessoais do ocupante do cargo. Isso é tão básico que é constrangedor ter de lembrar.

É sandice até pensar no filho Eduardo Bolsonaro como embaixador nos Estados Unidos. O Brasil tem uma diplomacia profissional e dela sempre se orgulhou. Essa pretensão é nepotismo, independentemente da firula de que não é cargo em comissão, e sim cargo político. Quebra o princípio da impessoalidade. A diplomacia é carreira complexa, exige qualificação longa e por isso, como nas Forças Armadas, tem uma gradação hierárquica. Quem a exerce precisa entender as culturas de outros países, captar sutilezas, conhecer leis internacionais e convenções e conduzir negociações delicadas. O embaixador representa o país. Seu trabalho não é apenas se relacionar com o governo ao qual está acreditado, ele precisa entender e falar com a sociedade, perceber as tendências. Eduardo ligou-se à ultradireita dos Estados Unidos. Escolheu o gueto. Não conseguiria falar com uma sociedade com tanta diversidade quanto a americana. O fato de ter fritado hambúrguer nos Estados Unidos e ter estado com o presidente Donald Trump não é, claro, qualificação. Além disso, o governo Trump é transitório e pode acabar no ano que vem.

Há projetos que são do país, e não de um governo. Por isso, mesmo quando partidos diferentes se alternam no poder, certos programas seguem em frente. Um deles é o do combate ao trabalho infantil. Isso está na agenda nacional. No último levantamento do IBGE, o trabalho infantil pesava sobre 190 mil crianças de 5 a 13 anos.

Outros 808 mil adolescentes, de 14 a 17 anos, embora estivessem em idade em que a lei permite o trabalho, foram encontrados trabalhando sem carteira assinada e sem o cumprimento das condições exigidas pela lei. Das crianças de 5 a 13 anos trabalhando, 71,8% eram pretas ou pardas. O que leva um presidente da República, com a responsabilidade que deveria ter, achar que isso pode ser estimulado? A Constituição que ele jurou defender proíbe o trabalho infantil.

Bolsonaro entenderá algum dia o que são os interesses do país? Provavelmente, não. Algumas frases dele ofendem, revoltam ou espantam. Esta do trabalho infantil, por ser mais absurda que as outras, desanima: "Quando algum moleque de 9, 10 anos vai trabalhar em algum lugar, está cheio de gente aí [falando] 'trabalho escravo, não sei o quê, trabalho infantil'. Trabalho não atrapalha a vida de ninguém." Tudo o que se pode dizer lembra a poesia escrita há um século e meio: existe um governo que a bandeira empresta.

36. ENTRE O GROTESCO E O PERIGOSO

21.7.2019

Pense no que o presidente Jair Bolsonaro fez e falou de grotesco em duzentos dias. Você só conseguirá se lembrar de tudo se recorrer a uma pesquisa. São tantas esquisitices diárias que a gente se esquece porque precisa cuidar da vida. O presidente investiu contra radar nas estradas, cadeirinhas de criança nos automóveis, taxa cobrada dos visitantes em Fernando de Noronha. Defendeu o trabalho infantil, disse que, sim, beneficiará filho seu, postou notícia falsa, deu visibilidade a uma cena escatológica no Carnaval e tratou com escárnio valores fundamentais. Qualquer lista que for feita aqui ficará incompleta. O problema é que junto com atos e palavras sem noção há perigo real contra pessoas e instituições.

Governar um país não é comandar um programa humorístico. As palavras "bizarro" e "tosco" têm sido usadas com frequência para descrever certas atitudes do presidente, mas talvez devamos pensar mais na palavra "perigo". Enquanto renova o estoque da "última de Bolsonaro", a Presidência contrata o desastre em inúmeras áreas.

Os ataques ao meio ambiente são diários, a educação perdeu um semestre, o Brasil se aproximou na ONU de países párias nos direitos da mulher, o governo naturalizou a intolerância, suspendeu a fabricação de remédios essenciais, escalou a liberação de agrotóxicos, estimulou o preconceito, encurralou a cultura e esteve nas ruas com quem pediu o fechamento do Congresso e do Supremo.

Enquanto tudo isso acontecia, a economia continuava em crise, a queda da atividade se aprofundava, o desemprego permanecia alto, a confiança caía. Há relação entre uma coisa e outra. Até agora o que se tem é um governo sem rumo em todas as áreas, inclusive na economia. Alguns integrantes da equipe econômica se dedicam ao extremo a determinadas ações, mas o governo tem apresentado miragens como se fossem projetos em andamento. A lista de não eventos está cheia.

De concreto, houve dois avanços em pouco mais de seis meses. A aprovação da reforma da Previdência em primeiro turno na Câmara e o anúncio do acordo Mercosul-União Europeia. Na Previdência, o Parlamento avançou, a despeito da balbúrdia do governo. No acordo comercial há ainda uma longa estrada até que ele vire realidade e não se pode contar com ele como conquista consolidada. A falta de fatos concretos na administração Bolsonaro mantém nos agentes econômicos a desconfiança em relação à retomada do crescimento. Os investidores da economia real precisam de sinais mais sólidos.

Há perigos extremos. O ministro Ricardo Salles, do Meio Ambiente, visitou madeireiros, foi aplaudido por eles e os elogiou no mesmo local em que duas semanas antes madeireiros haviam queimado um caminhão-tanque do Ibama. Foi em Espigão D'Oeste, Rondônia. O combustível abasteceria três helicópteros que seriam usados para fiscalizar a retirada ilegal de madeira na Terra Indígena Zoró. Não houve a operação. Criminosos queimaram patrimônio público, retiraram madeira de terra protegida, ameaçaram um órgão do governo, abortaram uma ação de fiscalização. A extração ilegal de madeira é a principal suspeita. O ministro foi ao local se solidarizar com os madeireiros.

A lista dos perigos é tão extensa quanto a dos disparates. É importante ficar atento. O governo Bolsonaro tem um padrão: vai encurralando e desmoralizando os órgãos públicos. O que há de comum entre Defensoria Pública, Ibama, ICMBio, Itamaraty, Inpe, IBGE, Inep, Fiocruz, tantos outros, é que o governo tem tentado impedir que eles façam o seu trabalho. De forma sutil ou ostensiva, funcionários são neutralizados. Os contribuintes pagam os salários dos servidores para que eles exerçam funções específicas, e o governo tenta paralisar as atividades. É desperdício de um recurso público valioso e caro: o capital humano. Isso enfraquece o Estado nas funções que precisam ser fortalecidas.

Há áreas mais vulneráveis porque viraram os primeiros alvos, mas outros órgãos estão na mira. Para legitimar seus atos, o governo dirá que a reação de funcionários é corporativismo, quando é a saudável defesa da sua missão dentro do Estado. Depois de duzentos dias, não há mais como se enganar. O governo não é apenas incompetente. Está criando perigos reais para o país.

37. A INDIVISÍVEL UNIÃO DO PAÍS

7.8.2019

O presidente da República tem de zelar pela unidade da Federação. Não pode discriminar um ente federado por razões políticas e ideológicas. Os estados são autônomos e seus governadores são eleitos pelo povo, portanto, têm legitimidade. Tudo isso está na Constituição que o presidente Jair Bolsonaro jurou respeitar. Mas ele, diariamente, descumpre algum preceito do ordenamento legal do país. O que ele tem falado e feito em relação ao Nordeste é perigoso.

Bolsonaro acusou os governadores nordestinos de quererem a divisão do país, no entanto é ele quem alimenta a desunião quando define os governadores da região com uma expressão preconceituosa e diz que o governador do Maranhão, Flávio Dino, nada receberá dele. Bolsonaro disse, sem saber que estava sendo ouvido: "[...] desses governadores de *paraíba*, o pior é o do Maranhão. Tem que ter nada com esse cara." A unidade da Federação é uma das mais valiosas conquistas do país, que exigiu muito dos nossos antepassados para se consolidar. No artigo 78 da Constituição é dito que o presidente da República tem o compromisso de "sustentar a união e a integridade" do Brasil.

Bolsonaro está escalando um conflito criado por ele com governadores nordestinos apenas porque são de partidos de oposição, caso de Flávio Dino, do PCdoB. A disputa com os adversários, no campo político, se dá no Congresso Nacional, na aprovação ou rejeição de propostas. Não pode se transformar em um conflito contra alguns estados na forma de distribuição discriminatória de recursos. Os impostos que são pagos à União pelos contribuintes não passam a ser propriedade do presidente. Ele não pode dispor deles, distribuí-los ou não, segundo a inclinação ideológica do administrador local.

É crime de responsabilidade, previsto no artigo 85, ameaçar "a existência da União" e atentar contra "o livre exercício dos Poderes constitucionais das unidades da Federação". Bolsonaro precisa refletir antes de falar, refletir duas vezes antes de agir, porque ele pode ameaçar valores caros demais ao país. Um deles é o de que somos diferentes e unidos. Somos 26 estados e o Distrito Federal integrantes da mesma Federação, com igualdade e autonomia. O povo de cada estado nordestino que escolheu um partido de oposição o fez democraticamente e não pode ser punido por isso. De todos os movimentos insensatos do presidente, este talvez seja o mais perigoso.

A obra que o presidente foi inaugurar anteontem na Bahia é um caso interessante. É a primeira etapa de uma usina solar flutuante. Placas fotovoltaicas foram instaladas sobre as águas do reservatório de Sobradinho, uma ideia excelente. A usina foi projetada no governo da ex-presidente Dilma Rousseff (PT) pelo então ministro das Minas e Energia, Eduardo Braga. Foi executada pela Chesf no governo do ex-presidente Michel Temer (MDB), a quem o governador baiano, o petista Rui Costa, fazia ferrenha oposição, até porque o PT considerava Temer um "golpista". Apesar disso, a obra foi executada e pôde ser inaugurada pelo atual presidente.

Os exemplos de cooperação entre a União, os estados e municípios, apesar de diferenças ideológicas e partidárias, são muitos. Certamente há sempre escolhas políticas em qualquer governo. O que não pode haver é a declaração de um presidente de que não mandará recursos para um estado por causa da tendência política do governador.

Antes da inauguração do aeroporto Glauber Rocha, na Bahia, Bolsonaro falou: "Você já reparou que o pessoal fala do Nordeste como se fosse outro país, né?" Que pessoal? Se por acaso o presidente acha que existe esse risco, deve trabalhar para desfazê-lo. Esse é seu dever constitucional.

Desde a declaração desastrosa que fez sobre o governador do Maranhão, Bolsonaro já foi duas vezes à Bahia. Poderia ter aproveitado para desfazer o desconforto que a sua declaração causou. Poderia, mas não o fez. Transformou as duas viagens em novos confrontos. E em entrevista concedida ao *Estado de S. Paulo* fez a acusação de que "os governadores do Nordeste querem a divisão do país".

Ele acusou os governadores de "fazerem politicalha" e depois disse que tem preconceito contra "governador ladrão". Afirmou que se os governadores quiserem ser atendidos "terão que dizer que estão trabalhando com o presidente Jair Bolsonaro". E ameaçou: "Caso contrário, eu não vou ter conversa com eles e vou divulgar obras junto às prefeituras." O presidente trata dessa forma leviana assunto tão sério quanto os fundamentos da República.

38. AUSTERIDADE NÃO É SÓ CORTE

10.8.2019

Do ponto de vista estritamente econômico, a política ambiental do governo Bolsonaro está errada. Ela promove o desperdício de recursos quando ataca órgãos públicos e os constrange no exercício de suas missões, como o Ibama, o ICMBio e o Inpe. Com a briga destemperada contra a Noruega e o Fundo Amazônia, essa política rasga dinheiro que tem ajudado estados e municípios e cria um ambiente favorável às barreiras não tarifárias contra o agronegócio brasileiro. É essa política ambiental que está piorando a imagem do Brasil no exterior e isso tem um preço.

O Brasil tem um imenso rombo nas contas públicas e precisa ter como meta a redução do déficit. A política de austeridade não é apenas cortar gastos, é também usar de forma mais eficiente os recursos. No caso da briga contra o monitoramento das florestas, é ainda pior, porque o ministro Ricardo Salles tem falado em contratar um serviço privado para fazer o mesmo que o setor público já faz. Que explicação terá o governo, que corta gastos com a educação, para contratar uma empresa privada para monitorar o desmatamento, que é a função do Inpe? Nenhuma explicação é boa. O ministro fala constantemente disso, desde antes da posse. Qualquer que seja o custo, ele será inaceitável num contexto em que o governo precisa economizar.

Austeridade é usar da forma mais eficiente possível os órgãos do governo, o trabalho dos servidores, os equipamentos, a máquina. O custo fixo já está dado. Os salários dos funcionários são pagos, a máquina é sustentada pelo Orçamento, os investimentos em todos os instrumentos e ferramentas de trabalho já foram feitos. Quando o presidente abre uma guerra contra os órgãos ambientais, ele está impedindo a prestação de serviços que são pagos por nossos impostos.

Uma das funções do Inpe é monitorar o desmatamento, e é o que o instituto tem feito no cumprimento do princípio da responsabilidade. Esse é seu dever. Nas últimas semanas o órgão foi acusado pelo presidente de mentir sobre os dados, de estar ligado a ONGs, de os dados serem ruins para o país, e, por fim, Bolsonaro acabou exonerando o diretor Ricardo Galvão, que tinha mandato para mais dois anos. O governo quer que o Inpe não monitore, que os dados não sejam divulgados, que os servidores não trabalhem.

O Inpe fez investimentos em novos equipamentos e tecnologias para saber com mais precisão e rapidez os números do desmatamento. Por isso foi criado o Deter, para se obter, além do dado anual do Prodes, um alerta em tempo real. Em 2015, para melhorar as informações do Deter, o Inpe passou a usar o satélite sino-brasileiro (CBERS-4), capaz de "ver" áreas menores. Os cientistas do instituto sempre alertaram que a melhor forma de entender os dados não é pela comparação de um mês contra o mesmo mês do ano anterior, porque pode haver um efeito de cobertura de nuvens distorcendo o dado. É melhor fazer uma comparação em bases mais longas, de doze meses, a cada mês. Assim: o período de agosto de 2018 a julho de 2019 deve ser comparado com os doze meses de agosto de 2017 a julho de 2018. Resultado: dá 49,5% de aumento. É um índice alto e deveria levar o governo a agir. Contra o desmatamento e não contra o Inpe.

O ministro do Meio Ambiente escala a cada semana a briga sem sentido contra a Noruega e o Fundo Amazônia. No Fundo, ele acabou com a representação de cada um dos nove estados. Agora há apenas um. Eles receberam dinheiro do Fundo para a implantação de políticas públicas. O governo alega estar brigando com as ONGs, mas está tirando recursos das administrações estaduais.

O estrago para a imagem do Brasil decorrente da desastrada política ambiental do governo é evidente. Três influentes veículos dedicaram grande espaço ao assunto recentemente: *The Guardian, The New York Times* e *The Economist*. Eles são lidos por dirigentes de empresas e fundos de investimentos que prestam contas a acionistas e cotistas. Isso pode, também, alimentar barreiras contra o agronegócio. O maior custo, contudo, é do país, que perde patrimônio natural, paga o salário de servidores que são constrangidos no exercício de seu dever e sofrerá as consequências climáticas da insensatez. A economia não está encapsulada em seus conceitos. Precisa ser capaz de ver além dos dogmas para entender o que também é desperdício, risco e prejuízo.

39. OS CONSUMIDORES CHINESES AVISAM

28.8.2019

O presidente da maior *trading* chinesa, a Cofco, veio se reunir com empresários do agronegócio brasileiro e deu o seguinte recado: "Nós vamos comprar mais de vocês desde que seus produtos tenham sustentabilidade." Os representantes do setor no Brasil estavam acostumados a ouvir essa exigência dos europeus, mas não dos chineses. A palavra "sustentabilidade" foi repetida doze vezes em uma fala de meia hora do comprador chinês.

São sinais assim que o agronegócio brasileiro tem captado. O consumidor está mudando, e entre os seus valores está o de querer saber a origem do que consome. Uma pesquisa, citada pelo executivo da estatal chinesa, mostrou que 50% dos consumidores chineses de 18 a 35 anos querem saber de onde vem e como é produzido o que comem.

Quando o presidente Jair Bolsonaro faz uma reunião como a de ontem, em que, em vez de tratar do combate ao fogo e ao desmatamento, ameaça os povos indígenas, ele só alimenta a ideia de que o Brasil produzirá a qualquer custo ambiental e humano. O presidente deveria saber que as terras indígenas são da União e que os povos indígenas têm feito um grande trabalho de proteção desse patrimônio natural do país.

O governo errou sistematicamente e o Brasil teve uma exposição negativa gigante nos últimos dias em todos os jornais e televisões do mundo. O desastre foi provocado por sucessivos atos e palavras de estímulo ao desmatamento. Os sinais foram dados por Bolsonaro quando atacou o Ibama, disse que criaria várias Serras Peladas na Amazônia, ignorou os alertas, brigou com os números, ofendeu o Inpe e demitiu seu diretor. O desastre foi escalado pelo ministro do Meio Ambiente, Ricardo Salles, que exonerou 21 dos 27 superintendentes regionais do Ibama, ameaçou servidores do ICMBio, forçou a demissão de seu presidente e trocou a cúpula do órgão por policiais militares. Visitou Espigão D'Oeste (RO), onde fora queimado um caminhão-tanque com combustível que faria uma operação do Ibama, para se solidarizar com madeireiros. O ministro desmontou o Fundo Amazônia e ludibriou o debate com dados falsos ou meias verdades.

Como isso foi entendido em Novo Progresso (PA)? Ou em todo o arco do desmatamento? No dia 10 de agosto fazendeiros colocaram fogo em inúmeros pontos da floresta numa ação coordenada. O ato criminoso ficou conhecido como "Dia do Fogo". Só em Novo Progresso houve um aumento de 300% dos focos de incêndio. Esse atentado ao meio ambiente nasceu da compreensão de que a coalizão que junta maus produtores, grileiros, madeireiros ilegais e invasores de terras indígenas havia vencido a parada. Sempre houve um equilíbrio precário nessa queda de braço dos dois lados. O Estado, com os órgãos do Executivo (Ibama, ICMBio, Inpe, Polícia Federal), o Ministério Público, o Judiciário, os cientistas e as ONGs trabalham para derrubar a taxa de invasão, destruição e queimada da Amazônia. Quando o governo pisca nesse *saloon*, os bandidos se fortalecem. E, nesse caso, foi mais do que piscada. O governo deu estridentes sinais de que mudou de lado.

Isso afeta diretamente a economia. A China é nosso maior mercado e, até recentemente, considerava-se que ela absorveria tudo o que produzíssemos sem perguntar a que preço. Até eles estão mudando. A Europa é outro parceiro essencial. O governo está assustando os consumidores dos nossos produtos. É por isso que tantos empresários do setor levantaram a voz em defesa do meio ambiente. Em momentos como este, em que os ânimos estão acirrados, os diplomatas são necessários para trazer racionalidade ao debate. O Itamaraty, ao invés disso, fez uma nota cheia de cobranças. Indevidas.

O Brasil não está cumprindo o que prometeu internacionalmente. Deveria estar caminhando para uma taxa de 3,3 mil quilômetros quadrados de desmatamento em 2020. No ano passado a taxa foi de 7,5 mil quilômetros quadrados, este ano há o risco de passar de 10 mil. O compromisso era derrubar em 80% o desmatamento em relação à média de 1995 a 2005. Como no governo Lula a taxa caiu fortemente, e continuou assim até os 4,6 mil quilômetros quadrados de 2012, o Brasil estava perto da meta. Começou a se distanciar dela nos anos finais do governo Dilma, depois no período Temer. Agora, quando temos que corrigir a rota, o governo Bolsonaro acelera na contramão da História.

Essa exposição negativa na imprensa mundial e esse recado do *trader* chinês alertam sobre o perigo econômico e ambiental. Os consumidores do mundo querem comprar o alimento brasileiro, mas não ao custo da ameaça aos povos indígenas, não ao preço da destruição da Amazônia, bioma que é amado em todo o planeta.

40. SOCIEDADE REAGE E MOSTRA LIMITE

1.9.2019

A sociedade brasileira mostrou enorme vigor nesta crise ambiental. Ex-ministros do Meio Ambiente foram juntos a Brasília pedir apoio ao Congresso. Funcionários de órgãos ambientais reagiram. Instituições científicas e organizações ambientalistas apontaram os riscos que o país está correndo. Os empresários do agronegócio alertaram para o prejuízo que a perda de reputação poderia provocar nas exportações. A imprensa contou histórias como a do "Dia do Fogo", quando partes da floresta foram incendiadas de propósito, exibiu imagens eloquentes nas reportagens e o crime foi repudiado nos artigos de opinião.

O governo teve de recuar e mandar as Forças Armadas para a Amazônia. Disse que a ação teve o efeito imediato de reduzir os focos de incêndio e que a fiscalização voltou a atuar. Houve prisão e suspeito foragido. A Polícia Civil apreendeu em São Félix do Xingu (PA) galões com gasolina que seriam usados num vasto plano de queima de floresta em área protegida.

O MPF do Pará, por sua vez, diz que é preciso esperar pelos dados do Inpe para se ter certeza de que houve redução dos incêndios. Está preocupado com o andamento das investigações e diz que não houve "nenhuma ação coordenada do governo federal em Novo Progresso". Exatamente o município do "Dia do Fogo". Ou seja, o governo não foi investigar onde houve o crime, mas o Ministério Público Federal está vigilante.

Na democracia é assim. O governo eleito não ganha carta branca para fazer o que quiser. Mesmo os seus eleitores não aprovam todas as suas propostas. Alguns votam por se identificarem integralmente com o político; outros, por algumas das ideias defendidas na campanha; e muitos escolhem um candidato para evitar o adversário. O que tem ficado claro nestes dias de crise ambiental é que o presidente não tem a maioria da opinião pública a seu lado em suas ideias sobre Amazônia, conservação, terras protegidas e atuação de órgãos de controle. O presidente e seu ministro do Meio Ambiente deram uma sucessão de evidências de desprezo pela proteção do meio ambiente. O senador Flávio Bolsonaro assinou com o senador Márcio Bittar uma proposta de fim de mundo: acabar com toda a reserva legal nas propriedades privadas. As reservas existem na lei brasileira desde 1934. De tão absurda, a proposta foi retirada da pauta do Senado pelos próprios autores em caráter definitivo. Esse projeto de lei deixou de existir, mas quem assina uma sandice dessas sabe o que está fazendo.

A carta de nove ex-ministros do Meio Ambiente ao Congresso foi entregue na quarta-feira (28/8). Levava também a assinatura dos presidentes da OAB e da SBPC. Alertava contra "as graves consequências ambientais, sociais, econômicas, políticas e diplomáticas que poderão advir da continuidade dessa situação". Os efeitos econômicos da atual política ambiental já começam a aparecer, com a reação de compradores de produtos brasileiros e até compradores de títulos da dívida ameaçando afastar-se do país. Uma das medidas emergenciais pedidas ao Congresso pelos ex-ministros foi a "suspensão da tramitação de matérias que possam agravar a situação".

O presidente Jair Bolsonaro, mesmo tendo inicialmente feito um discurso mais moderado, enviado as tropas para o combate, mobilizado ministros e se reunido com governadores, não mudou nem atualizou seu pensamento sobre o que fazer com a Amazônia. E isso se viu claramente na reunião com os governadores da região, na qual, em vez de se concentrar na emergência e no trabalho colaborativo para resolver o problema que motivara a reunião, ele abriu uma outra frente de conflito ao ameaçar as terras indígenas. Como todos que leram a Constituição sabem, as terras são da União e são Unidades de Conservação. Ele falou como se parte do território brasileiro tivesse sido expropriada. A questão indígena é outra agenda que pode causar muito dano ao país.

Dentro do governo, os funcionários também reagem. Servidores do ICMBio assinaram uma carta pedindo o fim da "política de assédio e intimidação". Eles querem o fortalecimento dos órgãos de controle.

Bolsonaro pode dizer que na área ambiental ele nunca escondeu qual era o seu projeto. De fato. Antes e depois das eleições, ele deu demonstrações de não ter entendido a complexidade da questão ambiental e das relações do meio ambiente com a economia atualizada. Bancos, fundos de pensão e grandes empresas têm códigos ambientais e compromissos assumidos de prestar contas a seus clientes, acionistas e investidores sobre as práticas ambientais e sociais que suas decisões de negócios e de investimento estão convalidando. Os sinais de que o estrago na imagem do Brasil, provocado pelo tom beligerante e antiambiental do governo, está chegando à economia estão ficando cada vez mais fortes. A sociedade brasileira, contudo, tem reagido e demonstrado que, na democracia, todo governante tem limites.

41. MENTE AUTORITÁRIA E SEUS MÉTODOS

5.9.2019

Governantes de mentes autoritárias gostam de estimular a confusão entre governo e pátria e procuram sequestrar os símbolos e as datas nacionais. Eles tentam transformar críticas feitas à sua administração em ataques ao país. Era assim na ditadura militar brasileira, principalmente no período mais violento da repressão aos opositores, o do general Emílio Garrastazu Médici. O sentimento de amor ao país, as alegrias com as vitórias até do futebol, os momentos cívicos eram manipulados para serem vistos como apoio ao governo. Criticar o regime era apresentado como equivalente a trair o país.

Governantes de mentes autoritárias gostam de mentir sobre o passado e alterar fatos históricos comprovados, apostando que se a mentira for repetida, se os livros forem refeitos, se houver uma versão oficial, todos passarão a acreditar na narrativa falsa dos eventos. George Orwell tratou disso como literatura na obra-prima *1984*: o passado insistentemente reescrito, para apagar fatos e nomes incômodos.

Bolsonaro disse que a ditadura brasileira foi nota 10 na economia. A verdade: ela deixou o país com uma superinflação crônica e o mecanismo da correção monetária, que levava os preços sempre para cima. Ainda que os índices mais altos tenham sido atingidos nos primeiros governos civis, foi a democracia que conseguiu desarmar a bomba inflacionária jogada no colo da população pela administração econômica do regime militar. Não foi a única bomba que eles deixaram: os militares endividaram o país junto a oitocentos bancos e a governos estrangeiros, e deram calote. Essa dívida foi renegociada e paga na democracia, nos governos Itamar Franco, Fernando Henrique e Lula da Silva. Houve também, na gestão de Henrique Meirelles no Banco Central, a acumulação de reservas cambiais que hoje nos permitem olhar para a Argentina sabendo que a situação aqui é bem diferente.

O período conhecido como "milagre econômico" foi curto e o modelo era concentrador de renda. Só para se ter uma ideia do que foi deixado de lado: ao fim desse forte crescimento do PIB, em 1980, 33% das crianças de 7 a 14 anos estavam fora da escola. A universalização do ensino fundamental foi obra da democracia.

Em qualquer governo ocorrem erros na condução da economia ou nas decisões sociais e políticas. E presidentes, mesmo democráticos, costumam reclamar das avaliações negativas. A diferença é que a crítica aos erros governamentais não é tratada como crime nem traição à pátria. A ideia de que só os governistas eram patriotas era mais uma das mentiras da ditadura. Repetir isso num período democrático é restringir o espaço das ideias, é manipular símbolos nacionais, é estigmatizar quem não se perfila entre os admiradores do governante.

O Brasil está em uma administração eleita democraticamente, mas que tem tentado reduzir o espaço democrático, de livre circulação das ideias, e que quer, especialmente nesta semana, quando se comemora o 7 de Setembro, usar o sentimento de país para tentar alavancar o apoio ao governo. As críticas feitas pela alta-comissária para os Direitos Humanos da ONU, Michelle Bachelet, ao "encolhimento do espaço democrático no Brasil" estão respaldadas na realidade. Qualquer órgão multilateral tem o direito de fazê-las.

O presidente brasileiro reagiu atacando pessoalmente Michelle Bachelet, querendo atingi-la no drama pessoal que ela viveu muito jovem ao perder o pai, o brigadeiro Alberto Bachelet, um legalista que se opôs ao golpe do general Pinochet. Foi preso, torturado e morreu na prisão aos 50 anos. Bolsonaro afirmou que ele foi morto "quando os militares chilenos, em 1973, tiveram a coragem de dar um basta aos comunistas como ele". Michelle Bachelet conseguiu separar essa dor da sua atuação na esfera pública. No período em que foi ministra da Defesa, e nas duas vezes que foi presidente do Chile, não usou os poderes que teve para fazer qualquer vingança pessoal. O ataque de Bolsonaro ao pai de Bachelet foi criticado até pelo atual presidente do país, Sebastián Piñera, que é de direita.

É patológica a compulsão de Bolsonaro a fazer a defesa das ditaduras e sua admiração ilimitada pelos regimes tirânicos, como o de Pinochet. É doentio seu prazer em ferir pessoas atingidas pelos crimes das ditaduras latino-americanas, como fez com o presidente da OAB, Felipe Santa Cruz. Mentir sobre o passado do Chile, ou do Brasil, na política ou na economia, não vai alterar a História. Tentar apropriar para uma ideologia de extrema direita os símbolos nacionais não vai dar certo agora, como não deu no passado. Os amigos e auxiliares que tenham qualquer influência sobre Bolsonaro deveriam aconselhá-lo. O que ele falou sobre Michelle Bachelet jamais poderia ter sido dito. É sobretudo desumano.

42. LITERATURA E LIBERDADE

8.9.2019

A censura tem surgido com frequência nos eventos literários do país. Não por acaso. Os livros sempre pareceram ameaçadores a mentes autoritárias e também em tempos de intolerância. Ceder a quem tenta cercear o caminho entre o leitor e o livro é aceitar que um perigoso inimigo da liberdade ganhe corpo. A prefeitura do Rio mandou agentes da "ordem pública" vasculhar a Bienal do Livro atrás de material "impróprio" e que não seguisse as "recomendações". As palavras aspeadas podem ter qualquer sentido, a ser dado por quem se considera com autoridade para decidir o que significa "próprio", "recomendável" e "ordem pública". A literatura é o terreno da liberdade. As duas palavras nasceram juntas. São irmãs.

A Bienal do Rio decidiu resistir, inclusive com um mandado de segurança preventivo e uma nota que lembra de que lado estão as leis. As editoras também reagiram. Neste momento, há vários motivos para resistência: estagnação, crise na indústria do livro, dificuldades das empresas, pressões diretas ou subliminares que outros eventos literários têm recebido para banir autores e temas. Nos dez dias do evento, que termina hoje à noite, a grande festa do livro vem tratando das questões que são parte da vida contemporânea. Autoritarismo e democracia, escravidão, racismo, imigrantes e refugiados, LGBT+, feminismo, indígenas, Amazônia, censura. "A Bienal entende que sua missão principal é a difusão da leitura no Brasil", disse Marcos da Veiga Pereira, presidente do Sindicato Nacional dos Editores de Livros. Decisiva missão nesta hora e neste lugar.

Alguém pode dizer que está havendo exagero, porque apenas uma revista em quadrinhos foi diretamente ameaçada. Ray Bradbury, autor do consagrado *Fahrenheit 451*, nos avisa, à moda de Bertolt Brecht, que depois de um veto virá outro. "Eles começaram controlando gibis, depois livros de detetives e, claro, filmes, sempre em nome de algo distinto: as paixões políticas, o preconceito religioso, os interesses profissionais; sempre houve uma minoria com medo de algo e uma maioria com medo das trevas..."

Goethe, velho defensor da luz, disse que "nada é mais ameaçador do que a ignorância ativa". Ela está em plena atividade no Brasil de hoje. Quem promove eventos literários, culturais, quem produz filmes, quem se dedica à arte sabe que a censura tem se infiltrado por caminhos oficiais e particulares. Existe a proibição explícita, a intimidação virtual, a ameaça física, a suspensão de patrocínios, a tentativa de banir temas.

Lançado nesta Bienal, o primeiro livro da trilogia *Escravidão*, de Laurentino Gomes, não podia ter chegado em melhor hora. "A escravidão é uma chaga aberta na história humana", escreveu o autor na obra que abala o leitor e o leva a uma reflexão profunda sobre o Brasil. Reflexão que o país tem evitado por tanto tempo através dos ardis da negação. Mesmo negado, aqui está o racismo no cotidiano e nas sequelas visíveis da escravidão. Num debate na Globolivros, um leitor perguntou a Laurentino se o negro está livre do açoite hoje. Na mesma semana, o Brasil viu um adolescente sendo açoitado por dois seguranças de supermercado. Por que ainda carregamos tantas marcas deste longo crime? Por termos fugido do necessário debate, sugerido por Joaquim Nabuco, sobre as políticas para desmontar a obra da escravidão.

Aplaudido de pé no Café Literário, o líder indígena Ailton Krenak foi ao meu programa na GloboNews para falar do seu livro *Ideias para adiar o fim do mundo*. Com leveza, ele defende ideias profundas, como a da existência de "um colapso afetivo" dos brasileiros na relação com os rios e as florestas. Ailton, dos Krenak, nascido às margens do Watu, o ferido rio Doce, lembra que a natureza e nós somos uma coisa só. Não há dualidade entre a Humanidade e a Terra.

A leitura é a forma mais efetiva de pensar. E pensar sempre parece perigoso aos modelos autoritários de poder. "Qualquer livro que merece ser banido é um livro que merece ser lido", escreveu o grande autor de ficção científica Isaac Asimov. A censura sabe o que faz, ela quer inibir o pensamento. A literatura também sabe o que faz. Ela atua na ampliação do espaço democrático, na difusão das ideias, na representação das emoções, na defesa da liberdade criativa. O dramaturgo e crítico irlandês George Bernard Shaw escreveu que "a censura se completa logicamente quando a ninguém é permitido ler qualquer livro, exceto os livros que ninguém lê". Ler é inquietante, é libertário.

43. MP INFIEL E A DEMOCRACIA

15.9.2019

O evento marcante da semana passada foi o alerta de que a democracia corre riscos. Pelo aviso em si e pelo local onde ocorreu: o plenário do Supremo Tribunal Federal. Foi dito não apenas pela pessoa que se despedia do cargo, a procuradora-geral da República Raquel Dodge, mas também pelo decano ministro Celso de Mello. O ministro começou a semana com uma nota de condenação à censura e na quinta-feira (12) já estava listando o que o Ministério Público é e o que não pode ser. A democracia é a soma de inúmeros detalhes formando um mosaico. Ela corre riscos quando começa a ser atacada em cada uma das suas partes ou de seus princípios.

O que estava em questão naquela sessão era o Ministério Público. Como ele deve ser, segundo a Constituição. Em resumo, o decano disse que o Ministério Público não serve a governos, a pessoas, a grupos ideológicos. Não se curva à onipotência do poder. Não deve ser o representante servil da vontade unipessoal nem pode ser instrumento contra as minorias. "Sob pena de o Ministério Público ser infiel a uma de suas mais expressivas funções [...], que é a de defender a plenitude do regime democrático." Foi assim, toda pontuada de recados, a fala do decano. A sessão fora aberta com declarações do ministro Dias Toffoli nessa mesma linha. O que parecia ser apenas uma formalidade ganhou força de recado e alerta.

Na mesma tarde, o procurador-geral indicado continuava sua peregrinação pelos gabinetes dos senadores. Augusto Aras construiu um discurso para o convencimento de quem vai sabatiná-lo da mesma forma que havia construído um, com sucesso, para o presidente Jair Bolsonaro. A frase captada pelo jornalista Marcione Santana, da TV Globo, durante conversa de Aras com o senador Alessandro Vieira (Cidadania-SE), é emblemática. Aras contava que se aproximou do presidente através de um amigo comum. "Eu disse ao presidente exatamente isto: presidente, o senhor não pode errar, porque o Ministério Público, o procurador-geral da República, tem garantias institucionais, que o senhor não vai poder mandar, desmandar [...]. [O procurador-geral] tem a liberdade de expressão para acolher ou desacolher qualquer manifestação. O senhor não vai poder mudar o que for feito."

A rigor, essa frase é óbvia, porque o MP é independente, mas contém uma dubiedade. Apresentada ao presidente parece ser a oferta de que com ele, Aras, o governo estaria seguro. Relatada ao senador parece ser a reafirmação da independência. Uma frase moldável ao interlocutor. Enquanto isso, Aras deve ser lido por seus atos. Ele não só foi indicado fora da lista tríplice, como foi contra a lista. Um recurso que não é sindicalista, é a forma que se consolidou como a mais eficiente para gerar liderança numa instituição em que os próprios procuradores têm também autonomia. Depois de nomeado, Aras chamou para a sua equipe o procurador Ailton Benedito, defensor da ditadura, e o procurador Guilherme Schelb, que, de tão alinhado com o governo, quase foi ministro. Com essas duas nomeações, Aras está dizendo ao presidente que ele não errou ao escolhê-lo.

Celso de Mello falou várias vezes em defesa das minorias. O presidente Bolsonaro tem falado sempre contra os direitos de minorias. De forma genérica ou em ataques diretos a grupos ou, ainda, apagando agendas das políticas públicas. Em palanque, disse: "Vamos fazer um governo para as maiorias, as minorias se adequem ou simplesmente desapareçam." Desde que se elegeu, repetiu isso várias vezes. No mês passado, ironizou dizendo que "se é para proteger minoria, vamos proteger o *serial killer*". O ministro lembrou que "fora da ordem democrática não há salvação". Bolsonaro tem entre as suas obsessões a defesa do regime militar. Celso de Mello defendeu que "só as leis dessa república laica merecem sua proteção institucional". Bolsonaro em palanque afirmou que "não tem essa historinha de Estado laico, não".

O nome do presidente não foi citado. Mas é dele que se falava naquele plenário. Ele comanda uma sucessão de ameaças diárias. A cada dia uma nova fissura, uma política que fere um direito fundamental, mais um rasgo na Constituição. Raquel Dodge terminou sua fala pedindo aos ministros: "Protejam a democracia brasileira tão arduamente erguida." Não é tarefa apenas do Supremo, mas os votos daquele plenário serão decisivos para evitar que um dia cheguem lá um cabo e um soldado.

44. NOTÍCIAS DA TERRA E DA LUTA AMAZÔNICA

21.9.2019

No dia em que o mundo parou para pedir por ações contra a mudança no clima, inúmeras batalhas continuaram sendo travadas em cada canto das florestas brasileiras. Falarei de uma ocorrida esta semana. Um grupo de oito homens se move no meio da noite de segunda para terça-feira (16-17) para ir embora com três caminhões carregados de madeira tirada da Terra Indígena (TI) Arariboia, no Maranhão. Uma moto os acompanha. Estão bem perto da aldeia Três Passagens. Do mato surgem indígenas Guajajara que integram o grupo Guardiões da Floresta. Os madeireiros atiram em direção aos indígenas, e eles revidam com arco e flecha e espingarda. Ninguém se fere, felizmente, e os madeireiros fogem.

Essas escaramuças acontecem em várias partes da Amazônia. O que há de comum em todos os eventos é a ausência do setor público. Ibama, Funai, Polícia Militar, Polícia Federal, enfim, todos os órgãos que poderiam se envolver para dar uma resposta a essa ação contínua, e cada vez mais agressiva, de tirar madeira da floresta ilegalmente estão ausentes. Em algumas tribos, os índios se organizaram em grupos de monitoramento da floresta e frequentemente se deparam com madeireiros. Naquela noite, lá na TI Arariboia, os indígenas decidiram queimar os caminhões e a moto depois que os madeireiros foram embora. Adiantaria pouco avisar à polícia. No dia seguinte, os madeireiros voltaram e filmaram o que havia restado dos caminhões e colocaram as imagens para circular nos grupos de WhatsApp da cidade de Amarante. Assim vai se alimentando o conflito.

Ontem mesmo, no dia em que milhões paravam no mundo pelo clima e pelo meio ambiente, um cacique Ka'apor, que está na TI Alto Turiaçu, também no Maranhão, pediu socorro por WhatsApp a Antonio Wilson Guajajara, que é um dos guardiões da floresta e que está na TI Caru. Avisou que perto do município de Zé Doca (o nome da cidade homenageia um grileiro), dentro da terra indígena, foi localizado um acampamento de madeireiro.

As terras Caru, Awá e Alto Turiaçu são contíguas e ficam ao lado da Reserva Biológica Gurupi, também no estado. A TI Arariboia se localiza mais ao sul, é cercada de inúmeros povoados e nela vivem 14 mil Guajajara e alguns Awá Guajá isolados. Os Awá Guajá que vivem na TI Caru, onde fiz reportagem em 2012, são definidos como de recente contato, mas existem integrantes dessa etnia que fogem de qualquer contato. São os isolados.

Nessas terras indígenas, os índios organizaram o grupo Guardiões da Floresta, que atua desde 2012.

— A gente trabalha nessas quatro terras e também na do rio Pindaré fazendo vigilância e passando informações para as autoridades. Além disso, as mulheres das aldeias fazem trabalho educativo nos povoados, em palestras e conversas de conscientização. São as guerreiras da floresta. Nunca houve um ato de violência, nenhuma morte, felizmente — diz Antonio Wilson Guajajara.

Ontem, no Alto Turiaçu, os Ka'apor, fazendo a limpeza do limite da terra, encontraram um grupo grande de invasores, e foi por isso que um líder pediu ajuda a Antonio Wilson, que estava na Terra Caru.

— Eu sei que é um momento delicado, mas vou assim mesmo. Não podemos recuar. Quero dialogar. Se a gente tivesse mais apoio seria melhor — diz o líder Guajajara.

A TI Arariboia enfrentou em 2015 e 2016 um enorme incêndio que destruiu metade dos seus 412 mil hectares. Na época, foi possível ver os isolados se deslocando. Eles estão ficando cada vez mais expostos. E vulneráveis.

Carlos Travassos, que foi chefe do setor de Índios Isolados da Funai, conta que a TI Arariboia está sendo assediada por dois tipos de demanda: a de madeira de lei, que ataca o centro da terra onde estão os isolados; e a de madeira para fazer estacas para cercas das inúmeras fazendas da região.

— O primeiro é um mercado que está atrás de ipê, maçaranduba, sapucaia, copaíba, cumaru, tatajuba e os últimos cedros. O outro mercado é gigantesco porque tem um mundo de fazenda perto da TI. É pulverizado, porque um fazendeiro entra na terra, tira as madeiras e redistribui para outros. Os guardiões estão ativos, mas eles estão sozinhos. E as invasões estão atingindo em cheio os últimos locais das grandes árvores, onde estão os Awá Guajá isolados — explica Carlos Travassos.

Assim, os índios, por sua conta, vão tentando defender a si mesmos e a floresta.

45. BOLSONARO E WITZEL ERRAM NA SEGURANÇA

24.9.2019

Há quem diga que o presidente Jair Bolsonaro e o governador Wilson Witzel, do Rio de Janeiro, foram eleitos com uma agenda forte em segurança. Não é verdade. Bolsonaro faz apenas a apologia das armas. Isso não é um programa de segurança. Witzel disse que seus policiais iriam "mirar na cabecinha" e "abater criminosos". Isso é defesa de assassinatos. Ele foi juiz um dia, deve ter lido que no Brasil não tem pena de morte. O que ele faz é executar a pena capital de forma sumária, sem julgamento. Como previsível, as vítimas inocentes aumentam.

A morte de Ágatha Felix, 8 anos, é uma tragédia imensa. E fica maior diante do fato de que outras crianças também morreram este ano vítimas de policiais que entram nas favelas atirando. E a prática continua sendo de atirar para averiguações. Segundo relato dos moradores, um policial da "polícia pacificadora" viu uma moto suspeita e disparou. Acertou a menina em uma van. Segundo a versão da polícia, houve um tiroteio e não se sabe de onde partiu o tiro que encontrou a menina, linda, inteligente, cheia de planos e que estava a caminho da Agatha's House, como desenhou em sua aula de inglês. É inevitável pensar no futuro da menina. O futuro morto da menina.

A tragédia do Rio é que na última vez que houve o esboço de uma política de segurança o governador era corrupto. A corrupção matou o sonho de uma polícia de nome Pacificadora. A ideia era ter jovens policiais recrutados e treinados numa nova mentalidade, para ver no morador um aliado e não um inimigo, para ouvir a comunidade e trabalhar pela paz. Ao mesmo tempo, o estado prometia estar presente em cada parte da cidade e não aceitar a anomalia da possessão de facções criminosas sobre pedaços do território. Houve um florescer de negócios nas comunidades, os moradores da cidade adquiriram o direito de ir e vir, entidades especializadas avaliaram os avanços, obras realizaram antigos projetos de urbanização. Parecia que a barbárie de uma polícia que entra atirando em áreas superpovoadas, colhendo vítimas inocentes, estava acabando. A morte do ajudante de pedreiro Amarildo na Rocinha nos acordou do sonho e, por fim, a corrupção destruiu essa política.

O Rio e o Brasil precisam de uma política de segurança que mereça o nome. Essas declarações grotescas do governador do Rio e os dedos em forma de arma na mão do presidente só revelam a falta de qualquer ideia inteligente na cabeça dos dois sobre o assunto. Bolsonaro editou sete decretos ampliando a posse e o porte de armas; seu filho Eduardo anda por aí com uma pistola na cintura. Nas redes de ódio — que têm escritório funcionando no terceiro andar do Palácio do Planalto —, as críticas ao filho 03 foram retrucadas com o argumento, recheado de palavrões, de que ele é um policial e por isso pode andar armado. Eduardo foi escrivão de polícia. Seus passeios com pistola são apenas mais um sinal de exibicionismo, mais uma confissão de fraqueza deste governo que continua perdido no tiroteio.

Bolsonaro e Witzel brigam entre si de olho nas eleições presidenciais de 2022, mas parecem siameses na impotência, na incapacidade de implementar uma política estruturada para a segurança, na insensatez com que estimulam a violência, na imitação patética de soldadinhos de chumbo. Deixam-se fotografar portando armas, adoram bater continência, não perdem um desfile militar e fantasiam-se de policiais. São governantes, deveriam ter uma estratégia para enfrentar a epidemia de mortes de jovens no país, quase todos pretos, quase todos pobres.

Morrem também os policiais, mais de suicídio que de homicídio. Nesse mar de sangue todos estão se afogando. O governo federal responde com a promessa de não punir agentes do Estado que matem. É o "excludente de ilicitude". No comando dessa suposta política de segurança está o ex-juiz Sergio Moro, de quem supunha-se o conhecimento das leis, do devido processo legal, das inconstitucionalidades. Moro, "fritado" pelo presidente até virar uma sombra de si mesmo, vai colher outra derrota no seu pacote anticrime. O projeto foi pensado para combater a corrupção, mas teve que abrigar as ideias do presidente, como a de dar aos policiais licença para matar.

Depois deste fim de semana de morte e do enterro de uma menina com tanto futuro pela frente, a cidade amanheceu pesada. O Rio carrega cicatrizes demais.

46. PERDIDO NO TEMPO E TEMPO PERDIDO

25.9.2019

O presidente Bolsonaro fez um discurso perdido no tempo e que foi uma perda de tempo. Um discurso na ONU é um momento precioso. Diante de uma plateia global, o que o governante deve se perguntar é como defender os interesses do país e nunca como fazer um acerto de contas individual. Mandar recados para o público interno é natural, mas não faz sentido falar apenas para um gueto ideológico. O agronegócio moderno, que cresceu com os investimentos em ciência e tecnologia, por exemplo, precisava de uma ajuda no esforço de evitar o fechamento dos mercados.

Bolsonaro falou que fechou acordos comerciais. E este é realmente um bom ponto do seu governo: ter concluído as negociações que estavam em andamento. Os acordos, porém, ainda não são realidade. Precisam ser confirmados pelos Parlamentos de seus países, tanto na União Europeia quanto na EFTA, que reúne Islândia, Liechtenstein, Noruega e Suíça. Diante da crise provocada pelos incêndios na Amazônia, assunto que teve tanta exposição negativa, esta seria uma ótima oportunidade de mostrar empenho em lutar contra o desmatamento. Bolsonaro poderia dizer que enviou as Forças Armadas para a região e que elas, de fato, encontraram grileiros e madeireiros e que por isso houve multa, apreensão e prisão. Foi o que o ministro da Defesa disse ontem no balanço de um mês da operação na Amazônia.

Isso ajudaria mais do que chamar de "mentirosos" a imprensa e as ONGs e atacar um velho líder indígena como Raoni. A ideia de que o governo está estimulando o desmatamento e que apoia invasões de terras indígenas poderá levar à não aprovação do acordo pelos Parlamentos europeus. Volta-se à estaca zero. Mais do que isso, compradores de quaisquer produtos brasileiros, investidores dos fundos institucionais, bancos internacionais, enfim, todos podem ter negócios com o Brasil afetados por pressão dos consumidores, dos investidores e da opinião pública. Como grande exportador de produtos agrícolas, não é do interesse do país enfrentar barreiras a esse comércio. Portanto, era o momento de fazer uma inflexão pragmática no discurso.

Todo o longo tempo que Bolsonaro dedicou a travar a batalha contra o "socialismo" foi perdido. Primeiro, porque essa é uma briga de outra era, da Guerra Fria. Segundo, porque essa escolha de adversários é totalmente sem sentido. Cuba é apenas uma pequena ilha, e nós, um país continental. O acordo Mais Médicos já foi desfeito. A Venezuela é um país em escombros. E qual a vantagem de levar à ONU o que houve na América Latina nos anos 1960? Terceiro, e mais importante, hoje partidos socialistas podem entrar e sair do poder, como aconteceu no Chile, por exemplo. Em qualquer país democrático há alternância no poder. Bolsonaro se referiu a um fato inexistente: "Um Brasil que ressurge depois de estar à beira do socialismo." Ele se esqueceu de que sucedeu ao presidente Michel Temer?

O Brasil é realmente um país rico em biodiversidade, como ele disse. Mas o temor é que seu governo esteja ameaçando essa riqueza. As medidas tomadas no passado por governos que ele tanto critica — ele costuma misturar as administrações Fernando Henrique com Lula e Dilma — construíram os marcos regulatórios que tiveram sucesso na redução do desmatamento e criaram as áreas de proteção.

Era hora de construir pontes, mesmo reafirmando seus princípios. A diplomacia tem a oferecer aos governantes uma lista enorme de fórmulas para se dizer a verdade sem criar atritos toscos. Afirmar que o colonialismo não pode voltar à ONU, para criticar a França, é uma demonstração de falta de autoestima, como se o Brasil estivesse sob essa ameaça ainda hoje, embora seja uma nação da dimensão e da força que é.

Toda a parte indígena foi equivocada. É até difícil listar os erros. Falar que tem ouro, diamante, terras raras, urânio e, claro, nióbio em terras indígenas parece convite a garimpeiros. Falar que os territórios são enormes e os índios, poucos, reforça os temores de invasão. Falar que "Raoni não tem mais o monopólio" diante da enorme diversidade de povos e de lideranças indígenas que o Brasil sempre teve é desconcertante.

Bolsonaro estava ali como presidente dos brasileiros para representar um país, e não como um candidato às vésperas das eleições duelando com supostos adversários. O mundo não dá ouvidos a brigas paroquiais.

47. OS DINHEIROS DA LAVA-JATO

1.10.2019

A Lava-Jato é a mais bem-sucedida operação de combate à corrupção se for considerado o valor do dinheiro ressarcido. Como mostrou a reportagem deste jornal ontem, aproximadamente R$ 2 bilhões do dinheiro desviado já voltaram aos cofres públicos, somente pelos delatores. Mas há também o que foi pago pelas empresas em acordos de leniência. Só a JBS está pagando parceladamente uma dívida de R$ 10,3 bilhões corrigida pela inflação. Tem ainda o que foi pago pela Petrobras pelo acordo com o Departamento de Justiça americano, que já está seguindo para cobrir despesas públicas.

Os acordos de leniência das empresas foram fechados com instâncias diferentes do setor público. Alguns com o MPF, outros com a AGU, outros com o Cade. É difícil saber tudo o que será pago ao fim do processo. Para se ter uma ideia, o acordo do MPF com a JBS prevê o pagamento em 23 anos. A empresa já pagou quatro parcelas semestrais, um pouco mais de R$ 200 milhões, segundo apurações da coluna. Talvez a JBS tenha que antecipar quitações em duas circunstâncias: se o STF decidir revisar as colaborações e se o grupo fizer um acordo com o Departamento de Justiça de pagar em período mais curto.

O governo tem recebido dinheiro, mas perdeu muito mais. O jornal *O Estado de S. Paulo* trouxe uma estimativa feita pelo presidente do BNDES, Gustavo Montezano, de que o potencial de perdas com a Odebrecht pode ser de R$ 14,6 bilhões. Só que ele não disse que critério usou. Esse valor de R$ 14,6 bilhões é o total de dívida das empresas do grupo em recuperação judicial. Algumas têm garantias, como ações da Braskem, por exemplo. No caso da Atvos, tem de ser descontado o custo da Brenco, uma empresa de açúcar e álcool, com dívidas impagáveis, que o banco pediu que a Odebrecht assumisse em troca de um financiamento. Enfim, a conta precisa ser bem-feita e, na verdade, não é necessário exagerar porque as perdas do BNDES serão grandes mesmo, tanto com a Odebrecht quanto em outras operações que vêm sendo investigadas por corrupção.

Na reportagem publicada ontem pelo *Globo*, o repórter Gustavo Schmitt fez um levantamento de tudo o que já foi pago nas delações premiadas. Até agora, R$ 1,837 bilhão foi quitado por delatores. O valor total, ao fim das parcelas, será de R$ 3,1 bilhões. Há outros recursos que voltam aos cofres públicos mesmo que não sejam de delatores, como os R$ 77 milhões descobertos pela Lava-Jato em contas no exterior do ex-diretor da Petrobras Renato Duque.

O que causou polêmica foi o dinheiro do acordo entre a Petrobras e o Departamento de Justiça americano. Os procuradores de Curitiba pensaram em criar uma fundação destinada a combater a corrupção, e a PGR entrou no Supremo contra a ideia. Neste mês, foi fechado um acordo entre o governo, a PGR e o Supremo, através do ministro Alexandre de Moraes, e o dinheiro foi destinado em grande parte para a Amazônia e a educação. Falado assim parece ótimo, porque são duas grandes emergências, mas é preciso ficar ainda mais transparente o destino do dinheiro.

Um dos objetivos do ministro do Meio Ambiente, Ricardo Salles, é lançar mão do que ele define como "regularização fundiária", o que pode acabar levando recursos para quem ocupou indevidamente terras públicas. Um governo que defende posições controversas precisa explicar melhor como pretende usar o dinheiro que retorna aos cofres públicos. Já na Petrobras, segundo a empresa, todo o dinheiro devolvido pela Lava-Jato entrou no caixa para ser usado como a estatal achar necessário.

Em inúmeros casos de combate à corrupção houve revelação sobre perdas. O que torna a Lava-Jato diferente de outras operações é a capacidade, demonstrada publicamente, de fazer os corruptos devolverem o dinheiro do assalto aos cofres públicos. Esses montantes que voltaram indicam claramente que a operação não foi uma perseguição política contra um partido específico, e sim investigação sobre crimes cometidos contra os cofres públicos por empresas e políticos. Vários aspectos da operação podem ser criticados, como a intimidade que se revelou existir entre o então juiz Sergio Moro e os procuradores de Curitiba. Mas os recursos retornados são a prova da corrupção que, de fato, ocorreu no Brasil. É difícil argumentar diante da materialidade do dinheiro.

48. MUITO ALÉM DA ECONOMIA

6.10.2019

Há muito mais na economia do que apenas os indicadores ou decisões da área estritamente econômica. Ela depende, para ter um bom desempenho, de inúmeros sinais e situações existentes em outros setores. Uma parte das expectativas de retomada do crescimento está condicionada ao andamento da agenda legislativa, mas o presidente tomou a decisão de não formar uma base parlamentar estável e por isso o governo vem improvisando no relacionamento com o Congresso. Além disso, Bolsonaro tem uma lista de prioridades idiossincráticas, e muitas delas vão no sentido oposto ao que deveriam para alavancar o crescimento.

Na terça-feira passada, dia 1º de outubro, Bolsonaro se reuniu com garimpeiros, demonstrou saudosismo em relação ao tempo em que eles atuavam de forma predatória e sem limites legais e ainda falou uma frase depreciativa sobre a árvore. Palavras dele: "O interesse na Amazônia é na porra da árvore." Esse tipo de cena tem o efeito de derreter intenções de investimento. A grande mineração exige hoje regras de conduta muito severas, porque presta contas aos *stakeholders*, ou seja, a todas as partes interessadas. Os erros colossais da Vale elevaram o nível de exigência da atuação dessas empresas no Brasil. É hora de mostrar mais aderência aos valores que desembarcaram no mundo dos negócios. O garimpo é o oposto de uma produção sustentável dos recursos minerais.

Em bases quase diárias, o governo dá sinais de não possuir uma agenda de superação dos obstáculos ao crescimento. O ministro do Meio Ambiente repete ideias antiambientais e toma decisões antiambientais. O ministro da Educação trava uma batalha na mídia social em mau português contra fantasmas ideológicos. O ministro da Cidadania se dedica a restabelecer a censura na área cultural. O ministro das Relações Exteriores se enclausura em ideias estreitas e revoga as virtudes conhecidas da diplomacia brasileira. Nada disso é economia e tudo é economia.

Os sinais que sustentam a confiança dependem de que o país esteja atualizado com as tendências do mundo nas áreas ambiental, educacional, cultural e diplomática. O obscurantismo em qualquer desses setores é um pacto antiprogresso. O que grandes investidores se perguntam é para onde está indo o país, se a educação vai preparar os estudantes para os desafios do século XXI, se as preocupações ambientais e climáticas têm sido incluídas na agenda pública, se a diplomacia está ampliando as relações internacionais, se a política cultural expressa a diversidade do país.

O governo continua emitindo sinais difusos em áreas diferentes que convergem para a mesma mensagem: a de que o país está em retrocesso social e político. E querem que a economia progrida sozinha tirando o país do atoleiro em que se encontra. Ela é parte de um todo. A ideia de que se pode modernizar a economia em um governo de valores arcaicos é um contrassenso.

A reforma da Previdência passou por várias etapas, desidratando-se no meio do caminho e enfrentando muitos sustos. Se caminhou foi a despeito do presidente da República, que se mobilizou apenas para a defesa corporativista, o que fez ao longo da vida. A causa de adaptar o sistema de pensões e aposentadorias à realidade demográfica e fiscal brasileira foi abraçada por líderes de partidos que não são governistas e foi votada até por alguns parlamentares da oposição, com um custo político alto. A área econômica contou com alguns valorosos combatentes no esforço de entendimento com o Congresso, mas a articulação política não aplainou o terreno para os técnicos da economia. Pelo contrário, as muitas falhas na articulação tornaram o caminho mais pedregoso.

O Ministério da Economia fala em muitas reformas. Elas são ambiciosas: mudariam a estrutura do gasto público e implantariam um novo federalismo. O presidente se mobiliza pela liberação de armas, na defesa de torturadores e da ditadura, em favor do garimpo e da exploração mineral em terras indígenas, contra a proteção do meio ambiente e pela garantia de vantagens para os filhos. A agenda da economia é uma retórica superlativa ainda sem projetos elaborados. A do presidente tem iniciativas, decretos e MPs que dispersam a atenção do Congresso. O progresso é muito mais do que um indicador e a economia jamais será uma ilha.

49. ATAQUE À CULTURA FERE A ECONOMIA

12.10.2019

A cultura brasileira está sob ataque. Isso é perigoso do ponto de vista da democracia, mas é também um erro econômico. Em vários países esse setor tem sido uma alavanca para o desenvolvimento. A Inglaterra reposicionou sua mão de obra para a economia da cultura quando perdeu empregos na indústria tradicional para a China. A França fez o mesmo. A censura é um veneno para o setor, porque a liberdade é o único ambiente no qual as artes florescem.

O economista gaúcho Leandro Valiati é professor visitante de Economia da Cultura da Universidade Sorbonne, na França, e da Queen Mary, na Inglaterra. Ele tem conduzido estudos sobre esse assunto nos dois países e vê com muita preocupação o que está havendo no Brasil.

— Essas cadeias estão se rompendo no Brasil pela crise enorme que a gente passa no financiamento da cultura em um governo que é contra a cultura por razões de disputa ideológica. E isso está gerando o que chamamos de tempestade perfeita — diz Valiati.

Ele conta que no mundo inteiro, mesmo na Inglaterra da era Thatcher, a cultura sempre recebeu financiamento público:

— A Inglaterra tem um departamento de cultura, mídia e esportes que criou o primeiro modelo de políticas públicas para indústrias criativas dentro da lógica de pensar um motor para o desenvolvimento do século XXI.

Quando a produção tradicional começou a migrar para a Ásia, a Inglaterra reposicionou sua mão de obra para outros setores de ponta, como as indústrias criativas e de produção de conteúdo, dependentes da tecnologia de comunicação. Há desde criação de fundos públicos até a transformação de Londres em cidade hiperconectada. Parte do dinheiro da cultura vem da loteria, mas há outros fundos públicos e o investimento direto no patrimônio, caso dos museus.

— Cultura tem emprego e renda muito positivos. O Brasil é riquíssimo nisso. Cada estado é um pequeno país de tradições, valores culturais, cadeias produtivas da cultura. Existe uma economia que é efetiva e na qual o dinheiro público é muito bem investido.

Valiati explica que indústrias criativas incluem tanto as clássicas, como teatro, cinema, audiovisual em geral, música, rádio, conteúdos para TVs, livros, quanto também softwares, games, arquitetura, design, publicidade, isto é, tudo o que envolve direito intelectual. O ex-ministro e hoje deputado Marcelo Calero (Cidadania-RJ) chegou a montar uma Secretaria da Economia da Cultura exatamente para diferenciar esse núcleo do resto das indústrias criativas. Valiati diz que o Brasil já vinha com o esgotamento do modelo de financiamento. Precisaria repensar a indústria como um todo porque isso está sendo feito de forma global. Mas todo o quadro piorou. Calero concorda.

— O que está acontecendo agora é um sufocamento da cultura por parte do governo Bolsonaro. Está dentro de uma visão maior dele, que é de destruir e sufocar todos os que ousarem contestar seu poder — diz o deputado.

O primeiro movimento do governo foi condenar o subsídio ao setor, como se fosse benefício pessoal aos artistas. Leis de incentivo às artes existem em todos os países, inclusive nos Estados Unidos. Tem de haver clareza nos critérios e na prestação de contas. Só para se ter uma ideia, a indústria automobilística brasileira ainda conta com subsídios, e isso, sim, deveria ser visto como escandaloso. Valiati compara os dois setores:

— A indústria automobilística tem 7% da fatia de subvenção fiscal total. A cultura tem 1% a 1,5%. E mesmo isso vive sendo criticado. Eu coordenei um estudo de cinco anos no Brasil para entender a economia da cultura, separando de outras atividades criativas. O total de emprego criado é maior do que os gerados pela indústria extrativa. O problema é que essa discussão tem sido feita de forma rasa.

Em grandes países, o debate se dá em torno de reposicionar a economia estimulando uma cadeia de valor na área cultural. Aqui o debate, lembra Calero, é levar a Ancine para Brasília a fim de forçar "os cineastas do Leblon a irem para o Cerrado", como foi dito. Há implicâncias contra artistas e forte pressão contra as artes. Isso sufoca as liberdades individuais e coletivas, mina a democracia, solapa um setor econômico que produz emprego de qualidade e renda.

50. CRISE PÕE EM RISCO A GOVERNABILIDADE

18.10.2019

A crise de vários megatons que explodiu no PSL é a prova mais clara da incapacidade política do presidente Jair Bolsonaro. A sucessão de conflitos foi detonada pelo próprio presidente de forma intempestiva e estabanada. E foi ele também que a agravou. Todos os ingredientes seguem seu padrão de comportamento: palavras impensadas, falta de diálogo, privilégio para os filhos. O partido com o qual ele poderia começar a construir a governabilidade está implodindo.

O que alguns analistas disseram logo após a eleição era que Bolsonaro conseguira, com a força da onda a seu favor, eleger a segunda maior bancada do Congresso Nacional. A primeira é a do PT, com um deputado a mais. A partir daí, seria razoável supor que ele conduziria negociações para uma fusão com um ou vários partidos da direita para aumentar a sua bancada. Que ele, por ter passado 27 anos no Parlamento, saberia construir um diálogo com o Congresso, necessário para o seu projeto de governo.

Contudo, seu partido não cresceu, não recebeu adesões, entrou em várias guerras de falanges que ele jamais soube arbitrar. Ontem, no áudio vazado da reunião do PSL, o que fica claro, em meio aos inúmeros palavrões, é que muitos têm a mesma queixa: o presidente não os ouve, não dialoga, não demonstra que eles fazem parte da estrutura de poder.

Se Bolsonaro escanteia seus correligionários, o que dirá dos outros partidos que poderia ter atraído para uma coalizão. Desde o início da administração, ele fez críticas indiretas e genéricas ao Congresso ao afirmar que não faria a "velha política". Ontem, nomeou um senador do MDB para líder do governo.

Ele jamais foi a "nova política", se é que a categoria existe. Quem passou por oito partidos e ficou mais de uma década no PP de Paulo Maluf não representa renovação. Ele inventou essa fantasia porque cabia na demanda do eleitorado de 2018. Para continuar dentro do figurino criado para a ocasião, Jair Bolsonaro disse que não negociaria a formação de alianças, porque não repetiria os erros do passado. A explicação era inverossímil. Seu governo enfraqueceu órgãos de controle de combate à corrupção. O desmonte do Coaf é apenas um exemplo. O nepotismo o levou a querer o filho na embaixada nos Estados Unidos, pretensão da qual teve de desistir. Ele não construiu uma coalizão porque tem temperamento autoritário. Só telefona para deputados do próprio partido quando é para perseguir alguém, como foi dito na reunião da bancada, com outras palavras. Ouve apenas os filhos e alguns áulicos.

Para tornar tudo ainda mais complicado, o PSL, que recebia parte pequena do rateio do dinheiro público, ficou rico. Pela lei que distribui os recursos dos fundos partidário e eleitoral, o partido, por ter uma das duas maiores bancadas, passou a ter o controle sobre verba gorda. De novo, os analistas consideraram que Bolsonaro aproveitaria a abundância para tentar dar capilaridade à legenda nas eleições municipais. Em vez disso, ele jogou uma bomba em seu próprio partido.

O que o fez dar aquela declaração contra o PSL e Luciano Bivar, presidente da sigla, dias antes da operação da Polícia Federal no Recife? Uma coincidência impressionante, dado que a notícia de que o presidente do PSL teria montado um "laranjal" em Pernambuco foi publicada pela *Folha de S.Paulo* em fevereiro. O presidente demorou oito meses para dizer que Bivar estava "queimado". Curioso é que ele não acha que o "laranjal" de Minas Gerais queima o ministro do Turismo, Marcelo Álvaro Antônio. Uma coisa é certa: na guerra intestina, partiu de Bolsonaro o primeiro tiro.

No Brasil, presidentes constroem coalizões não por opção ou gosto, e sim por uma decorrência natural do pluripartidarismo. Nenhum governo desde a redemocratização conseguiu ter a maioria das cadeiras contando só com sua legenda. O PSL, quando unido, representa 10% da Câmara. Com isso não se governa, mas sem isso fica difícil entender como o presidente pretende garantir governabilidade pelos próximos três anos, dois meses e catorze dias que restam ao seu mandato.

Até hoje, a maioria das crises do governo foi criada pelo próprio governo. O presidente ataca as forças políticas, ofende as instituições, "frita" ministros, descarta aliados e atira contra o seu partido. Segue à risca o manual do isolamento.

51. O AMIGO OCULTO E A SALA DA MALDADE

26.10.2019

Os que até recentemente orbitavam em torno do bolsonarismo têm feito revelações que o país precisa ouvir. São alertas importantes saídos das sombras que cercam o novo poder no Brasil. Fabrício Queiroz, ex-assessor do hoje senador Flávio Bolsonaro (PSL-RJ), negocia cargos públicos, como revelou *O Globo*. A deputada Joice Hasselmann (PSL-SP) confirma o que tem sido dito pela imprensa — que dentro do Palácio do Planalto funciona um escritório de atividades ilegais de ataque aos supostos adversários do governo. O deputado Delegado Waldir (PSL-GO) adverte para a gravidade de o presidente oferecer vantagens a quem apoie o filho Eduardo, deputado federal por São Paulo, na liderança do partido.

Só há um caminho seguro: esclarecer todas as sombras que envolvem a Presidência de Jair Bolsonaro. A administração tem mais de três anos pela frente e já deu para ver que trabalha com dois padrões de julgamento: condena nos outros as irregularidades que aceita para si e para os seus.

O que é preciso para que as autoridades que combatem a corrupção no Brasil entendam o caso Queiroz? O ex-assessor foge de depoimentos, o MP se contenta com um documento escrito do suspeito, ele se esconde, é encontrado pela imprensa, e agora este jornal traz um áudio incontornável. Nele, Queiroz comprova com todas as letras sua continuidade delitiva. Oferece nomeações políticas e pede dinheiro para isso: "20 continho aí pra gente." Segundo ele disse, "há mais de quinhentos cargos" no Congresso e pode-se nomear sem que apareça a vinculação "ao nome". Revela que sabe o cotidiano do gabinete do senador Flávio Bolsonaro. Queiroz estava sendo investigado no caso das "rachadinhas", fora exonerado havia meses e exibiu sua influência sobre nomeações políticas.

Joice, uma radical bolsonarista até recentemente, próxima do presidente e dos filhos dele, assinou uma lista e foi deposta da liderança, em retaliação. Reagiu contando parte do que sabe. Confirma o que a imprensa vinha divulgando, sobre como os filhos e o entorno do presidente criam e administram perfis falsos nas redes sociais para atacar quem eles consideram adversários políticos e divulgar mentiras que afetam a reputação desses alvos.

Isso é uma anomalia intolerável. O que está sendo revelado é que uma parte da comunicação do presidente da República é clandestina e age de forma ilegal usando, como arma, a prática de crime de calúnia e difamação. Isso se faz dentro de um gabinete no mesmo andar em que o presidente despacha. Os salários dos difamadores são pagos pelos contribuintes. Do Rio, sem qualquer vinculação funcional com a administração federal, o vereador Carlos Bolsonaro (PSC-RJ) é o porta-voz virtual do presidente da República e o coordenador dessa comunicação das sombras.

O general Otávio Rêgo Barros faz seu dedicado trabalho de comunicação da Presidência, com seus *briefings* diários e respostas técnicas para a imprensa. Mas isso é apenas parte da comunicação de Bolsonaro. No mesmo palácio funciona essa "sala da maldade", ou "gabinete do ódio", que faz o trabalho sujo, pratica crimes, assassina reputações, constrói mentiras e as dissemina na rede. Os alvos podem ser políticos, jornalistas, pessoas vistas como adversárias e até integrantes do governo. Eles já conseguem demitir ministros, como o general Santos Cruz.

O ex-líder Delegado Waldir disse que ia implodir o presidente ao divulgar um áudio. Perguntado depois sobre qual áudio, ele alertou que o que fora divulgado mostrava o presidente oferecendo vantagens e recursos para quem ficasse ao lado do filho Eduardo. "Eu considero isso muito grave." E é. Bolsonaro apenas insinua, mas suas palavras são claras. "É o poder de indicar pessoas, de arranjar cargos no partido, é promessa para fundo eleitoral", diz o presidente a um correligionário pedindo a esse interlocutor que apoie Eduardo Bolsonaro.

Tudo isso que está sendo revelado pelos ex-amigos e pela imprensa é gravíssimo. O dinheiro dos funcionários do atual senador Flávio Bolsonaro, que passava pela conta de Queiroz quando o senador era deputado estadual pelo Rio de Janeiro, não está sendo investigado por ordem do ministro Dias Toffoli, do STF, até que seja julgado o poder de compartilhamento do extinto Coaf. Mas o deputado Delegado Waldir informa que "a rachadinha nunca parou", e Queiroz afirma no áudio: "Salariozinho desse aí, cara, para a gente que é pai de família, cai como uma uva [sic]." Tudo isso cai sobre a democracia brasileira. Não como uva. Como ameaça.

52. AS TRAGÉDIAS E O POVO BRASILEIRO

27.10.2019

Que brava gente é esta, que vai para as praias como se fosse para a guerra e luta com as mãos contra o ataque de um óleo espesso, grudento e tóxico? E limpa tudo o que pode, até ver a areia limpa, e volta no dia seguinte disposta a novas batalhas porque mais sujeira pode chegar do mar. O mar que normalmente traz a água boa do banho, o peixe, a onda do surfista, o ganho do jangadeiro, do pescador, do dono da pousada, e esse horizonte aberto que alonga e descansa o olhar.

Quando o pior aconteceu, e o petróleo começou a desembarcar em ondas sucessivas em 238 praias, em 2.250 quilômetros do litoral brasileiro, quem primeiro acudiu o Nordeste foi seu povo. O governo tardou, se confundiu, errou, não teve a real dimensão da gravidade do caso. O ministro do Meio Ambiente, como sempre, fugiu da verdade. Ele parece não conviver bem com ela. No máximo aceita uma meia verdade, um fato editado, um número mal contado. Sua predileção é pela procura de inimigos imaginários. É intenso o seu esforço para desfazer a razão do cargo que imerecidamente ocupa.

O país passou os últimos dias vendo em todos os jornais, telejornais e revistas os relatos, as imagens e as entrevistas com inúmeras pessoas que estão espalhadas em todas as praias, trabalhando sem remuneração, sem cargo, sem adicional, sem proteção, arrancando o mal que se espalha, impregna, gruda, mata a fauna, sufoca a natureza. São os perigosos hidrocarbonetos, energia fóssil da qual o mundo talvez um dia se livre, se não for tarde demais.

É inevitável ter sentimentos conflitantes diante dessas cenas dos brasileiros tirando as suas praias das garras do petróleo. Fica-se comovido com a devoção dos voluntários e, ao mesmo tempo, com medo do que possa acontecer a eles pelo efeito do contato com o material tóxico a que estão se expondo por amor à terra.

Essa é a terceira tragédia ambiental que atinge o Brasil apenas em 2019. Houve Brumadinho, abrindo a temporada de dores com seus milhões de metros cúbicos de rejeitos soterrando funcionários e moradores. Os bombeiros afundaram na lama e arrancaram de lá os corpos para que as famílias enterrassem seus mortos. Foram infatigáveis, foram indescritíveis, foram além do limite do possível para atenuar as aflições de quem perdeu tanto pelo crime cometido por uma empresa reincidente. O motivo da tragédia foi o descuido com o meio ambiente, a ganância de esgotar o minério das entranhas de Minas, sem entregar aos mineiros sequer o investimento que os protegesse da morte. Os erros se acumularam por anos, décadas de fiscalização errada, de incompetência, de uma visão predatória da mineração. A mesma Vale que soterrou o rio Doce entupiu as barragens que explodiram sobre Brumadinho.

O fogo ardeu na Amazônia destruindo quilômetros e quilômetros de floresta. As chamas seguiram o rastro do desmatamento como sempre fizeram. Já se conhecem os passos desse crime. O erro desta vez foi o governo emitir sinais errados que os criminosos entenderam como licença para desmatar e queimar. O governo primeiro ignorou, em seguida negou o problema, depois atacou os cientistas do Inpe, inventou culpados e, por fim, despachou as Forças Armadas para apagar o incêndio. Dentro de algumas terras indígenas, são os próprios indígenas que têm feito patrulha e tentado espantar os invasores.

O desmonte dos órgãos ambientais, a falta de estrutura, o assédio que os servidores viveram, a troca atabalhoada das chefias, os órgãos que ficaram acéfalos, as portarias paralisantes, tudo teve reflexo em cada tragédia ambiental que o Brasil tem vivido. Por toda a costa nordestina, foram os voluntários que estiveram presentes desde o primeiro momento, inúmeros deles. Seu exemplo foi tão eloquente que o governo teve que correr e mostrar serviço.

Tem sido um tempo de descrer das virtudes do país, por isso o que os nordestinos resgatam é mais do que imaginam. Não são apenas as areias, as tartarugas, as aves, os manguezais, as águas do mar. Resgatam a autoestima do país, a confiança de que podemos nos tirar das dificuldades, de que o país pode dar certo, mesmo que seja longa e penosa a crise que se abateu sobre nós. Pode fazer muito um país cujo povo é capaz de travar batalhas para salvar suas praias do afogamento.

53. A FALTA DE LIMITES DO PRESIDENTE

30.10.2019

O ministro Celso de Mello, do STF, definiu como "atrevimento sem limites" porque é um homem educado e sabe o código de conduta no uso das palavras por uma autoridade. O que o presidente Bolsonaro fez ao divulgar um vídeo em que se compara o STF a uma hiena da alcateia que ataca o "leão conservador e patriota" é muito mais grave do que o que Bolsonaro admitiu, mesmo no arremedo de pedido de desculpas. "Foi uma injustiça sim, corrigimos e vamos publicar uma matéria que leva para o lado das desculpas." É bem mais que uma "injustiça".

O presidente jurou respeitar a Constituição, que reconhece o Judiciário como um dos três Poderes, e o STF como o órgão máximo desse Poder. Tratá-lo com um achincalhe desrespeitoso em uma molecagem de Twitter é descumprir preceito constitucional. Aquele é um canal oficial do presidente e, portanto, é sua palavra. A justificativa de que várias pessoas têm acesso a esse meio aumenta o absurdo da situação. Com a mensagem o presidente açula os seus seguidores radicais, que têm defendido o fechamento do Supremo. Sem Supremo não temos democracia. Isso significa que ele está fortalecendo um movimento de ameaça à própria democracia.

Cada cidadão é livre para tecer críticas às decisões do STF. Os ministros da Corte inclusive divergem entre si. Neste momento de decisão sobre um assunto em que há uma divisão acalorada no país é normal que o foco esteja sobre o Supremo. Os ministros Luís Roberto Barroso, Luiz Fux, Edson Fachin e Alexandre de Moraes acham que se deve manter o cumprimento da pena após a condenação em segunda instância, argumentando que, a essa altura, o mérito já terá sido julgado e revisto por um colegiado. E que os recursos protelatórios têm sido a arma do crime de colarinho-branco para a impunidade. A ministra Rosa Weber, o relator Marco Aurélio Mello e o ministro Ricardo Lewandowski sustentam ser incontornável o princípio constitucional do cumprimento da pena só após o trânsito em julgado.

A favor de Barroso, Fux, Fachin e Moraes existe o fato de que essa interpretação extrema de trânsito em julgado — ou seja, prisão apenas após o último recurso da última instância — não é seguida em inúmeros países democráticos. E vai favorecer a impunidade da elite num momento crucial do combate à corrupção. Está ficando claro que a possibilidade maior é de que prevaleça o entendimento de que não pode haver cumprimento da pena após a segunda instância. Nesse caso, é ainda mais grave essa postagem do presidente Bolsonaro, porque ele já está elevando a temperatura dos correligionários radicais que têm atacado o Supremo em cada contrariedade. Essa é só mais uma postagem ou declaração polêmica. Coincidentemente, elas aparecem sempre que o governo entra em apuros para explicar, por exemplo, o caso Queiroz.

A mensagem com o vídeo contra o STF foi apagada e o presidente disse que foi um erro. Porém, nada atenua o que foi postado. Presidentes não têm palavras extraoficiais nem declarações para serem apagadas como se não tivessem sido feitas. O governante precisa saber como se comportar. No início, alguns diziam que haveria uma curva natural de aprendizado. Dez meses depois, qual é a parte que o presidente Jair Bolsonaro não entendeu sobre como funciona uma república democrática com independência dos Poderes?

Bolsonaro é definido no filme como um conservador patriota. Aí também cabem reparos. Pode-se ser conservador, liberal, progressista. Há liberdade de opinião. Mas a melhor palavra para definir certos valores e comportamentos do presidente é “reacionário”. Tecnicamente, reacionário é aquele que defende um mundo que já morreu e gostaria de trazê-lo de volta. Suas manifestações de saudosismo e de defesa da ditadura militar se enquadram nessa definição.

O patriotismo, no sentido de amor ao Brasil, não é monopólio de conservadores, muito menos de um grupo político. Esta terra comum que nos abriga é um legado de todas as pessoas que integram o grande mosaico étnico, de classe social, de idade, de regiões, de convicções políticas, de orientação sexual, de crenças. Populistas manipulam o sentimento nacional para confundir o amor à pátria com o apoio a um governo. Autoritários definem-se como reis da selva. Democratas entendem os limites institucionais e convivem com as diferenças de pensamento.

54. FESTA E FÚRIA NO SOLO DO BRASIL

9.11.2019

O bonito da democracia é que ela nunca está terminada, como a vida, na linda definição de Guimarães Rosa. Os petistas que choraram de tristeza no dia 7 de abril de 2018 ontem choravam de alegria com a saída do ex-presidente Lula da prisão, depois de longos 580 dias. Os antipetistas que gritaram "mito" para o atual presidente tiveram ontem um dia de fúria. Mas não há só dois lados na política. E o correr da vida definirá a dimensão dos acontecimentos intensos desta semana.

A expectativa é exatamente em torno do caminho que Lula escolherá. A parte enraivecida da militância quer que ele continue naquele tom de fala inicial, atacando "o lado podre da Justiça, o lado podre do Ministério Público, o lado podre da Polícia Federal e o lado podre da Receita Federal", os quais, segundo ele, "trabalharam para tentar criminalizar a esquerda, criminalizar o PT, criminalizar o Lula". O desabafo era previsível. Mas, em uma conversa longa que tive com um dos políticos do partido esta semana, ouvi frequentemente a expressão "frente ampla". Haverá, como sempre, os raivosos e os que vão sugerir que ele amplie o diálogo para além da legenda. Hoje parece preponderante a ala radical, representada pela presidente do PT, Gleisi Hoffmann. Ao mesmo tempo, Lula já se definiu como "uma metamorfose ambulante" e pode ir pelo caminho que indicou depois de dizer que correrá o Brasil: "Eu saio daqui sem ódio. Aos 74 anos meu coração só tem espaço para amor porque é o amor que vai vencer neste país."

A Operação Lava-Jato produziu tantos eventos concretos, tanto dinheiro de volta para os cofres públicos, tantas confissões, que seria preciso fechar os olhos completamente para achar que não houve uma epidemia de corrupção nos governos petistas.

Por outro lado, a partir do momento em que o juiz Sergio Moro, que o condenou, foi para o governo Bolsonaro, ele derrubou o muro que deveria separar o Judiciário da política, ainda mais quando decisões judiciais interferem tão diretamente no xadrez da política. Lula responde a vários processos, no entanto, o que o levou à prisão foi ser supostamente dono de um apartamento no qual nunca morou. Esse fato e tudo o que veio depois enfraquecem a confiança na sentença, até porque ela parece excessiva: nove anos, na primeira instância, elevados para doze anos na segunda.

Lula ter saído da prisão por decisão do STF dá a ele uma força maior. Se tivesse sido libertado após o pedido do MP para que se observasse a progressão da pena, o quadro seria outro. Pareceria concessão dos mesmos que o acusaram. Sem falar no risco do constrangimento de o ex-presidente ter de usar uma tornozeleira. Ele saiu mais forte. A história, porém, não está terminada.

Lula falou algumas vezes ontem que o candidato Fernando Haddad (PT) foi roubado na eleição presidencial de 2018. Não há qualquer evidência disso. Mas, quando ele compara o ministro da Educação que Haddad foi e o atual ministro, fica difícil não concordar com ele. O problema do governo Bolsonaro é que algumas pessoas são mais do que ruins para os cargos que exercem, chegam a ser grotescas. É o caso do novo ocupante do Ministério da Educação.

Lula escolheu definir Bolsonaro como "mentiroso". E, diante das muitas *fake news*, uma delas esta semana sobre três empresas que estariam saindo da Argentina, fica difícil discordar dele.

Um Lula radical facilitará a polarização que ajudará Bolsonaro, que ganhou a eleição em parte encarnando o anti-Lula. Um Lula que tente construir pontes terá mais força. O ex-presidente saiu da prisão depois de ter mostrado uma resiliência impressionante. Nestes 580 dias perdeu irmão, amigos e um neto. Viu seu partido perder a eleição seguindo a estratégia que ele traçou, que eclipsou o próprio candidato. Foi acompanhado por uma militância fiel, contudo, aprisionou o partido em seu destino. O PT não conseguiu ter uma cara, um projeto que não fosse esperar pela volta de seu líder.

A longa discussão no STF mostra que a questão sobre quando deve começar o cumprimento da pena divide o país e o próprio Supremo. Os votos sustentaram argumentos opostos diante da mesma lei. O presidente do Supremo, Dias Toffoli, deu um voto de minerva jogando o assunto para o Congresso.

Uma das mais belas frases de *Grande sertão: veredas* é que "o mais importante e bonito do mundo é isto: que as pessoas não estão sempre iguais, ainda não foram terminadas — mas que elas estão sempre mudando. Afinam e desafinam". Democracia é assim.

55. O ERRO É DELES, A CONTA É NOSSA

19.11.2019

O governo Bolsonaro foi alertado, porém desprezou os alertas. Mais do que isso, ameaçou e constrangeu os cientistas e os servidores dos órgãos de controle que avisaram sobre o aumento do desmatamento. Ontem, o dado anual do Prodes saiu e mostrou um enorme retrocesso: o Brasil desmatou quase 10 mil quilômetros quadrados em um ano. O erro é do presidente e do seu ministro do Meio Ambiente, mas o preço é pago por todos nós, porque é nosso o patrimônio que foi destruído.

As florestas das áreas de conservação, das terras públicas sem destinação, dos territórios indígenas pertencem aos brasileiros. O governo é apenas o síndico. E ele foi irresponsável quando estimulou por atos e palavras as invasões, atacou a credibilidade do Inpe, exonerou seu diretor, foi se solidarizar com desmatadores e invasores, constrangeu funcionários do Ibama e do ICMBio e paralisou o Fundo Amazônia. Esses sinais foram dados pelo presidente Bolsonaro, ainda candidato, e ficaram mais explícitos depois da eleição. O ministro escolhido por ele, Ricardo Salles, tem sido insistente no trabalho de desmonte dos órgãos do Ministério do Meio Ambiente.

O Brasil já teve anos de desmatamento maior. O que funcionou foi unir os esforços de pessoas, órgãos e instituições que lutam pela proteção do patrimônio coletivo do bioma amazônico. Foi fundamental, tanto no surto de desmatamento de 1996, no governo Fernando Henrique, quanto no de 2004, no governo Lula, a qualidade da resposta da autoridade pública. FH elevou a área da reserva legal e instituiu a Lei de Crimes Ambientais. O governo Lula, com a então ministra Marina Silva, aperfeiçoou os sistemas de controle, pediu ao Inpe um sistema de alerta, o Deter, organizou operações de repressão aos crimes ambientais com a Polícia Federal, o Ibama e depois também o ICMBio, homologou áreas de conservação e criou o Serviço Florestal Brasileiro. O Ministério Público passou a acompanhar de forma ágil todos esses processos.

Quando o Estado foi desafiado, nesses dois períodos citados, o governo reafirmou que a lei tem que ser cumprida. A resposta dada levou à queda da taxa anual de desmatamento. Dos absurdos 29 mil quilômetros quadrados em 1996, a destruição foi caindo nos anos seguintes até 13 mil, em 1998. Voltou a subir e em 2004 atingiu 27 mil quilômetros quadrados. A resposta vigorosa da ministra Marina Silva e seus sucessores levaram ao número de 4,6 mil quilômetros quadrados no ano de 2012.

O governo Dilma deu sinais ambíguos. As grandes hidrelétricas da Amazônia e a redução dos limites das Unidades de Conservação foram estímulos ao desmatamento. No governo Temer também foi diminuída a área da Floresta Nacional do Jamanxim. A destruição anual voltou a crescer e em 2018 chegou a 7,5 mil quilômetros quadrados.

O salto agora foi muito maior. Em relação ao ano anterior, pulou 29,5%, levando o número absoluto do desmatamento a 9,7 mil quilômetros quadrados. Isso é uma área equivalente a mais de seis vezes o território da cidade de São Paulo, em apenas um ano.

O Brasil assumiu compromissos internacionais de atingir em 2020 a taxa de 3,3 mil quilômetros quadrados. Essa meta o país espontaneamente ofereceu porque ela estava perto de ser cumprida. E o maior beneficiado seria o próprio Brasil. A insensatez do atual governo provocou um retrocesso civilizatório. O peso disso recai sobre todo o país na forma de mais ameaças de mudança climática, piora da qualidade do ar, destruição de riqueza coletiva, riscos para o agronegócio brasileiro.

A ministra Tereza Cristina (DEM-MS), da Agricultura, já disse que é contra a moratória da soja e o governo dá todos os sinais de que vai atacar também esse instrumento, que ajudou a conter o desmatamento. Trata-se de um acordo feito entre exportadores de soja e importadores de produtos brasileiros, com a participação do governo e de ONGs, pelo qual as empresas se comprometem a não comprar soja de área recentemente desmatada. Isso permitiu que o produto brasileiro — que concorre com a soja da Argentina e dos Estados Unidos — superasse barreiras que estavam se formando.

A luta para conter o desmatamento foi resultado de uma longa e trabalhosa tessitura institucional. As gestões de Dilma e Temer relaxaram e perderam parte desse esforço. O governo Bolsonaro fez um ataque frontal à proteção e deu o sinal de que o Estado estimula o avanço dos desmatadores. O peso desse desatino recai sobre todos nós.

56. AS IDEIAS POLÍTICAS DE PAULO GUEDES

27.11.2019

O que assusta é o quanto o ministro da Economia desconhece a relação entre economia e política, entre democracia e fatores de risco atualmente avaliados pelos fundos de investimento. Se houver um outro AI-5, ou que nome tenha uma violenta repressão policial militar às liberdades democráticas, os investidores fugirão do Brasil. A economia não é uma ilha que possa manter seu equilíbrio sobre os escombros da civilização.

O governo Bolsonaro neste momento saiu das palavras autoritárias para as propostas autoritárias. O perigo mudou de patamar. A ideia de uma operação de Garantia da Lei e da Ordem (GLO) para ação na área rural e a proposta de que dentro das GLOs haja o "excludente de ilicitude" formam uma mistura perigosa. E intencional, na opinião do deputado Marcelo Freixo (PSOL-RJ):

— Isso é um AI-5. Quando a GLO se generaliza e dentro dela está embutida o "excludente de ilicitude", temos um verdadeiro AI-5.

Em outro momento de sua desastrada e longa entrevista concedida em Washington, o ministro Paulo Guedes disse que o presidente não está com medo do ex-presidente Lula: "Ele [Bolsonaro] só pediu o excludente de ilicitude. Não está com medo nenhum, coloca um excludente de ilicitude. Vam'bora."

É impossível ir embora, tocar adiante com essa leveza que o ministro sugere, porque a expressão "excludente de ilicitude" parece um termo técnico e anódino, mas significa licença para matar. No país em que as forças de segurança matam muito e cada vez mais, em que os militares das Forças Armadas respondem apenas à Justiça Militar e em um governo que jamais escondeu sua profunda admiração pelas ditaduras, esse instrumento não é um detalhe burocrático. Pode ser a porta do horror.

O ministro da Economia repetiu uma ideia recorrente em seu discurso, a de que se há crítica ao governo é porque não se aceitou o resultado da eleição. "Sejam responsáveis, pratiquem a democracia, ou democracia é só quando um lado ganha? Quando o outro lado ganha, com dez meses você já chama todo mundo para quebrar a rua?" Vários equívocos numa mesma fala. Pela ordem: não existem só dois lados na política, a eleição não é cheque em branco para que o governante possa fazer tudo o que lhe der na telha, a crítica é natural numa democracia e protestos não significam necessariamente "quebrar a rua". E se, por acaso, em alguma futura manifestação houver excessos, como no caso dos *black blocs* nos protestos de 2013 e 2015, não é preciso abandonar a democracia. Como ficou provado na época.

O ministro continuou sua fala, sendo mais explícito: "Não se assustem então se alguém pedir o AI-5. Já não aconteceu uma vez? Ou foi diferente? Levando o povo para a rua para quebrar tudo." Foi diferente. O AI-5 não foi baixado porque o povo estava quebrando tudo. Foi o resultado de uma luta dentro do regime, e venceu a ala que queria o endurecimento. "Às favas com os escrúpulos", disse o então ministro Jarbas Passarinho. Na época, o ministro Delfim Netto achou que o ato era brando. A frase de Guedes "já não aconteceu uma vez?" e a evidente ameaça que ela contém mostram que 51 anos passaram em vão para Paulo Guedes. Ele não entendeu ainda o que havia de errado naquele ato liberticida.

Não viu também a mudança dos tempos. Se fossem repetidos hoje os crimes permitidos pelo AI-5, eles afastariam totalmente os melhores investimentos do Brasil. Os novos administradores dos grandes fundos prestam contas aos *stakeholders*, ou seja, a todos os envolvidos direta e indiretamente em suas captações e escolhas de alocação de recursos.

No governo Bolsonaro já houve manifestações de rua contra e a favor. Normal numa democracia. O ministro gostou muito de uma que apoiava a reforma da Previdência. Houve até atos com presença de ministros do governo em que grupos pediram o fechamento do Supremo. O problema nunca foi o que se pede nas ruas, mas o que o governo faz, como reage. Se estimula os ataques às instituições, se reprime com violência desmedida, se usa os atos como pretexto para decisões antidemocráticas.

Alguns tentam isolar a economia, dizendo que ela está melhorando, apesar dos péssimos sinais em outras áreas. Eu nunca acreditei que fosse possível essa separação. O ministro ajudou a esclarecer as coisas. Ao ecoar explicitamente a ameaça feita pelo terceiro filho do presidente, o Eduardo, de um possível retorno do AI-5, removeu o suposto isolamento e uniu a economia à parte sombria do governo que abraçou.

57. A REFORMA QUE É CONTRARREFORMA

6.12.2019

As duas últimas semanas foram muito boas para as Forças Armadas. Foi aprovada a reforma da Previdência em termos quase iguais aos do projeto que os próprios militares haviam formulado, cujo ponto alto é a concessão de vários aumentos, adicionais e vantagens na carreira. Eles conseguiram também um decreto financeiro para gastar mais R$ 4,7 bilhões este ano. Além disso, a equipe econômica aceitou pôr na Lei Orçamentária que o investimento do Ministério da Defesa não poderá ser contingenciado no ano que vem.

O discurso da austeridade perde toda a coerência quando se vê o tratamento dispensado aos militares. As Forças Armadas argumentam que os salários estavam defasados em relação a outras carreiras do Executivo. É verdade em grande parte. Fazer esse acerto de contas quando o país está em penúria fiscal é que é discutível. Mas dado que o atual governo queria mesmo corrigir a defasagem, melhor seria ter dado apenas aumento e não todas as vantagens somadas ao longo da carreira e na hora de se aposentar.

Um militar se aposentará tendo aquilo que desde a reforma do ex-presidente Lula, de 2003, não existe mais para funcionários públicos civis: integralidade e paridade. Até quem ainda não entrou nas Forças terá o direito de se aposentar com o último salário e recebendo todos os aumentos dos da ativa. Além disso, os militares terão um adicional no salário pelos cursos que fizerem que vai aumentando quanto mais se avança na carreira, podendo chegar a 73% sobre o salário.

Outro aumento, que pode atingir 32%, o militar recebe ao se aposentar: é o adicional de disponibilidade. E ainda ganha um abono, pago uma única vez, de oito salários para as despesas de ir para a reserva. Se for expulso por falta grave, o cônjuge terá direito a uma pensão, como se o militar tivesse morrido. Isso se chama *morte ficta* e sempre existiu. Em junho, um sargento da Força Aérea foi preso na Espanha ao ser apanhado traficando cocaína no avião do presidente brasileiro. A mulher dele pode ter essa pensão, por exemplo. Esse ponto a equipe econômica quis alterar, mas foi mantido apenas com a diferença de que, no futuro, o soldo não será integral, e sim proporcional ao tempo trabalhado.

Na parte das obrigações, os militares pagarão um percentual maior à Previdência. Hoje pagam 7,5%. Isso vai para 9,5% no ano que vem e para 10,5% em 2021. As pensionistas e os estudantes de escolas preparatórias também contribuirão. Ao contrário dos trabalhadores privados ou servidores civis, os militares não terão idade mínima. Nem os futuros militares. O tempo na Força passa de 30 para 35 anos para os que ainda entrarão. Os atuais terão de cumprir apenas uma regra bem leve de transição.

O economista e professor da USP Luis Eduardo Afonso disse que ficou muito pessimista porque a reforma dos militares é totalmente diferente da dos civis:

— Se a ordem de grandeza da reforma da Previdência era conseguir R$ 1 trilhão de economia, a dos militares é de R$ 10 bilhões, ou seja, 1%. Temos um problema adicional: os dados que o governo disponibiliza são muito menos detalhados que os do Regime Geral e do Regime Próprio dos servidores. Na outra reforma sabe-se o quanto cada medida economiza, de ano a ano. Na reforma dos militares só se sabe o valor agregado. Não dá para separar o impacto de cada uma das medidas. As contas dos militares foram feitas pelos próprios militares e não pela equipe econômica.

Se o presidente Bolsonaro cumprir a promessa de baixar um decreto para melhorar a remuneração de soldados, cabos, sargentos e suboficiais que se sentem prejudicados com os benefícios maiores para as altas patentes, o governo terá feito uma reforma apenas para gastar mais. Como algumas dessas regras valerão também para policiais e bombeiros, isso aumentará a pressão nos gastos dos estados.

A equipe econômica diz que quer menos engessamento das despesas, mas aceitou engessar os gastos da Defesa com investimento em 2020. Além disso, na semana passada, aumentou em R$ 4,7 bilhões a verba para gastar neste fim de ano com despesas do Orçamento e de caixa.

Num ano difícil em que se cortou tanto e em que a reforma foi apresentada com o discurso da necessidade de redução das desigualdades dentro do sistema, foram cristalizadas vantagens que já acabaram para outros servidores. Ou nunca existiram. E o Congresso apoiou-as integralmente. O governo quis agradar aos militares, e o Congresso não quis comprar essa briga.

58. SEXTA-FEIRA 13, 51 ANOS DEPOIS

13.12.2019

Numa sexta-feira 13, há exatamente 51 anos, o AI-5 caiu sobre o país como um viaduto. O Brasil era outro. Dos brasileiros de hoje, 76,21% não haviam nascido. São 160,2 milhões de brasileiros nascidos depois daquele dia. Pelo tempo passado e pela renovação populacional, esse deveria ser um tema esquecido e pacificado. Mas o AI-5 foi um dos assuntos mais falados no país este ano, em função do estranho sonho autoritário de pessoas que agora ocupam posição de poder.

Há vários mitos sobre a ditadura que andam sendo repetidos, numa demonstração de que é preciso voltar a falar disso. Ainda hoje alguns grupos defendem que o regime foi brando. Não existe ditadura suave, e a dinâmica do caminho autoritário é incontrolável.

O general Castelo Branco dizia que o regime seria temporário, mas durou 21 anos. O primeiro Ato Institucional foi apresentado como sendo o único e houve dezessete. O AI-5 duraria um ano, durou dez. O SNI seria apenas um pequeno serviço de inteligência e, como registra o jornalista Elio Gaspari, virou um "monstro" na definição do seu próprio criador, o general e ministro Golbery do Couto e Silva. No final, tinha 6 mil funcionários, escritórios em cada ministério, em cada órgão estatal, e envolveu-se em inúmeras maracutaias, do garimpo na Amazônia às negociatas com café.

O país não estava "indo para o comunismo", conforme os militares diziam, e sim vivendo um governo de muita instabilidade que se aproximava do fim. No ano seguinte haveria uma eleição em que se enfrentariam Juscelino Kubitschek e Carlos Lacerda, com grande chance de vitória do primeiro. Os dois se juntaram depois na Frente Ampla, que incluiu João Goulart, uma aliança impensável entre o golpista Lacerda e o presidente deposto. Eles passaram por cima das diferenças pela causa comum do retorno à democracia. A Frente foi proscrita pelo governo no interminável ano de 1968.

Na economia, a ditadura começou fazendo um plano anti-inflacionário e de ajuste das contas públicas. Através do Paeg, a inflação foi reduzida com um mecanismo de correção salarial pela média dos 24 meses anteriores e que levou a uma redução de salário real. Após o ajuste, o Brasil acelerou o crescimento do PIB. Se o país estava crescendo, isso deveria ter desanuviado o clima político, mas a direita no poder decidiu radicalizar.

A coincidência entre o melhor momento da economia e o pior período da repressão é até estranha. O crescimento acelerado, em qualquer país, produz uma taxa maior de aceitação do governo. O PIB cresceu em média 11,2% de 1968 a 1973, segundo André Lara Resende relata na coletânea *130 anos: em busca da República*. Os militares queriam mais que apoio, ambicionavam a unanimidade. Para calar todas as vozes discordantes, foi disparada a violência desmedida do Ato Institucional, que fechou o Congresso por quase um ano, estabeleceu a censura prévia contra alguns órgãos de imprensa, suspendeu todas as garantias constitucionais, cassou parlamentares, expulsou estudantes e professores das universidades e expandiu a máquina de tortura e morte.

O crescimento no país era desigual. Segundo o sociólogo e pesquisador Pedro Ferreira de Souza, a parcela da riqueza nacional apropriada pelos brasileiros que estavam entre o 1% mais rico subiu de 17,7% para 25,8% entre 1964 e 1970. Oito pontos percentuais em seis anos.

O tempo de forte alta do PIB ocorreu apenas em uma parte dos 21 anos. Ficou restrito ao final dos anos 1960 e começo dos 1970.

Houve o período de recessão, inflação, dívida externa e bagunça fiscal. "Quando, na segunda metade dos anos 1970, os desequilíbrios das contas externas e as pressões inflacionárias reapareceram, agora combinados com a correção monetária, estava montado o quadro para quase duas décadas de estagnação e aceleração inflacionária", escreveu Lara Resende.

Não deveria ser preciso dizer que o AI-5 abriu um tempo maldito que jamais poderia provocar saudosismo nos governantes. Mas também não deveria ser preciso dizer que torturador não é herói e que presidentes não falam, com naturalidade, sobre instrumentos de tortura. Não deveria ser necessário dizer que os problemas da democracia só podem ser corrigidos com mais democracia. Contudo, ainda é preciso lembrar como foram terríveis aqueles dias, aqueles anos, que começaram numa sexta-feira 13, há 51 anos.

59. MORALIDADE COMO ESTRATÉGIA ELEITORAL

22.12.2019

O presidente Bolsonaro estava uma pilha na sexta-feira (20). Foi ainda mais agressivo do que o costumeiro no ataque aos repórteres que ficam à porta do Palácio. Era fácil saber o motivo do nervosismo. Seu filho Flávio está com uma montanha de explicações a dar sobre o que se passava no seu gabinete quando era deputado estadual no Rio de Janeiro, nos seus negócios com imóveis e no funcionamento da sua loja de chocolates. A bandeira de Jair Bolsonaro de que faria um governo de combate à corrupção sempre foi postiça, mas fica mais difícil empunhá-la quanto mais detalhes vêm à tona sobre a estranha movimentação bancária de Fabrício Queiroz, então assessor de Flávio, e a maneira como este, hoje senador, conduzia seu gabinete de político e seus empreendimentos.

A defesa de Flávio Bolsonaro se agarrou mais uma vez à estratégia de pedir para paralisar a investigação. O que o Ministério Público do Rio de Janeiro levantou até agora exigirá muitos esclarecimentos por parte do senador. Melhor fazê-los do que atacar o juiz, como fez o presidente. Se Jair Bolsonaro perguntar ao seu ministro da Justiça, Sergio Moro, o ex-juiz poderá contar das vezes que foi atacado por suas decisões na 13ª Vara Federal de Curitiba. É tudo muito parecido com o que agora Jair Bolsonaro diz de Flávio Itabaiana, da 27ª Vara Criminal do Rio.

Dezenas de funcionários do gabinete do então deputado não compareciam ao local de trabalho, nunca pediram crachá, recebiam seus salários dos cofres públicos e faziam depósitos rotineiros na conta do assessor Fabrício Queiroz. Havia de tudo: *personal trainer* que tinha emprego no outro lado da cidade, estudante de veterinária que estudava a quilômetros do Rio, cabeleireira com trabalho fixo. Difícil é saber quem, de fato, trabalhava naquele gabinete.

Nesta lista dos servidores de Flávio estavam a ex-mulher e a mãe do PM Adriano da Nóbrega, acusado de fazer parte de um grupo de milicianos. O mesmo Adriano foi duas vezes homenageado na Alerj, a pedido do deputado Flávio Bolsonaro, uma vez com a Medalha Tiradentes quando o PM já tinha sido preso por homicídio. Em conversa de WhatsApp recuperada na investigação do MP do Rio entre Adriano e sua ex-mulher, Danielle Mendonça, fica claro que ele era beneficiário de parte do dinheiro que ela recebia. "Contava com o que vinha do seu também." A própria Danielle informa em conversa com uma amiga que sabia da origem ilícita do dinheiro que por anos recebeu. Aliás, as mensagens trocadas entre ela e Queiroz iluminam o esquema. Ele avisa que ela talvez tenha de ser exonerada — do local onde nunca trabalhou na verdade — para não comprometer Flávio, que ficaria mais exposto com a eleição para o Senado.

Dez pessoas da família da ex-mulher do presidente Bolsonaro recebiam salário da Alerj e moravam em Resende. A explicação de Flávio era de que se tratava de um escritório político no interior do estado. Todos numa única cidade, todos parentes entre si e ligados a um dos casamentos do pai de Flávio. A explicação não é crível.

Há ainda fatos estranhos na compra e venda de imóveis em Copacabana. O vendedor Glenn Dillard entrega a Flávio imóveis por um valor mais baixo do que os havia comprado e recebe dele, no mesmo dia, cheques no suposto valor dos imóveis e mais R$ 638 mil em espécie, numa mesma agência a metros da Alerj. Os imóveis são revendidos pouco mais de um ano depois com valorização de 293% e 237%. Na época, o metro quadrado em Copacabana subira 11%. Há também várias confusões contábeis na loja de chocolates. E um cheque de R$ 16 mil de um outro PM depositado na conta da mulher de Flávio.

O caso ainda é o desdobramento de um Procedimento Investigatório Criminal, mas já tem muitas pontas enroladas. A reação do presidente de atacar o juiz, os procuradores e os jornalistas é típica de quem está perdendo a razão.

A popularidade do presidente chega ao fim do ano confirmando ser a mais baixa de um governo em seu primeiro ano de mandato. Só se compara à de Collor, que fez o sequestro dos ativos financeiros das famílias e das empresas do país. O discurso de Jair Bolsonaro de combate à corrupção foi atingido pelos "laranjais" do ministro do Turismo, que ele nunca demitiu, pelas irregularidades no PSL, partido com o qual se elegeu e do qual saiu, mas principalmente por sombras que cercam seu filho senador nessa investigação. Quem acompanhou a vida política de Bolsonaro sabe que o discurso da moralidade pública que ele usou nos palanques da campanha de 2018 foi apenas o que foi: uma estratégia eleitoral.

60. O JORNALISMO MUDA E PERMANECE

12.1.2020

Não sei se ele tentou fazer uma brincadeira. Talvez não, porque o humor e a ironia não são seus pontos fortes e são recursos de linguagem que exigem bastante do cérebro. Seu histórico é mesmo o de agressões. O presidente Jair Bolsonaro disse que os jornalistas são animais em extinção que deveriam ser entregues ao Ibama. Suas ofensas frequentes aos repórteres na porta do Palácio da Alvorada podem ser definidas como assédio. Como fazem os valentões, ele sempre se cerca da sua claque, aposta na impunidade e dispara seus mísseis cheios de machismo, homofobia, mentiras e desprezo por valores democráticos.

Ele gostaria de ser um exterminador da imprensa. Principalmente daquela que incomoda, que insiste, que esclarece, que investiga. Bolsonaro preferia que o país tivesse apenas os seres amestrados que se definem como jornalistas e são escolhidos por ele pela certeza de que nunca irão incomodá-lo nem surpreendê-lo. Serão dóceis depositários de suas falas. Esses, sim, se extinguirão quando ele deixar o poder, ou então irão atracar-se como cracas ao novo poder que se formar.

O jornalismo continuará sendo indispensável e continuará a existir. O papel institucional do bom jornalismo é requisito básico para o funcionamento das instituições democráticas. O presidente confunde seus desejos com prognósticos quando ameaça de extinção um ou outro órgão de imprensa ou quando imagina o fim de toda uma categoria.

A imprensa passa por transformações intensas. Estão mudando o modelo de negócios, a maneira como se apuram as informações, a forma como a notícia é apresentada e a intensidade com que circula o fluxo de dados e fatos. Alguns nichos de mercado desaparecem e outros surgem constantemente. Nessa voragem, os jornalistas vão trocando de equipamentos, aprendendo a usar novas técnicas, entrando e saindo de plataformas. Mas não é o fim da atividade, a tecnologia é que acelerou o ritmo de mudanças que sempre estiveram ligadas ao jornalismo. Mesmo quando alguns órgãos fecham, reduzem-se os profissionais necessários para executar uma tarefa ou velhas fontes de receita diminuem, não é o jornalismo acabando. É a transformação com a qual a imprensa sempre conviveu. Mudar é a nossa matéria. E, como seres inquietos que são, acho que os jornalistas não ficariam felizes na placidez. Por mais inquietante que seja este momento, os jornalistas estão testando as novas fronteiras das possibilidades.

Nos tempos das redes sociais, há uma confusão e é nela que o presidente está apostando. O transmissor do último fato pode não ser jornalista. Pode até ser um elo importante na circulação da notícia, mas sobre cada evento os repórteres profissionais se debruçarão com sua técnica de apuração e checagem, separando, como sempre fizeram, os boatos das informações sólidas e verificáveis. Bolsonaro se convenceu de que, se não ler os jornais, ele ficará melhor. Receberá apenas os elogios e a postagem dos áulicos. Governará mal qualquer um que se afaste das críticas ou tente apagá-las, por autoritarismo ou incapacidade de conviver com a discordância.

Bolsonaro se convenceu também, equivocadamente, de que pode continuar se comunicando através de transmissões em que aparece ao lado de pessoas que são ornamentos, sem qualquer espaço para o contraditório. E que os robôs comandados por gente da família ou pessoas contratadas com dinheiro público serão suficientes para conduzir as tendências da opinião pública. Eles criam os *trending topics* com suas repetições programadas e acham que isso os transforma em criadores de realidades. O que eles fazem circular são calúnias, difamações, mentiras, propaganda. Isso não é jornalismo. O "gabinete do ódio" dentro do Palácio do Planalto sobrevive porque até o momento as instituições não foram eficientes para defender a sociedade brasileira dessa perigosa distorção, financiada com dinheiro público.

O que existe de comum entre os jornalistas e o Ibama é que estariam todos extintos, se dependesse apenas dele, Bolsonaro. Inclusive o órgão de defesa do meio ambiente brasileiro. Muitas vezes este governo constrangeu publicamente funcionários do Ibama ou de outros órgãos do Estado, que, contudo, seguem fazendo seu trabalho. E, para o desgosto presidencial, os jornalistas também permanecerão.

61. CAI O SECRETÁRIO, FICA O PROJETO

18.1.2020

Roberto Alvim caiu. O ex-secretário de Cultura era até caricato. Não apenas plagiou Joseph Goebbels, o ideólogo de Hitler, como imitava também seus trejeitos, seu penteado, e o reverenciava em objetos em sua sala. Alvim estava à vontade na transmissão via Facebook da noite de quinta-feira (16), ao lado do presidente Jair Bolsonaro. O presidente o elogiou como um secretário de Cultura de verdade. No dia seguinte ele perdeu o cargo. Foi derrubado pela imprudência de ter copiado uma fala de Goebbels. O projeto que ele estava colocando em prática permanece, pois não era só dele. A ideia de que a cultura possa ser limitada, censurada, dirigida e usada para alavancar uma delirante e perigosa visão de mundo, de país e de poder continua nos editais, nas decisões e na cabeça de muitos integrantes do atual governo.

Goebbels era o ministro da mentira. Ele sabia a força estratégica da mentira e a usou para deflagrar perseguições contra os adversários políticos. Ele foi o agente que criou o ambiente social em que o nazismo prosperou e que permitiu a mais hedionda das tragédias do século XX: o assassinato em massa de judeus em campos de concentração. O que aconteceu no Holocausto afeta cada pessoa, seja de que etnia ou credo for, seja em que país estiver. É a lição mais cara que a História nos deixou. Não se brinca com um crime dessa dimensão. Jamais. Não é aceitável ouvir o que ouvimos da boca de um integrante do governo brasileiro. A Lei nº 9.459, de 1997, pune com pena de dois a cinco anos a divulgação de símbolos do nazismo. A liberdade de expressão é total numa democracia, porém isso está na categoria do inadmissível.

O fato de Roberto Alvim ter sido demitido, após a natural comoção que provocou no país, não elimina as muitas dúvidas que nos rondam. Ele não tinha, evidentemente, a força que teve o ministro da Propaganda de Adolf Hitler, mas a dúvida é: o que quer um governo em que um secretário se sente à vontade para fazer a evocação de um notório genocida? E isso logo depois de ser coberto de elogios pelo presidente da República?

"Ao meu lado, o Roberto Alvim, o nosso secretário de Cultura. Depois de décadas, agora temos sim um secretário de Cultura de verdade. Que atende o interesse da maioria da população brasileira. População conservadora e cristã. Muito obrigado por ter aceito essa missão. Você sabia que não ia ser fácil, né?", disse Bolsonaro, tendo de um lado o então secretário e, de outro, o ministro da Educação, Abraham Weintraub. Os dois braços de qualquer projeto totalitário.

A transmissão inteira da quinta-feira à noite com Weintraub e Alvim foi deprimente. O ministro da Educação defendeu, sendo ecoado pelo presidente, as escolas cívico-militares como se fossem a única e milagrosa solução para todos os complexos problemas da educação brasileira. Alvim contou ao presidente que lançaria no final de fevereiro um edital de cinema. "Cinema sadio, ligado aos nossos valores, aos nossos princípios."

Tanto na *live* com o presidente quanto no vídeo sozinho em seu gabinete em que declamou Goebbels, Alvim fez um movimento recorrente neste governo, que é o de se apropriar politicamente do sentimento de família, do amor à pátria e da devoção a Deus. Como se Deus, a família e o país fossem monopólios do atual governo e só agora estivessem sendo defendidos. Essa é a estratégia mais perversa para falar com uma parte grande da população, capturar evangélicos, manipular as pessoas, como se este governo fosse a encarnação dos valores do Cristianismo.

A arte, como disse a imensa Fernanda Montenegro, resistirá nas catacumbas. Ela é múltipla, ela é diversa, ela explode, frutifica e surpreende. Mas o que Alvim estava dizendo, quando foi interrompido, é que existe um plano para despejar milhões em obras encomendadas. O que Bolsonaro propôs na transmissão foi reescrever a História do Brasil, como todos os projetos totalitários tentaram fazer. "Vamos contar a História verdadeira do Brasil de 1500 até agora", disse Bolsonaro ao lado de Alvim. O ex-secretário repetiu: "Vai ser a maior política cultural do seu governo e, ouso dizer, uma das maiores políticas de incentivo à cultura da História do Brasil. É um edital que vai patrocinar em várias categorias obras inéditas. Vamos escolher e lançar." A cultura sob encomenda, a arte fabricada para um projeto de poder, a História reescrita num governo que exalta torturadores. No dia seguinte a esse show de horrores o secretário foi demitido, mas todo o projeto ficou. A questão central é simples: Roberto Alvim não estava só nem falava sozinho.

62. DAVOS MUDOU COM O CLIMA

21.1.2020

O Brasil chega à Montanha Mágica de Thomas Mann, neste aniversário de cinquenta anos do Fórum Econômico Mundial, distante da questão central que o mundo quer discutir. O ministro Paulo Guedes traz boas novas: a reforma da Previdência foi aprovada e a trajetória da dívida pública apresenta uma curva mais sustentável. Mas a palavra "sustentável" tem outra amplitude hoje para quem decide para onde vai o dinheiro do mundo. O Brasil nada tem a contar de bom sobre a questão ambiental desde a última visita de Guedes a Davos.

A montanha que foi cenário do belo livro de Mann — publicado no tempo de definições e escolhas do entreguerras — recebe de novo o mundo das altas finanças, como faz anualmente desde 1970. Nesse meio-tempo muita coisa mudou, sobretudo a noção de risco e lucro. O banco suíço UBS preparou um estudo com o título "Tornando-se consciente do clima". O objetivo é ajudar os clientes a construir um portfólio de investimentos para atingir suas metas de redução das emissões. Segundo o banco, citando estudos da OCDE, há um *gap* financeiro de US$ 90 trilhões para investimento em infraestrutura para que o mundo atinja as metas do Acordo de Paris. "Os investidores precisam de ferramentas e técnicas para guiar a alocação de capital e o UBS desenvolveu esse Guia de Conscientização Climática para ajudá-los a alcançar suas metas", diz o longo texto de sessenta páginas.

Na semana passada, a carta anual de Larry Fink aos principais executivos globais deixou claro que o dinheiro está procurando novos destinos. Ele é o executivo da BlackRock, a maior gestora de recursos do mundo, com US$ 7 trilhões, e mostrou que está de olho nas ruas. "A mudança climática se tornou um fator definidor das perspectivas de longo prazo das companhias. No último setembro, quando milhões de pessoas tomaram as ruas exigindo ação contra a mudança climática, muitas delas enfatizaram o impacto significativo e duradouro que a mudança do clima terá no crescimento econômico e na prosperidade." Segundo Larry, esse é um risco que os mercados têm demorado a responder, mas "a consciência está mudando rapidamente e eu acredito que nós estamos à beira de uma reformatação fundamental das finanças".

No idioma do mundo dos negócios, isso quer dizer que eles saíram das análises para a tomada de decisão. Cada grande investidor colocará seu dinheiro na economia de baixo carbono e na transição que terá de ser feita. O tema saiu dos cenários e foi para o concreto mundo da alocação de recursos.

O gestor Adriano Cantreva, sócio da Portofino Investimentos, ex-diretor do Itaú e fundador da XP Securities, está há muitos anos morando nos Estados Unidos. Em entrevista a Alvaro Gribel no dia 21 de janeiro, em São Paulo, ele elogiou os avanços do Brasil na área econômica, mas falou também de outras preocupações. Uma delas é com os erros do país na área ambiental:

— É claro que tem efeito econômico sobre o Brasil a postura em relação ao meio ambiente. Quando você pega um nome como Larry Fink, da BlackRock, que está entre os top 10 do mundo, falando que vai privilegiar o meio ambiente, é porque este é um caminho sem volta. Isso vai influenciar uma série de outros fundos menores. É uma cultura irreversível.

A segunda preocupação dele é com a área da educação:

— Vejo com otimismo o futuro do Brasil, mas me preocupa a educação. E me preocupa muito a agenda ambiental do governo, acho que essa é uma estratégia que o país só tem a perder.

Um dos painéis em Davos será sobre a Amazônia. O governo do Brasil estará ausente. O brasileiro presente será o climatologista

Carlos Nobre, o que é uma boa notícia, por sua relevância no mundo científico. A ausência do governo é até um alívio. Se o ministro do Meio Ambiente estivesse presente seria pior. O problema grave, contudo, é a falta de sintonia do Ministério da Economia com essa agenda, que não é apenas moda passageira. Veio para ficar.

Hans Castorp, o protagonista do livro de Thomas Mann, desembarca na aldeia de Davos desavisado, achando que seria uma breve visita. "Não lhe bastarão para isso os sete dias de uma semana, nem tampouco os sete meses. Melhor será que ele desista de computar o tempo que decorrerá sobre a Terra, enquanto esta tarefa o mantiver enredado", escreveu o grande escritor alemão. Assim, definitivo, chegou esse tema na agenda da economia.

63. A ECONOMIA DO DESMATAMENTO

22.1.2020

Quanto custa uma motosserra? E várias delas? Quanto custam tratores, correntões, caminhões? Tudo isso é necessário para desmatar. Um método primitivo, porém muito usado, é o correntão. Ele vai arrastando as árvores, mas não funciona sem tratores. São necessários dois, um de cada lado. Quanto custam dois tratores? Depois, é preciso ter caminhões para transportar as toras até o consumo. Antes, contudo, é necessário ter uma escavadeira hidráulica com garra de metal para empilhar as toras nos caminhões. Capangas armados ocupam a terra que está sendo grilada. Fazem isso a soldo. De quem? Documentos são esquentados, como as guias de transportes. São comprados títulos falsos de propriedade. O ministro Paulo Guedes disse em Davos que "o pior inimigo do meio ambiente é a pobreza" e que "as pessoas destroem o meio ambiente porque precisam comer". Não é a pobreza que desmata. Para grilar e desmatar é preciso capital. Muito capital.

O ministro da Economia estava num debate sobre outro assunto. Era um painel sobre indústria avançada e o uso de recursos naturais. Paulo Guedes, segundo explicou depois, defendia a tese de que os países de economia avançada derrubaram florestas para escapar da pobreza. Essa ideia exposta por Paulo Guedes de que "as pessoas destroem o meio ambiente porque precisam comer" já foi enunciada algumas vezes pelo ministro Ricardo Salles, do Meio Ambiente. É uma avaliação errada dos vetores reais do desmatamento.

No ano passado foram desmatados quase 10 mil quilômetros quadrados só na Amazônia, numa alta de 30%, segundo o Prodes, do Inpe. E aumentaram as queimadas. Há muitos estudos provando a correlação direta entre o aumento do desmatamento e o das queimadas. Não houve um surto de alta da pobreza que explicasse o que aconteceu em 2019. O que houve foram sinais do governo de que o crime não seria combatido. E qualquer economia, até a do crime, é estimulada por sinais e expectativas.

Movimentar essa cadeia do crime, montar as conexões, ocupar a terra com pastagem, esquentar o documento para vender, tudo isso exige um enorme investimento. Quando o governo combate o desmatamento e impõe o império da lei, o risco fica mais alto e o retorno do capital, mais incerto. Nesse cenário, há uma redução do incentivo e a taxa do crime cai. As leis econômicas, sempre elas, determinam alta e queda da destruição ambiental. Uma forma de combater o crime é pegar todo aquele material — motosserras, caminhões, tratores, escavadeiras — e apreender ou destruir. Porque aumenta o prejuízo do criminoso, mas isso agora está proibido pelo presidente da República.

O ministro disse que a pobreza é o pior inimigo do meio ambiente. Deve-se combater a pobreza por inúmeros motivos, todavia é preciso inverter o entendimento do fato. O pobre é a grande vítima da destruição do meio ambiente. Ele é recrutado como mão de obra em trabalho degradante, depois é ele que vive os efeitos da degradação da terra, da água e do ar. A falta de saneamento contamina principalmente as regiões onde moram os pobres. Os lixões se acumulam é nas periferias. Nos extremos climáticos são os pobres os mais afetados. Eles não são os agentes da destruição ambiental. São suas primeiras vítimas.

A criação do Conselho da Amazônia pode ajudar, em especial se levar para o governo informações que ilustrem a verdadeira origem das redes de ilegalidade na Amazônia e afastem os mitos que têm dominado as declarações oficiais sobre o assunto. O Conselho será mais eficiente se não for feito para atender às teorias conspiratórias que mobilizam o governo Bolsonaro. Foi anunciada também a criação da Força Nacional Ambiental. Ela precisará de orçamento. Mas esta é a administração que cortou orçamento do Ibama e do ICMBio, que limitou as ações preventivas e as operações de comando e controle nas regiões vulneráveis.

É urgente que este governo conclua o período de noviciado e entenda o que se passa na Amazônia para poder deter o aumento do desmatamento. Primeiro, para impedir a destruição de riqueza coletiva. Segundo, porque o mundo mudou, como é possível constatar em todos os relatórios feitos por instituições financeiras para o Fórum Econômico Mundial. O assunto deixou o terreno da retórica para ser determinante na alocação de recursos dos grandes investidores.

64. O MEDO CONTAMINA MERCADOS GLOBAIS

28.1.2020

Ações, moedas, petróleo, em todos os mercados do mundo ontem foi um dia difícil. O pior em meses. Na economia, por onde se olha pode haver impacto se o coronavírus se espalhar mais. Ainda que o risco seja contido, já afetou o ambiente. A China é um país em que quase não se tem férias, e os poucos dias de folga são os da comemoração do Ano-Novo Lunar. Dessa vez não houve festas, as ruas ficaram vazias e trabalhadores estrangeiros que viajaram para lá não conseguem voltar. As viagens em geral estão restritas, centros industriais deram férias coletivas. O país que puxa a economia mundial e que nunca para está parando e vai consumir menos. É isso que os mercados refletiam ontem, 27 de janeiro.

O Ibovespa caiu 3,29%, a maior queda desde março, o dólar subiu para R$ 4,21, a Petrobras recuou 4,3% e a Vale, 6,1%. O Brasil é grande fornecedor de *commodities* para a China. O índice composto das bolsas europeias caiu 2,3%. Nos Estados Unidos, houve queda nos três principais índices. Dow Jones zerou os ganhos do ano. Montadoras internacionais como Nissan, PSA e Renault anunciaram a retirada de seus empregados estrangeiros das plantas em áreas da China atingidas pelo vírus, segundo o *Financial Times*. Os trabalhadores do centro industrial de Suzhou, com 11 milhões de habitantes, onde ficam essas montadoras e fornecedores do iPhone, como a Foxconn, tiveram sua volta ao trabalho adiada por mais de uma semana. Os bancos, que se expandiram muito pelo interior da China, estão mantendo longe os seus funcionários. Xangai, com 21 milhões de habitantes, determinou que todos os negócios sejam suspensos até o dia 9 de fevereiro. Há inúmeras decisões que vão afetar a atividade no curto prazo.

Os investidores reagiram ao desconhecido. Ninguém sabe dimensionar os efeitos do coronavírus sobre a economia. Os receios são de que a economia chinesa, que cresceu 6,1% no ano passado (a menor taxa em quase trinta anos), sofra desaceleração mais brusca em 2020. O consumo do país pode ser afetado, assim como o turismo, as companhias aéreas e até os investimentos. O índice de volatilidade VIX disparou 30% e atingiu o maior patamar desde setembro. O petróleo do tipo *brent* caiu para US$ 58, o menor patamar do ano. Se no início de janeiro o medo era de disparada da cotação por conta de um conflito entre Estados Unidos e Irã, agora, no fim do mês, o movimento é oposto, de queda das *commodities*. O preço cai porque os investidores temem o encolhimento do consumo chinês.

O anúncio da Organização Mundial da Saúde de que estava corrigindo a classificação de risco do vírus de moderado para alto, a elevação do número de mortes e de infectados, tudo vem sendo motivo para o aumento do medo. E na economia ele se expressa nas cotações.

Especialistas e infectologistas têm dúvidas se ampliar feriados é a melhor estratégia para lidar com o surto porque as autoridades podem ter mais dificuldade para localizar, tratar e isolar os infectados. A restrição às viagens pode ter acontecido tarde demais, depois que o vírus já houver se espalhado. O *NYT* chamou atenção para o aumento de postagens com críticas ao governo chinês, desafiando a censura e o controle que a ditadura no país impõe sobre as redes sociais.

A volatilidade domina os mercados nos últimos tempos. Uma notícia mais tranquilizadora pode reverter tudo o que aconteceu ontem, mas esse surto e a evolução imprevisível do vírus ocorrem num momento em que já há muito pessimismo. A PwC divulgou pesquisa que faz todo ano com os maiores CEOs do mundo. Em 2018, os presidentes das empresas estavam no pico de otimismo, agora estão no ponto mais baixo recente de pessimismo quando fazem previsões sobre a economia global. Eles apontam vários riscos: incerteza, mudança climática, conflito comercial, desafios cibernéticos. Tudo isso elevando o temor de desaceleração global. Nesse ambiente já instável bate o medo do avanço de um vírus perigoso.

A economia do Brasil começa a se recuperar agora, depois da recessão e da estagnação que consumiu os últimos cinco anos. Do nosso ponto de vista, é um péssimo momento para algo tão tenebroso surgir. A China é nosso maior parceiro comercial, mas o risco é muito pior do que a queda das exportações. O que mais assusta é a incerteza sobre o que vai acontecer com a saúde no mundo se não conseguirem conter esse vírus.

65. O LIBERALISMO À MODA DA CASA

1.2.2020

O governo colocou de uma vez R$ 8 bilhões numa estatal controlada pela Marinha que constrói corvetas, a Emgepron. O ministro da Economia, Paulo Guedes, é liberal, a conjuntura é de aguda restrição fiscal, mas R$ 10 bilhões foram gastos em capitalização de estatais, sendo que a maior parte foi direcionada para essa empresa da área militar. O governo criou uma estatal este ano, a NAV Brasil, também na área militar, que pode vir a ter 13,5 mil funcionários. Então o déficit do Tesouro que o ministro prometeu zerar no primeiro ano de gestão terminou em R$ 95 bilhões e houve expansão de gastos com estatais.

Para o setor público consolidado, o déficit foi de R$ 62 bilhões, porque houve superávit nos governos regionais e nas estatais. O dado do Tesouro foi o menor déficit em seis anos, no entanto, a maior parte da queda resultou de receitas extraordinárias. Com a divulgação esta semana dos números do déficit público no primeiro ano do governo Bolsonaro, tanto pelo cálculo do Tesouro quanto pelo do Banco Central, fica claro que existe melhora, mas ela é gradual e volátil. Se caírem as receitas extraordinárias, o buraco pode aumentar.

De estrutural, houve a reforma da Previdência, cujo resultado negativo foi de R$ 318,4 bilhões em 2019, com alta de 10% sobre o ano anterior. A reforma reduz apenas o ritmo de crescimento do rombo. É a melhor notícia na área das contas públicas, conseguida em grande parte pelo esforço do presidente da Câmara, Rodrigo Maia, que, na quinta-feira (30/1), trocou farpas com o ministro Paulo Guedes em um evento do Centro de Liderança Pública (CLP), em São Paulo.

Em outro evento, promovido pelo Credit Suisse, o ex-presidente do Banco Central Persio Arida duvidou do liberalismo do governo: "A agenda das privatizações decepcionou e a abertura comercial não aconteceu. Vamos pegar dois fundos para mostrar o quanto o governo não é liberal como se diz. O FGTS é uma poupança compulsória, que só fazia sentido na época em que o Brasil não tinha crédito. O FAT tem R$ 370 bilhões, o que significa dez anos de financiamento do Bolsa Família. O que o governo fez? Liberou dinheiro do FGTS para estimular consumo. Diminuiu o Fundo, mas não acabou. A Caixa continua monopolista com taxas altas de administração. O FAT é formado por um imposto e vai para o BNDES, que empresta e não precisa pagar ao FAT, apenas juros. O governo não acaba com os dois fundos porque a Caixa e o BNDES não querem. Isso não é liberalismo. Liberalismo é proteger o público do privado e, nesse caso, o governo cede ao lobby."

No FGTS, Persio acha que o dinheiro deveria voltar ao seu dono, sem restrições, ou, no mínimo, que se deveria dar aos trabalhadores o direito de aplicar onde quiserem. Manter na Caixa, de fato, não é nada liberal. Ele lembrou ainda, para desconforto da plateia do mercado, quase toda governista, que privatização é vender estatais. Quando se vende subsidiária, o dinheiro vai para a estatal.

O ex-presidente do Banco Central Armínio Fraga, falando no mesmo evento, mostrou a razão pela qual é preciso diminuir o tamanho do Estado para que o setor público invista: "O Estado continua quebrado, inchado, e não investe mais do que 1% do PIB. Cerca de 80% do gasto é com previdência e pessoal. A média do mundo é 50% a 60%. Se o Brasil chegasse na média e acabasse com subsídios, liberaria 10 pontos percentuais de gasto sobre o PIB, poderia terminar o ajuste com 3% e teria mais 7% para investir. Concordo com o Persio, este governo não é tão liberal assim."

Os dois disseram que, para crescer, o país precisaria investir muito em educação, que definiram como uma tragédia que se agrava.

No evento do CLP, o ministro Paulo Guedes jogou sobre o Congresso a conta da demora de outras reformas e saiu do recinto sem tempo de ouvir a resposta do deputado Rodrigo Maia, que falou em seguida. Ele lamentou a ausência de Guedes, porque queria dizer que "não é bem assim". Maia lembrou que as reformas tributária e administrativa não chegaram ao Congresso e que a PEC Emergencial atropelou uma proposta mais ambiciosa de iniciativa do Congresso: "A do governo vai economizar de R$ 10 bilhões a R$ 15 bilhões, a do deputado Pedro Paulo economizaria R$ 100 bilhões."

No evento do Credit Suisse também falou uma ex-assistente do economista Milton Friedman, Deirdre McCloskey, defendendo uma visão radical e impiedosa do liberalismo. A economista se chamava Donald, fez cirurgia e assumiu como Deirdre a sua identidade feminina. Por ter dito que o governo Bolsonaro é tudo menos liberal, teve sua palestra suspensa na Petrobras.

E assim caminha o liberalismo à moda Bolsonaro: censurando, criando estatais, capitalizando empresas militares e mantendo o monopólio da Caixa em poupança compulsória.

66. RISCOS QUE PESAM SOBRE OS INDÍGENAS

7.2.2020

No mesmo dia em que anunciou o projeto de lei prevendo mineração, exploração de petróleo e construção de hidrelétricas em terras indígenas, o presidente Bolsonaro nomeou um evangelizador para a área mais sensível da Funai: a dos índios isolados. Em seguida disse que, se um dia puder, ele confinará os ambientalistas na Amazônia. Em várias ocasiões Bolsonaro já demonstrou preconceito em relação aos índios, ou visão ultrapassada sobre o assunto. É por isso que a ideia assusta ainda mais. A Constituição prevê atividade econômica em terra indígena, dependendo apenas de regulamentação. O projeto, portanto, poderia até ser considerado, não fosse o presidente quem é, e não tivesse as declaradas intenções que tem.

O projeto vem após uma série de ataques à Funai feitos sob o olhar condescendente do ministro da Justiça, Sergio Moro. Não se conhece uma palavra de Moro condenando os excessos e abusos cometidos contra a Funai, o aparelhamento político, a ocupação de cargos por pessoas sem qualificação técnica, a escolha de coordenadores estranhos à área. A tentativa é fazer da Funai uma instituição oca. Se ela ainda resiste é pelos seus servidores de carreira.

A escolha de Ricardo Lopes Dias para coordenador de índios isolados é um perigo não por ele ser pastor. O temor é que ponha em prática a convicção de que os índios precisam ser convertidos por missionários. Isso é a morte cultural. Os isolados são os mais frágeis sob todos os pontos de vista, e há uma política consagrada de sequer forçar contato com eles. A nomeação veio após a mudança de critérios para ocupar o cargo, decisão do presidente da Funai, Marcelo Xavier. Antes, o cargo era exclusivo de servidores públicos efetivos. No dia 30, o critério foi alterado para que pudesse haver nomeação política.

Bolsonaro não tem o poder de confinar ninguém, e seu pensamento antidemocrático é revelado na palavra que usou para definir o que quer fazer com pessoas que pensam diferente dele. O presidente trata como natural uma atitude totalitária. E há fadiga no país em reagir aos absurdos diários que ele expõe em suas falas. Muita gente, com razão, quer simplesmente ignorar as "bolsonarices". Seria um alívio. O problema é que ele, por ser presidente, tem visibilidade ampliada. Esses valores deletérios são apresentados diariamente como naturais. Uma geração de brasileiros está sendo formada diante da exposição de que o presidente acha normal confinar pessoas que pensam de forma diferente da do governo, definir indígenas como sub-humanos, afirmar que portadores de HIV custam caro ao país.

Essas foram apenas as últimas agressões verbais do presidente aos direitos humanos. Nesse contexto é que foi apresentado o projeto de exploração de terra indígena. São terras públicas, da União, e serão ocupadas por grupos privados. Os indígenas serão ouvidos, mas sem poder de veto, o que transforma o ato de ouvir em mera formalidade. O que o presidente está propondo é a morte cultural e étnica. Quer que eles sejam "como nós". Como se os trezentos povos indígenas do Brasil não estivessem resistindo há quinhentos anos para manter suas culturas, seus idiomas, seu modo de viver. Se quisessem ter a vida de não indígenas já teriam feito essa escolha. Esse projeto pode ser o começo de uma nova onda de violência física e cultural contra eles.

Tudo isso bate na economia, claro. No meio empresarial é possível ouvir empresários reclamando da estratégia do presidente Jair Bolsonaro de "governar por atrito", na expressão de um deles, que dirige uma grande associação. Se, por um lado, há os que apoiam incondicionalmente o presidente, por outro, há os que lamentam e se sentem inseguros com as crises constantes que não saem da primeira página dos jornais.

— Passamos por uma forte recessão e estamos há três anos sem crescer muito. Este é o momento em que todos deveriam estar remando na mesma direção. Mas temos um presidente que estimula a divisão. Tem o empresário que não liga, mas tem o empresário que fica incomodado e inseguro. E aí continuamos nesse clima de morosidade, que não engrena nunca — desabafou um empresário que ouvi.

A economia nem é o maior problema. O perigo é o que o presidente pretende com esse projeto de permitir atividades econômicas nas terras indígenas, que hoje são Unidades de Conservação.

67. CÂMBIO EM SEU DEVIDO LUGAR

15.2.2020

O ministro Paulo Guedes disse que a alta do dólar é boa para todo mundo. A frase foi soterrada por outra ainda pior que acabou ganhando destaque. Mas, do ponto de vista técnico, sobre o câmbio ele também estava errado. Não há qualquer evidência de que o real desvalorizado produza crescimento. O real subiu, por exemplo em 2015, de R$ 2,65 para R$ 3,90 e a economia mergulhou na recessão. É um preço que tem impacto sobre vários outros. O ideal é que ministros não estimulem especulações e que o Banco Central faça intervenções mínimas apenas por razões técnicas e pontuais.

A segunda declaração do ministro da Economia provocou reação imediata por ter revelado preconceito social. "Empregada doméstica estava indo para a Disneylândia. Uma festa danada. Peraí." O que aparece nessa fala infeliz é tão discriminatório que, evidentemente, provocou polêmica. Um ministro da Economia deveria querer a prosperidade do país como um todo, um liberal deveria se preocupar menos com as escolhas individuais, um economista deveria olhar os números que não confirmam sua tese.

O preço mais difícil de entender — e prever — é o do câmbio: baixo, não nos torna ricos; alto, não garante crescimento. Quando está sobrevalorizado cria distorções e se for excessivamente desvalorizado, também.

Os exportadores sempre querem uma cotação mais alta porque isso aumenta seus ganhos na exportação e ameniza os efeitos da falta de competitividade da indústria brasileira. Muitos que produzem apenas para o mercado interno também gostam do dólar alto, que encarece o produto importado com o qual vão competir. O problema é que a moeda americana saiu de R$ 1,80 em 2012 para R$ 4,30 agora, e não houve crescimento sustentado das exportações do setor industrial. O Brasil precisa resolver problemas estruturais que reduzem a competitividade dos manufaturados com inovação e logística.

O salto do dólar aumenta alguns preços. Medicamentos, combustíveis, certos alimentos e bens importados, como celulares. Alguns produtos e matérias-primas, mesmo sendo exportados pelo Brasil, acabam encarecendo porque há uma correlação entre preços internos e externos. O aço, por exemplo. Os investimentos também ficam mais caros. Dos US$ 16 bilhões importados pelo país em janeiro, 32% foram "insumos industriais elaborados", o maior item da pauta. Logo depois vieram os bens de capital, com 22%. Peças e acessórios, equipamentos de transporte, somaram mais 16%. Esses dados mostram como o câmbio pode ter impacto sobre os custos das indústrias e dos investimentos no país. Os bens de consumo, como eletrônicos, ficaram em 13%. Quando o dólar está alto, empresas que têm dívidas externas passam a ter um custo maior. A Petrobras é uma delas.

O dólar não deve ser manipulado nem para estimular o consumo nem para contê-lo. Não deve ser elevado para empurrar as exportações e proteger a indústria local nem deve ser mantido artificialmente baixo para segurar a inflação. Isso é o que o Brasil aprendeu com erros de sua História recente. Funciona melhor quando o câmbio é flutuante e o Banco Central não quer defender uma cotação, alta ou baixa. E também é melhor quando o ministro da Economia não explicita uma preferência, como fez Paulo Guedes, ao dizer que o dólar alto é "bom pra todo mundo". O BC teve que entrar no mercado para conter o movimento especulativo que se formou por causa da declaração.

Há erro técnico no que ele falou sobre o dólar. Mas isso é o de menos. Não é o primeiro, não será o último ministro a errar nesse assunto. O pior é a visão revelada de que um grupo de trabalhadores, pela natureza do seu trabalho, não deveria usufruir de certos prazeres. Paulo Guedes deveria pensar antes de falar.

68. NÃO SE ENGANEM: NADA DISSO É NORMAL

16.2.2020

Há quem prefira o autoengano. O governo hostiliza a imprensa, e o filho do presidente, da tribuna da Câmara, dá sequência a uma difamação sexista contra uma jornalista. O presidente se cerca de militares. Inclusive da ativa. O ministro da Economia ofende grupos sociais. A Educação está sob o comando de um despreparado. Alguns ministros vivem em permanente delírio ideológico. Os indígenas são ameaçados pelo desmonte da Funai e pelo lobby da mineração e do ruralismo atrasado. Livros são censurados nos estados. A cultura é atacada. Há quem ache que o país não está diante do risco à democracia, apenas vive as agruras de um governo ruim. E existem os que consideram que o importante é a economia.

Há mesmo uma diferença entre governo ruim e ameaça à democracia, mas nós vivemos os dois problemas. As instituições funcionam mal até pela dificuldade de reagir a todos os absurdos que ocorrem simultaneamente. Quando um tribunal superior decide que uma pessoa que ofende os negros pode ocupar um cargo criado para a promoção da igualdade racial, é a Justiça que está funcionando mal. O procurador-geral da República, desde que assumiu, tem atuado como se fosse um braço do Executivo. O Supremo Tribunal Federal parece às vezes perdido no redemoinho de suas divergências.

A calúnia contra a jornalista Patrícia Campos Mello, da *Folha de S.Paulo*, foi cometida dentro do Congresso Nacional. O depoente de uma CPI praticou o crime diante dos parlamentares. Um deles, filho do presidente, reafirmou a acusação sexista. É mais um ataque à imprensa, num tempo em que este é o esporte favorito do presidente. É também uma demonstração prática dos problemas do país. Alguém se sente livre para mentir e caluniar usando o espaço de uma comissão da Câmara e é apoiado por um parlamentar.

Não é normal que um general da ativa, chefe do Estado-Maior do Exército, ocupe a Casa Civil, nem que o Planalto tenha apenas ministros militares — dois deles na ativa. Não é bom para as próprias Forças Armadas. Essa simbiose com o governo seria ruim em qualquer administração, mas é muito pior quando o chefe do Executivo cria conflitos com parcelas da população, divide a nação, faz constante exaltação do autoritarismo e apresenta projetos que ofendem direitos constitucionais. As Forças Armadas são instituições do Estado, com a obrigação de manter e proteger a Constituição. Deveriam preservar sua capacidade de diálogo com todo o país neste momento de tão aguda fratura. O trauma da ruptura institucional comandada por generais é recente demais.

Não é normal que um governo estadual se sinta no direito de retirar das mãos de estudantes livros clássicos, um deles escrito pelo mestre maior da nossa literatura. A leitura de *Memórias póstumas de Brás Cubas*, do genial Machado de Assis, precisa ser estimulada e não proibida. É tão despropositada a ideia de colocar livros em um índex que muitos reagem apenas com incredulidade e desprezo. O obscurantismo, a censura, o retrocesso são graves demais.

A economia nunca poderá ir bem num país enfermo. Não há uma bolha em que se possa isolá-la. Mesmo se houvesse essa capacidade de separação da realidade, é preciso entender que a economia não está nada bem. Se no mercado financeiro e se alguns líderes empresariais querem vender esse otimismo falso é porque têm interesses específicos. A verdade, que bons empresários e economistas lúcidos sabem, é que o mercado de trabalho exclui um número exorbitante de brasileiros, o país ainda tem déficit em suas contas, a alta excessiva do dólar cria distorções e a incerteza tem aumentado.

A crise econômica foi herdada por este governo, mas ele está cometendo o erro de subestimar os desafios. O ambiente de conflito constante com diversos grupos da sociedade, provocado pelo governo, esse clima de estresse permanente, não é bom para quem faz projetos de longo prazo no país. Quando o cenário de ruptura tem de ser considerado, os investidores se afastam.

Quem prefere o autoengano pode viver melhor no presente, mas deixa de ver os avisos prévios do perigo e, portanto, não se prepara para enfrentá-lo. Manter a consciência dos riscos é a atitude mais sensata em época tão difícil quanto a atual. Nada do que tem nos acontecido é normal.

69. NA ORIGEM DA CRISE, A FALTA DA COALIZÃO

21.2.2020

A crise das emendas provocou o descontrole do general Augusto Heleno, que chegou a acusar o Congresso de chantagear o governo. Esse episódio nasceu das falhas na articulação política e da falta de coalizão no Congresso. Foi combinado com deputados e senadores que parte das despesas dos ministérios integraria a lista de emendas parlamentares, mas isso criou a situação surreal de ministros terem de pedir ao relator do Orçamento para efetuar gastos já previstos. Na área econômica, não se sabe quem fez esse acordo e permitiu que R$ 15 bilhões dos recursos de vários ministérios tivessem de ser liberados pelo Parlamento.

As emendas parlamentares de R$ 16 bilhões seriam impositivas mesmo e estava tudo certo sobre isso. Os parlamentares quiseram aumentar o valor. O governo negociou dizendo que outros R$ 15 bilhões seriam oficialmente emendas, contudo eram despesas previstas dos ministérios. Começou o ano e vários ministérios tiveram dificuldade na execução do Orçamento. Veio o veto do presidente, mas, sem base organizada, sem coalizão, o risco de ter o veto derrubado é sempre alto.

O presidente não tem base para evitar que derrubem o seu veto, os ministros estão com despesas já previstas que precisam da aprovação do relator do Orçamento, Domingos Neto (PSD-CE). Em algumas áreas, como no Ministério da Educação, o diálogo com o Congresso não existe. As despesas de janeiro serão baixas não por mérito do ajuste e sim por causa desse nó cego. Tudo isso nasce exatamente da falta de diálogo institucional entre o governo e o Legislativo, já que não há uma articulação eficiente, e da falta de formação de uma maioria estável.

O governo Bolsonaro vende para a população a falsa ideia de que não fez o "toma lá, dá cá" e que a sua administração é virtuosa e não aceita pressão dos políticos. É mentira. Houve, sim, o loteamento anárquico. Nacos da administração foram distribuídos por alas: a fundamentalista, a evangélica, a olavista, a dos militares, dos ruralistas, dos defensores das armas, dos filhos, dos amigos. O mérito, no sentido da qualificação, passou longe, do contrário não haveria um ministro como Abraham Weintraub. Os cargos de outros escalões foram negociados de forma dissimulada entre os diversos grupos de parlamentares, mas não se construiu uma coalizão formal. Por fim, o presidente rachou o próprio partido.

O ex-chefe da Casa Civil Onyx Lorenzoni, apesar de ser pessoa do Congresso, atrapalhava mais do que ajudava. Depois, o presidente chamou os militares para um trabalho distante do seu treinamento. Alguns se esforçam, porém nem sempre avançam nesse terreno minado que virou a relação entre o Executivo e o Legislativo. A equipe econômica ouve os pedidos de socorro dos ministros, que não conseguem gastar o que está no Orçamento ou enfrentam dificuldades inesperadas.

Uma delas bateu no Ministério da Ciência e Tecnologia. O ministro Marcos Pontes achou que estaria a salvo de problemas se conseguisse que todo o seu orçamento fosse obrigatório e livre de contingenciamento. Pressionou internamente e conseguiu. Agora ele está com o dinheiro que ficou do ano anterior, mas não pode liberar para gastos não obrigatórios. O Orçamento brasileiro tem muitas armadilhas.

O diálogo era a única saída. No entanto, o comportamento do presidente Bolsonaro, com sua "falta de compostura e noção da dignidade do cargo", como bem definiu o senador Tasso Jereissati (PSDB-CE), contaminou o governo. O general Augusto Heleno é um reflexo. Piorou com o tempo, como disse o deputado Rodrigo Maia (DEM-RJ).

Suas postagens com xingamentos, acusações a jornalistas e a instituições já haviam provado que ele não seria o moderador. A fala captada esta semana mostra que ele acha que o governo está sendo chantageado pelo Congresso e, em reunião interna, comprovou sua face autoritária ao propor manifestações contra o Congresso.

Quem tenta entender a razão de toda essa briga descobre esse acordo sem pé nem cabeça na execução do Orçamento. E ele nasce da falta do que é básico em um sistema multipartidário: quem não tem maioria negocia a formação de uma coalizão. É elementar na política. Isso só será corrupção dependendo da moeda usada para obter o apoio. Bolsonaro exerceu seu mandato de deputado aos gritos. Quer governar aos gritos. Não será possível.

70. DIA DE SUSTO NO MEIO DO CARNAVAL

25.2.2020

O mercado financeiro global vai entendendo por espasmos o impacto da crise do coronavírus na economia, o que deveria estar claro desde o início, porque a China é o país mais inserido na globalização. Ontem, Segunda-feira de Carnaval, foi um desses dias de compreensão do grau de risco em que todos os países estão. No mar das quedas abruptas de ontem, as cotações de produtos que exportamos e as ações de empresas brasileiras foram afetadas. Dessa vez, o susto veio da Itália, com cidades isoladas e o Carnaval de Veneza suspenso, além do aumento de casos na Coreia do Sul e no Irã.

A China é o *hub* global. O mundo quase todo importa de lá ou vende para o país, que produz milhões de peças para todo tipo de indústria, eletrônica e digital. O Japão não produz sem a China. A Coreia do Sul proclamou alerta máximo e pôs 7 mil soldados em quarentena. Diante dos 43 casos no Irã, com doze mortes, Turquia, Jordânia, Paquistão e Afeganistão fecharam as fronteiras ou restringiram as viagens. O turismo, a indústria de aviação, a farmacêutica, tudo depende da China, é o que alertam observadores que acompanham de forma mais atenta a economia chinesa.

A Itália atingida, com dez cidades isoladas, coloca em questão a política das fronteiras abertas na qual a Europa se assenta. Investidores ontem alertavam sobre a proximidade da região com a zona industrial alemã. A Itália faz parte de um continente que dissolveu as fronteiras. Bruxelas está emitindo sinais de que é preciso agir, mas evitando o pânico. Produtos que são importantes para a exportação brasileira, como o minério de ferro, caíram e derrubaram as ações de grandes mineradoras internacionais. BHP, Rio Tinto e Vale recuaram 7% nos mercados internacionais. Bancos brasileiros tiveram queda de 5%. Petrobras, de 6%. Tudo isso lá fora, já que a bolsa brasileira só reabre amanhã.

A segunda-feira começou mostrando que, enquanto nos países mais devotos da folia a população se diverte, o mundo vive um momento de baixa nos preços dos ativos. O mercado de ações despencou e os investidores correram para as proteções de sempre: o ouro e os títulos do Tesouro americano. A Ásia teve queda forte e foi seguida pela Europa, enquanto o futuro do S&P já apontou que seguirá a mesma tendência. Assim começou a segunda-feira. No fim do dia, ficou claro que a parada do Mardi Gras, a Terça de Carnaval, seria muito bem-vinda para que todos pudessem tentar refletir sobre a real dimensão dos acontecimentos.

Aqui neste espaço alerta-se, desde o começo, que este é um evento sem precedentes, porque na última pandemia, a da Sars, o planeta era menos conectado e a China era menos importante para as cadeias globais de suprimento. Então, estamos no terreno das incertezas, no qual a volatilidade é a regra. O mercado financeiro oscila entre dois polos. Ou subestima os riscos ou tem picos de pânico, quando o mais racional seria fazer análises mais profundas sobre o grau de conexão entre as cadeias globais de produção.

Na China há algumas boas notícias. A província de Guangdong, cuja capital, Guangzhou, fica a uns 500 quilômetros do centro da crise, baixou o nível de gravidade. A partir desta segunda-feira puderam ser abertos restaurantes, bares, *fast foods*. As escolas, inclusive as estrangeiras, voltaram a funcionar no dia 16.

Apesar das muitas críticas feitas ao governo chinês, diplomatas que vivem no país reportam que foi impressionante a rapidez com que a sociedade respondeu ao problema. No começo, e instantaneamente, todos os locais públicos, como hotéis, shoppings, estações de metrô, passaram a ter sempre pessoas medindo a temperatura das pessoas. Uma semana depois, os termômetros foram substituídos por câmeras infravermelhas capazes de identificar, em uma multidão, quem tinha temperatura acima de 37,3 graus. Agora, todo cidadão tem um código e em cada lugar que entra, shopping, metrô, ônibus, tem que registrar o seu código. Se por acaso ele aparecer com sintomas, será possível rapidamente refazer seus passos. A tecnologia na qual a China investiu para ser vencedora na economia globalizada e digital, e para controlar sua vasta população num regime autoritário, está sendo usada, dessa vez para criar um cordão de proteção sanitária.

Ainda não está claro o quanto os países serão atingidos, mas qualquer avaliação que subestime os riscos não é aconselhável. O fato é que o mundo ainda não sabe. E esse é o terreno mais pantanoso para a economia.

71. O PRESIDENTE MIRA A DEMOCRACIA

27.2.2020

O presidente Bolsonaro compartilhar vídeos de uma manifestação com o objetivo de atacar um dos Poderes é gravíssimo. E tentar reduzir o peso do fato é uma forma de colaborar com o avanço cada vez mais perigoso promovido pelo atual governo contra as bases da democracia. Um vídeo é pior do que o outro, mas as mensagens são inequívocas: a ideia é acuar o Congresso. Todo o problema da execução do Orçamento foi criado pelo próprio governo, quando fechou um acordo inaplicável de que partes das despesas dos ministérios passariam pelo Congresso. E esse acordo pode ser desfeito; ao invés disso, o presidente prefere radicalizar.

Já se sabia que a Quarta-Feira de Cinzas seria difícil no mercado financeiro, portanto, a forte queda de ontem estava dentro do previsto. Como os preços das ações caíram muito nos dias em que a bolsa brasileira ficou fechada, haveria uma correção. O problema não é essa queda, que chegou a 7%. A economia é ameaçada por uma pandemia, mas internamente o risco maior que o Brasil corre é provocado pelo comportamento insano do presidente da República.

No ano passado, muitos, de forma condescendente, explicaram o fato de o presidente compartilhar em rede social uma cena grotesca de Carnaval como fruto de sua inexperiência no cargo. Ele não saberia, disseram algumas pessoas, o peso do compartilhamento feito por um presidente. Já a essa altura, não há mais autoengano possível. Ele sabe o que faz. Quer acuar o Congresso, não conhece os limites impostos pelo regime democrático ao exercício do poder do Executivo, quer manipular a ideia de que está sendo impedido de governar pelos políticos e pelo Supremo.

Todo mundo sabe que existe dentro do Palácio do Planalto uma fábrica de *fake news* e de vídeos que ameaçam os que eles elegem como "inimigos". As peças que Bolsonaro compartilhou nasceram da sua rede, controlada por filhos e asseclas. Todo mundo entendeu que ele traz os militares para perto dele, inclusive os da ativa, como manobra dissuasória contra qualquer reação ao seu desgoverno.

O que fica difícil de entender é o motivo de as Forças Armadas se deixarem usar dessa maneira, inclusive diante de sinais que para os próprios militares são perigosos, como a conivência com os motins de policiais. A quebra de hierarquia sempre foi considerada o maior dos riscos para os comandantes em qualquer época. Quem aceita motim na Polícia Militar o que fará quando esse comportamento chegar às suas tropas?

Os últimos acontecimentos não deixam dúvidas: Bolsonaro está rompendo todos os limites institucionais. O presidente atacou uma jornalista de forma torpe para tentar desmoralizar a imprensa como um todo. Com a eclosão dos movimentos das polícias nos estados, os Bolsonaros deixaram claro, por suas omissões e meias palavras, que acham natural que pessoas armadas descumpram a Constituição. O ministro da Justiça, Sergio Moro, subestimou a gravidade do que ocorria no Ceará. O general Augusto Heleno soltou imprecações contra o Congresso. Isso foi transformado em vídeo apelativo que exalta o presidente, usa o Hino Nacional e a imagem do Exército para estimular uma manifestação contra o Congresso e os "inimigos" daquele que "quase morreu por nós". Por fim, Bolsonaro dispara essas peças através da rede mais difícil de fiscalizar.

Dias atrás eu conversava com um ministro do governo Bolsonaro e ouvi a seguinte frase: "Mas ele nunca falou de fechar o Congresso." E usava o argumento como quem diz: "Viu como ele é um democrata?" Ora, ora. Os tempos mudaram, a maneira como se fala isso é diferente da última vez que o Congresso foi fechado por militares, em 1977. Agora, acua-se através das redes sociais e de manifestações. Foram atos oficiais convocados pelo coronel Hugo Chávez que encurralaram as instituições na Venezuela. Ele também lembrava a todo momento sua patente, apesar de já ter saído do Exército. O presidente lembra a todo momento que é um capitão. Ele saiu do Exército por mau comportamento há 32 anos. Contando o período de estudante, passou apenas quinze anos lá. Bolsonaro compensa sua frustração militar, de não ter feito uma carreira da qual possa se orgulhar, alimentando o delírio de que comanda as Forças Armadas em uma guerra. E quem é o inimigo? A imprensa, o Congresso, o Supremo. A democracia.

72. ERROS E FATOS QUE EXPLICAM O PIBINHO

5.3.2020

O primeiro ano do governo Bolsonaro foi decepcionante também do ponto de vista da economia. A previsão do PIB em janeiro era de 2,5% e terminou em 1,1%. Houve fatores externos e tormentos internos na essência desse número. O mais relevante agora é que 2020 não será igual ao ano que passou, porque o coronavírus criou uma nova dinâmica nas economias mundial e brasileira. Os economistas olham para 2019 como sendo um passado remoto, porque o presente concentra a atenção e é intensamente incerto.

O PIB *per capita* cresceu apenas 0,3%. O último trimestre, que se esperava fosse ganhar fôlego após a aprovação da reforma da Previdência, cresceu 0,5%. No ano, houve dados um pouco melhores no consumo das famílias (1,8%) e na construção (1,6%). O consumo foi estimulado pela liberação dos recursos do FGTS, mas isso não tem muita duração. O resultado da construção é decorrente da forte queda de juros ao longo dos últimos anos e tem efeito cumulativo. É uma boa notícia, principalmente quando se pensa no contexto de cinco anos consecutivos de queda e de encolhimento do setor em 30%. Porém, o último trimestre da construção foi decepcionante, com queda de 2,5%. O crescimento brasileiro tem sido anêmico e não se sustenta.

É contrafactual tentar saber o que seria esse PIB se o governo não tivesse criado tanto ruído, mas certamente dá para imaginar que uma nova administração sempre consegue aproveitar a lua de mel, as expectativas positivas, e injetar ânimo na economia. Já o presidente Bolsonaro permaneceu em palanque e aprofundando as fraturas de uma eleição polarizada. Criou sucessivos ruídos com o Congresso. Deu sinais assustadores nas áreas ambiental e de direitos humanos.

A reforma da Previdência foi outro momento desperdiçado. A votação chegou a bom termo principalmente pela ação de lideranças políticas como o deputado Rodrigo Maia. Uma vez aprovada, o ganho, contudo, era principalmente do governo, que poderia aproveitar a onda e fortalecer a confiança. Entretanto, de novo o presidente produziu uma sucessão de conflitos, debateu temas que dispersaram a atenção e deixaram o investidor assustado.

Os resultados vieram dentro do esperado, não houve maiores surpresas. A decepção ocorreu ao longo do ano, dissolvendo o otimismo de setores empresariais e de quase todo o mercado financeiro. Houve fatores externos, como a queda do crescimento do comércio mundial pela disputa entre China e Estados Unidos. A tragédia de Brumadinho, em Minas Gerais, atingiu fortemente a indústria extrativa mineral. Ainda assim, o ano passado poderia ter sido de retomada. E não foi. A conta está com o presidente Jair Bolsonaro. Ele herdou uma crise. Mas a economia patinou porque o governo gastou tempo e energia do país com falsos problemas e desgastes evitáveis.

Normalmente os economistas olham o passado para projetar o futuro. Dessa vez não é possível. Em 2020 o mundo entrou em outro clima por causa do surto de coronavírus, que afeta direta e fortemente as cadeias globais de comércio. O Brasil, mais fechado, sofreu um impacto menor, mesmo assim já começou a temporada de revisões para baixo das projeções de crescimento.

O Banco Central deve reduzir mais os juros, na visão de economistas que acompanham o cotidiano da política monetária. Além disso, o câmbio pode ajudar na exportação, mas tudo agora na economia, aqui e em qualquer país, depende da capacidade de resposta dos governos ao desafio epidemiológico. Haverá consequências sobre as cadeias produtivas que dependem de insumos chineses, aqui e em todas as outras economias. E o país vai se ressentir da queda de demanda por *commodities*.

O problema em 2020 é principalmente externo. O Palácio do Planalto ajudaria se não atrapalhasse. Quando o pânico com o vírus ceder, o clima interno terá mais peso. Se continuar sendo de confrontos entre Executivo e Legislativo, como foi agora na crise do Orçamento, de manipulação da opinião pública contra os governadores, como foi no caso do imposto sobre combustíveis, de aumento do desmatamento, como ocorreu no ano passado, e de reformas engavetadas, o ano pode repetir o resultado pífio de 2019.

Sobre o vírus, tudo o que se pode fazer é reagir bem aos desafios sanitários. Sobre o governo, é esperar que em algum momento ele aprenda a se comportar.

73. O PERIGO DA AMBIGUIDADE

7.3.2020

Entre as anomalias deste tempo está a ambiguidade com que o governo Bolsonaro tratou o motim da Polícia Militar no Ceará. O presidente, seus filhos e seus ministros, inclusive os generais — com raras exceções —, não condenaram a ação criminosa dos policiais e usaram o evento para os seus objetivos políticos. O governador Camilo Santana (PT) se comportou de maneira firme, e mesmo depois de tudo resolvido evitou as polêmicas para focar no principal: esse tipo de movimento é crime. E passar mensagens dúbias em relação ao tema é pôr em risco a ordem pública.

É espantoso que um governo que tem tantos oficiais-generais tenha sido leniente com o comportamento delinquente de servidores públicos armados. Se há um valor que as Forças Armadas costumam prezar é a hierarquia. Os amotinados a quebraram. E usaram contra os cidadãos as armas compradas com o dinheiro dos nossos impostos. Com balaclava no rosto, à moda de bandidos, ameaçaram comerciantes e aterrorizaram cidadãos.

O episódio em que ficou mais claro o apoio implícito do governo federal aos amotinados ocorreu quando o coronel Aginaldo Oliveira, comandante da Força Nacional, discursou num palanque, elogiando os insurgentes. Eles teriam sido, nas palavras dele, "gigantes" e "corajosos". "Os senhores se agigantaram de uma forma que não tem tamanho", disse ele. "Demonstraram isso ao longo dos dez, onze, doze dias que estão aqui dentro desse quartel, em busca de melhoria da classe, e vão conseguir. Os covardes nunca tentam, os fracos ficam pelo meio do caminho, só os fortes conseguem atingir seus objetivos." Era um sinal para policiais de outros estados fazerem o mesmo em busca de seus "objetivos".

O mais impressionante não foi o que o coronel disse, e sim o mutismo dos seus superiores. Um eloquente silêncio, como o do ministro da Justiça, Sergio Moro. Semanas antes, Moro fora padrinho no casamento do coronel com a deputada Carla Zambelli (PSL-SP) e, no discurso da cerimônia, usou para definir a noiva uma palavra considerada elogiosa: "caveira". No caso do Ceará, Moro escondeu-se no silêncio. Em outros momentos foi loquaz.

No Twitter ele politizou o caso afirmando que "a crise no Ceará só foi resolvida pela ação do governo federal, Forças Armadas e Força Nacional, que protegeram a população e garantiram a segurança". É falso. O governador Camilo Santana foi bem mais equilibrado. Reconheceu, em entrevista à Central GloboNews, o papel do governo federal, mas afirmou que o governo estadual foi fundamental para debelar a crise e criar os parâmetros para além das fronteiras do Ceará. Santana mandou uma Proposta de Emenda à Constituição do estado proibindo a concessão de anistia a policiais amotinados. A PEC já foi aprovada com um adendo feito pelos parlamentares: a própria assembleia de policiais fica proibida de analisar aumentos de salários por seis meses após um motim. Se o governador cedesse, o problema se espalharia por outros estados. A tibieza do governo federal tem um motivo conhecido: Bolsonaro fez sua carreira política apoiando motins de policiais. Ele próprio saiu do Exército num caso de insubordinação.

O senador Cid Gomes (PDT-CE) tentou entrar com uma retroescavadeira em um quartel de amotinados. O governo aproveitou esse ataque de insensatez para fazer política. O governador Camilo Santana, por sua vez, não quis criticar o senador porque é seu aliado, então disse que ele estava demonstrando indignação. Há muitas formas de demonstrar esse sentimento. Esta não é uma delas. Fato é que hoje Cid Gomes carrega duas balas no corpo. O deputado Eduardo Bolsonaro protocolou denúncia na Procuradoria-Geral da República contra Cid Gomes por "tentativa de homicídio" e "dano ao patrimônio público". Não houve a mesma preocupação de criticar os amotinados ou quem atirou contra o senador, nem por parte do deputado, nem por parte de integrantes da cúpula do governo.

Moro conseguiu a proeza de dar um nó num princípio jurídico. Afirmou que a "paralisação" era ilegal, mas os policiais não podiam ser tratados como criminosos. Para o ex-juiz, descumprir a lei deixou de ser crime. Aliás, é a Lei maior, a própria Constituição, que proíbe greve de militares. Por isso a definição correta não é "paralisação", palavra que o ministro usou, e sim "motim".

74. O PONTO EM QUE AS CRISES SE ENCONTRAM

13.3.2020

Há um ponto em que as crises se encontram e se parecem. Esta agora é diferente na origem: um vírus que se espalha de forma assustadora, podendo atingir uma dimensão desconhecida. A partir daí começam as semelhanças. Atividade econômica suspensa produz PIB menor. O mundo perderá crescimento e poderá entrar em recessão. Mudanças bruscas no valor dos ativos produzem inúmeras consequências, principalmente se apanham o país num contrapé, que é o nosso caso. Quando a bolsa cai fortemente, isso leva à perda de riqueza que afeta a todos, principalmente os pequenos investidores.

Esta tem sido uma semana devastadora. Ontem o dia foi de quedas tão brutais nas bolsas que os analistas pararam de comparar a situação com 2008 e passaram a relacioná-la ao colapso da bolsa em 1987, que ficou conhecido como Black Monday. No Brasil, um rápido balanço mostra o seguinte: desde o início do ano, a perda de valor de mercado chega a R$ 1,5 trilhão, segundo cálculos da consultoria Economática. Somente ontem houve recuo de R$ 489 bilhões, a maior perda diária da história da bolsa brasileira. A Petrobras já perdeu R$ 240 bilhões em valor no ano. O índice Ibovespa recuou aos 72.582 pontos e voltou ao patamar de junho de 2018.

Como nunca houve tanta pessoa física na bolsa brasileira e como os estrangeiros saíram nos últimos meses, essa perda de valor afeta diretamente a economia real. O investidor que vê uma desvalorização brusca de seus ativos ficará retraído para tudo o mais, do consumo ao crédito a investimentos com qualquer nível de risco. Assim vão se formando os canais pelos quais a oscilação das ações afeta a tomada de decisão e a economia real.

O economista Márcio Garcia, da PUC do Rio, diz que o problema é haver uma dinâmica que contamina setores e se espalha pelos países, como o próprio vírus:

— O que tem que impedir é esse círculo vicioso. Esse é o maior risco e é aí que os governos têm que atuar. Para que uma crise temporária não tenha efeitos permanentes. Empresas podem começar a quebrar por falta de caixa e receita. E aí não paga o banco; o banco também quebra ou atrasa pagamentos. Isso aí vira uma crise grande por conta de algo que poderia ter sido temporário.

Esse é o temor em relação aos Estados Unidos, porque, como disse o economista José Roberto Mendonça de Barros, há muitas empresas alavancadas. Com o dinheiro barato elas se endividaram por nenhuma razão importante, às vezes para comprar as próprias ações. Agora elas perderam valor. Garcia explica:

— Quando os preços se movem muito rapidamente acontecem dinâmicas muito perversas que têm a ver com a forma como o mercado financeiro funciona. Quem está muito alavancado perde muito.

O *Financial Times* contou um exemplo: uma rede de hotéis em Nashville, Ryman, que teve em uma semana 77 mil cancelamentos de quartos/noite deixou de faturar US$ 40 milhões. Sua dívida foi colocada em observação para rebaixamento pela S&P. Milhões de eventos como esse estão acontecendo no mundo e também no Brasil, onde o pisca-alerta só agora começa a ser ligado. O presidente Bolsonaro dizia que esse surto era uma fantasia propagada pela imprensa.

O que fazer diante disso? A equipe econômica montou um gabinete de crise e apresentou algumas medidas tímidas na área, como antecipação de décimo terceiro salário de beneficiários do INSS e suspensão de provas de vida por 120 dias. Até então, só se falava em aprovação de reformas, o que não resolve, até porque o Congresso pode entrar em recesso. Há algumas boas propostas paradas, outras ainda não chegaram, outras são ruins. O que é preciso é ter ações emergenciais precisas que interrompam a espiral de queda. Mas isso dentro da realidade brasileira, um país com limitações fiscais.

Márcio Garcia sugere coisas práticas como a de que o Banco Central anuncie — como fizeram Ilan Goldfajn e Alexandre Tombini em duas crises que administraram — um volume de recursos a ser usado para diminuir a volatilidade do dólar. Isso seria melhor do que comunicar um valor a cada dia. Sugeriu que o Tesouro recompre títulos, coisa que o Tesouro anunciou logo depois. O governo precisa sair é da receita monocórdica e explicar com que medidas pretende mitigar a crise.

Mas se o presidente da República entender, enfim, qual é o papel de um presidente da República numa crise já será um grande alívio. Pelo pronunciamento dele ontem, em rede nacional, não foi desta vez.

15.3.2020

A DEMO-CRACIA NA ARMA-DILHA

A democracia brasileira está numa armadilha. Autoridades de outros Poderes tentam manter o decoro diante de um presidente que as afronta e, dessa forma, se enfraquecem. Mais fracas ficariam se imitassem o destempero presidencial. Os governadores reagem aos ataques de Bolsonaro com cartas conjuntas, mas o sentido delas não chega à população. A imprensa segue a pauta aleatória jogada sobre ela a cada manhã de desatino do mandatário. Os ministros têm medo do presidente e só ganham prestígio os que imitam o estilo do chefe.

Os eventos se repetem. Os ministros do TSE reagiram em nota contra a acusação do presidente de que houve fraude na eleição de 2018. A ministra Rosa Weber superou a alergia que tem a entrevistas e falou com os jornalistas. Isso é suficiente? Não. Se algum cidadão sabe de um crime, tem que comunicá-lo ao Ministério Público. Bolsonaro disse: "Minha campanha, eu acredito que, pelas provas que eu tenho em mãos, que vou mostrar brevemente, eu fui eleito no primeiro turno, mas no meu entender teve fraude. E nós temos não apenas palavras, nós temos comprovado, brevemente eu quero mostrar, porque nós precisamos aprovar no Brasil um sistema seguro de apuração de votos. Caso contrário, passível de manipulação e de fraudes."

Ficou claro, apesar da costumeira oscilação. Ele disse que tem provas. E depois afirmou que, "no seu entender, houve". Horas depois, desconversou: "Eu quero que você me ache um brasileiro que confia no sistema eleitoral."

Essa é uma das artimanhas que Bolsonaro usa. Para agitar os seguidores virtuais e alimentar os *bots*, ele joga uma isca: "Houve fraude." Para as instituições, diz que "confia no sistema eleitoral". E as autoridades respondem com uma nota formal: "Eleições sem fraudes foram uma conquista da democracia" e há "absoluta confiabilidade do sistema." A resposta foi divulgada, mas o tom é fraco e incapaz de neutralizar o efeito do vírus da dúvida que o presidente quis, deliberadamente, espalhar.

O procurador-geral da República, Augusto Aras, formulou uma resposta para agradar a todos. Disse que não recebeu qualquer prova de fraude, no entanto defendeu a "implantação da caixa coletora do voto impresso".

O assunto atravessou um céu cheio de nuvens carregadas por crises externas, incompetência do governo em diversas áreas, PIB estagnado, indícios de relação da família presidencial com a fábrica de *fake news* e conflitos criados pelo governo com o Congresso. O assunto da suposta fraude eleitoral surgiu assim extemporâneo porque era uma manobra do presidente para criar outro centro de atenção. Ele quis também se colocar como vítima de uma suposta conspiração e, dessa forma, enfraquecer a confiança no voto.

No episódio da briga de Bolsonaro com os governadores, seu truque funcionou. Ele declarou que poderia retirar os impostos federais sobre os combustíveis. Não poderia. São R$ 30 bilhões em um cofre exaurido. Ainda assim desafiou os governadores, dizendo que retiraria se eles também tirassem os seus. Repetiu isso em todos os canais de divulgação que usa e por vários dias. A equipe econômica ficou muda, apesar de, nos bastidores, admitir que seria impossível abrir mão dessa receita. Grande parte da população acredita que ele só não reduziu os preços porque os governadores não deixaram.

Na crise do Orçamento, a manobra foi tortuosa. O Executivo fez um acordo verbal com os líderes do Parlamento, o general Heleno acusou o Congresso de chantagem, houve a crise, entraram os bombeiros, foi formalizado o acordo nos moldes que havia sido negociado. O presidente garantiu que não fez o acordo que, de fato, fez. Tudo isso tendo como pano de fundo uma manifestação contra o Congresso estimulada pelo presidente e financiada por seus amigos empresários.

Na quinta-feira (12), com a manifestação murchando, ele foi à TV em cadeia nacional. Era para falar sobre a pandemia gerada pela disseminação do coronavírus, mas a esse tema Bolsonaro dedicou apenas 82 palavras. Depois, disse que a recomendação das autoridades é evitar grandes concentrações. A partir daí, dedicou 120 palavras à defesa da manifestação, apesar de pedir que ela fosse "repensada". Em outra transmissão disse que o "recado", ou seja, a manifestação, havia sido dado ao Congresso. Nas democracias, o povo é livre para ocupar a rua. Mas governos não estimulam atos contra outros Poderes.

As instituições olham as leis, seguem os rituais, respeitam o decoro. Bolsonaro pisoteia onde bem entende. E a democracia brasileira vai caindo na armadilha.

76. AÇÃO ATRASADA E INSUFICIENTE

19.3.2020

O governo está atrasado e sendo insuficiente no combate ao efeito econômico da crise na saúde. A direção está certa, mas a qualidade da resposta, tanto à pandemia quanto à economia, depende de rapidez. E ainda se perde tempo. Há milhões de informais fora do Cadastro Único e eles precisarão estar na rede de proteção social. O programa anunciado ontem em coletiva pelo ministro Paulo Guedes, da Economia, pegará só uma parte. É bom que se tenha tomado essa decisão e que seja feita uma previsão de R$ 5 bilhões por mês ao longo de três meses. As parcelas serão de R$ 200. Será necessário mais e por mais tempo. A queda da taxa de juros também foi vista como fraca diante do tamanho do problema. O decreto de calamidade tem vigência até o dia 31 de dezembro porque este ano já está perdido. A economia entrará em recessão e o déficit do primário será muito maior do que a meta. À noite, a Câmara aprovou o estado de calamidade pública.

Aquela coletiva ontem com o presidente e oito ministros era para, enfim, o governo brasileiro falar a mesma linguagem que o país e mostrar que entendeu a gravidade da crise. E, de novo, foi uma comunicação errada. O presidente Jair Bolsonaro estava mais preocupado com suas implicâncias pessoais e passou mensagens dúbias sobre a gravidade do vírus. Mesmo com máscara e dois ministros infectados, ele insistia em usar a palavra "histeria" para a preocupação com os acontecimentos. Sem falar na compulsiva distorção dos fatos recentes. Bolsonaro parece que, a cada dia, esquece o que fez e disse no dia anterior.

O ministro Paulo Guedes deu apenas uma informação nova: a confirmação de que haverá um programa para os trabalhadores informais. O problema é como encontrá-los. O pesquisador do Ipea Marcelo Medeiros, especialista em combate à pobreza, diz que será um grande desafio cobrir todos os que precisarão de ajuda:

— O Cadastro Único pega as pessoas que vivem com até meio salário mínimo *per capita*. Tem 70 milhões de pessoas. Dessas, 41 milhões estão no Bolsa Família. Então, o primeiro a fazer é zerar a fila de entrada, que já deveria ter sido zerada. O programa Bolsa Família não é de erradicação da pobreza, é de alívio. Cobre 20% da população. Trinta milhões estão fora do Bolsa Família, mas dentro do Cadastro. Com o uso do Cadastro, pegam-se os 30% mais pobres da população. Mas a ajuda terá que chegar no pessoal do meio, que vai até os 50% mais pobres, porque são informais e o desemprego vai aumentar.

Será difícil fazer essa transferência e isso se admite dentro do governo. Se fosse apenas para aumentar o Bolsa Família seria automático, mas criar esse programa temporário, atendendo a um novo grupo, será mais difícil. A recessão pode ser mais prolongada do que o governo está imaginando. A economia vai cair e terá poucos mecanismos para retomar o crescimento. O ministro Paulo Guedes está sempre repetindo que o país estava decolando. O Brasil foi apanhado estagnado nessa crise pelo terceiro ano, depois de uma terrível recessão, a de 2015-2016. O socorro pode ter que perdurar.

E isso terá de ser feito em meio a uma queda ainda incalculável da receita deste ano. Para se ter uma ideia, o Orçamento fazia a conta de *royalties* com o petróleo a US$ 58 o barril. O cálculo foi refeito com US$ 52, o que fez cair a previsão de receita em R$ 9 bilhões, mas ontem a *commodity* estava cotada a US$ 22.

O governo vai gastar muito para segurar setores e terá que ter o cuidado de saber quais ajudar e o formato da ajuda. Ontem o ministro Tarcísio Gomes de Freitas, da Infraestrutura, falou que o governo permitirá que as empresas aéreas estabeleçam prazo para a devolução de valores pagos pelos passageiros. O problema é que as empresas cobram valores exorbitantes em qualquer remarcação ou desistência. Para ser justo, é preciso não dar dinheiro com o chapéu alheio e defender também os consumidores das companhias aéreas.

Na entrevista de ontem, até o ministro da Saúde, Luiz Mandetta, que sempre acerta, estava mais preocupado em tecer loas ao "timoneiro". Guedes repetiu uma frase que ofende o Congresso e os fatos: "O presidente tirou R$ 5 bilhões da disputa política e deu para a saúde." Essa transferência foi resultado de uma negociação e ele pode até se informar com seu colega da Saúde, que participou dela. Não foi ato magnânimo de ninguém.

Bolsonaro desafina o tempo todo e demonstra por atos e palavras que não entendeu a dimensão do que está acontecendo, mesmo no dia em que montou o teatro para convencer o país de que ele, afinal, estava agindo.

77. INSANIDADE PRESIDENCIAL

25.3.2020

Foram cinco minutos de delírio, insensatez, irresponsabilidade e desinformação. Ontem, o presidente Jair Bolsonaro fez um pronunciamento cuja única avaliação possível é a de que o país é governado por uma pessoa insana. Bolsonaro defendeu a ideia de que o grupo de risco para a covid-19 é apenas o de 60 anos. Por isso as escolas não devem ser fechadas. Ele não acredita, pelo visto, em contágio. Ontem o Ministério da Saúde repetiu que esta é a maior pandemia do século, e o presidente vangloriou-se afirmando que, por ser um "atleta", só teria um "resfriadinho" se pegasse a doença. O Brasil corre riscos sérios com um presidente assim.

Sua insanidade tem ameaçado o país e atrapalhado a ação do governo. Seus interlocutores comentam que ele repete em privado o que declarou ontem em público. Ele, de fato, não acredita na ciência. As poucas vezes que disse algo razoável foi por cálculo político. Ficou com medo da perda de popularidade. Bolsonaro faz um jogo: imagina que se continuar falando que os governadores é que criam a crise econômica e exterminam o emprego ele salvará seu governo. Inepto e leviano, o presidente se preocupa apenas com a própria popularidade, bloqueia boas iniciativas e dedica-se à sua guerra pessoal contra supostos inimigos.

Como não pode ser isolado, ele contamina a ação governamental, atrasa as medidas necessárias, torna penoso o dia a dia de quem pensa diferente no governo e quer que as medidas sejam tomadas. A parte da máquina que funciona tem tentado. As medidas de socorro aos estados, por exemplo, foram um movimento importante, sólido, mas há muito a fazer em todas as áreas. Do que tem sido anunciado, pouca coisa se materializou. A distribuição de R$ 200 de complemento de renda para quem está em situação de vulnerabilidade não se sabe quando vai virar realidade. Já faz uma semana que o governo anunciou. Ontem governadores procuravam saber como isso tinha andado e nada recebiam de resposta.

Há milhões de brasileiros que não têm dinheiro poupado, porque nunca tiveram sobras em seu orçamento, e enfrentam agora um abrupto colapso da capacidade de geração de renda. A questão social é urgente. São 24 milhões de trabalhadores por conta própria no país, 19 milhões deles na informalidade, porque não possuem CNPJ. Dos 6,3 milhões de trabalhadores domésticos, 4,5 milhões não mantêm qualquer vínculo empregatício. No setor privado, 11 milhões trabalham sem carteira assinada.

A solução não é voltar tudo à "normalidade" a qualquer custo, como propôs Bolsonaro. É ampliar de maneira forte a rede de proteção social e tornar mais eficiente a ação governamental. Isso é central num país com tantas desigualdades como sempre foi o Brasil. Todas as nossas distorções se agravaram na recessão e na estagnação recentes. Estávamos frágeis quando desabou sobre nós a pior crise em décadas.

Ontem, a bolsa subiu, o dólar caiu, os operadores do mercado ficaram mais otimistas. Contudo, nada disso é tendência, nada disso tem a ver com a vida das pessoas vulneráveis no Brasil. Os ativos estão na lógica da volatilidade e refletem o acordo para a aprovação do pacote de estímulo americano. O presidente americano, Donald Trump, já marcou a data para o fim da crise, como se mandasse em curvas epidemiológicas. Basta olhar para os dados de Nova York para saber que o fim ainda demora.

No delírio em que vive o alienado que nos governa, os governadores e os prefeitos que anunciaram restrições de circulação estariam exagerando porque querem derrubar a economia, numa conspiração contra seu governo. Eles estão, na verdade, salvando vidas.

A questão é complexa e delicada. É preciso parar a economia para tentar salvar vidas e ampliar a rede de proteção social para também salvar vidas. Bolsonaro acha que é preciso manter a economia funcionando e tem pressionado, ou agredido, as autoridades dos estados e municípios. O critério que o mundo está adotando é fazer os bloqueios e estudar os casos que, logicamente, são essenciais, no entanto o país deve reduzir a atividade por razões de prudência sanitária.

Há remédio para as dores econômicas. Só não serve a anestesia que vem da negação da gravidade e da extensão da crise sanitária. O governo tem muito a fazer em todas as áreas: do resgate dos socialmente vulneráveis à proteção das empresas e, principalmente, na luta contra a epidemia. Bolsonaro hoje é um obstáculo à ação do Estado brasileiro.

78. O DUPLO RISCO PARA O PAÍS

29.3.2020

Jair Bolsonaro é o pior presidente que poderíamos ter para nos guiar na travessia desta tempestade sem precedentes. Ele sempre foi menor do que a cadeira que ocupa, mas agora revela, em cada ato, palavra e decisão, que conspira contra a saúde da população. Não é uma questão de gostar ou não do governante. A análise objetiva leva à conclusão de que ele hoje, minimizando perdas humanas e econômicas, é um obstáculo a que o país supere a turbulência provocada pela covid-19.

Nas últimas semanas, ocorreram sucessivos episódios completamente desviantes. Bolsonaro açulou manifestação contra o Congresso, foi cumprimentar pessoalmente manifestantes em época de pandemia e que carregavam faixas hostis a lideranças políticas, fez declarações bizarras e mal informadas sobre as medidas de proteção contra a pandemia. Estimulou brasileiros a não seguirem a orientação das autoridades sanitárias e enquadrou o ministro da Saúde, Luiz Henrique Mandetta, que ficou no governo depois de "adaptar suas opiniões", para usar a expressão da ex-ministra Marina Silva. Bolsonaro é o soldado que marcha errado no batalhão dos governantes mundiais. Todos os outros, com maior ou menor rapidez, entenderam que nenhum líder pode pôr em risco a vida de seus concidadãos.

Bolsonaro compreende a questão e os riscos. O problema é que ele não se importa com o perigo que estamos correndo. O centro de suas atenções é ele próprio e seus filhos. Vê em cada sombra um adversário, em cada discordante, um traidor, em cada decisão de outra autoridade, uma conspiração contra o seu poder.

Além dessa mentalidade, o presidente também está fazendo um cálculo político. Acha que quando o coronavírus passar, ficará o gosto amargo da crise e ele poderá jogar todo o peso da recessão sobre os seus adversários políticos. Sobre as vidas perdidas, ele dá uma resposta em português claudicante: "Algumas mortes terão, mas acontece, paciência." Bolsonaro só pensa em reeleição e é capaz de pôr a saúde dos brasileiros em risco para chegar a 2022 com capacidade de renovar seu mandato.

Renovar o mandato para fazer o quê? Bolsonaro não governa, nunca se aprofunda nas decisões a serem tomadas, não tem o gosto de estudar as soluções para os problemas nacionais. Seu pensamento é como a sua fala: sincopado, *non sequitur*, rasteiro. Chances para se tornar uma pessoa mais capaz de entender o país que governa ele teve. Foi de uma das melhores escolas do Exército, passou 28 anos na Câmara, onde há excelentes técnicos sobre qualquer assunto que se queira entender. Não liderou, não foi respeitado, não relatou matéria importante. Passou o tempo parlamentar em agressões aos colegas e à História, em defesas corporativas, em miudezas.

Foi eleito para governar o Brasil e poderia ter entendido qual é o comportamento correto de uma pessoa pública, mas continuou com seu circo de horrores diário. A coleção dos absurdos que tem dito e feito é inesgotável. O país foi se acostumando a ter um presidente com maus modos, foi se acostumando a se perguntar: qual foi a última de Bolsonaro? Várias vezes ele atravessou linhas intransponíveis na democracia. Ele e seus filhos. Um filho, vereador do Rio, senta-se à mesa com ministros e dá ordens no Planalto, para citar um exemplo. Outro filho, o deputado Eduardo Bolsonaro, ofende nosso maior parceiro comercial, a China, o chanceler o defende, e o presidente tem que tentar arrumar a bagunça. O país foi aceitando o inaceitável. Nesta pandemia, no entanto, Bolsonaro tem feito muito mais do que quebrar normas de conduta. Ele hoje representa uma ameaça concreta à saúde pública.

O país está lidando com um inimigo que contamina, sufoca e mata. É da vida de pessoas que se trata. Bolsonaro sistemática e reiteradamente subestima o perigo que nos ronda, quando deveria ser o primeiro a se perguntar o que é possível fazer para proteger ao máximo as pessoas. Quando as instituições não reagem a tantos abusos, a democracia começa a morrer, o que sempre foi, no fundo, o seu projeto maior. Admirador confesso da ditadura e de torturadores, Bolsonaro não acredita, nem respeita, os limites constitucionais. Para ele, são um estorvo. A grande pergunta é o que mais o país aceitará. E quais as cicatrizes que este tempo deixará na democracia brasileira.

79. PELA ECONOMIA, É MELHOR PARAR

1.4.2020

Não há dilema entre economia e combate à pandemia. É o oposto. A economia reduz a atividade e tenta parar exatamente para evitar uma recessão maior. O economista André Médici, do Banco Mundial, especializado em saúde, diz isso com números. A economia mundial pode encolher 4,9% no primeiro semestre, mas se recuperar no segundo e terminar o ano com queda de 1,5%. Se o isolamento for relaxado, haverá mais risco de uma ressurgência do vírus e então o tombo do PIB global será de 4,7%.

Ele elaborou os dados com base nos cenários da McKinsey e Oxford Economic Analysis para este ano. O que vai acontecer, de acordo com essas grandes consultorias, é a economia sofrer um baque forte no primeiro semestre. O que elas dizem é que se houver um isolamento total — das atividades não essenciais, evidentemente — o custo econômico será menor.

— A China terá uma queda de 3,3% no primeiro semestre, mas termina o ano com um ligeiro negativo de 0,4%. Os Estados Unidos caem 8% no primeiro semestre, mas a retomada do segundo semestre permitirá reduzir essa recessão para 2,4%. A Zona do Euro sofre mais. Deve cair 9,5% no primeiro semestre e depois reduzir essa queda para 4,4% — diz o economista.

Só que, em sua visão, isso depende de como as autoridades desses países enfrentarão o desafio da pandemia em si. O que ele acha que dá certo é parar agora ao máximo para reduzir o contágio e, assim, diminuir o risco e a dimensão de uma segunda onda do vírus:

— É preciso o *lockdown* total por um tempo determinado, enquanto se criam mecanismos seguros para o retorno. Isso evitará ou mitigará a ressurgência. Para se ter uma ideia, se errarmos agora e o vírus voltar com força, a recessão na China será de 2,7%. A mesma coisa nos Estados Unidos. A Zona do Euro pode encolher 9,7%, e o mundo, ao todo, 4,7%.

Então, para evitar um desastre maior da economia, é necessário exatamente parar a economia agora:

— Essa é a maior pandemia do século. A última que houve foi a gripe espanhola, que teve um enorme impacto, com 24 a 50 milhões de mortos, 25% dessas mortes na Índia. Aquele era um vírus que atingia principalmente a população em idade de trabalhar. O novo coronavírus é muito contagioso. É por isso que é preciso o *lockdown*. Se a parada for bem-sucedida, a possibilidade de ressurgência será menor, e a economia se recuperará mais rápido.

Ele diz que é preciso pensar em duas coisas enquanto houver o isolamento social dos que puderem parar: a garantia do apoio econômico aos trabalhadores que ficam sem renda, para sustentar o isolamento, e a estratégia para a volta segura ao trabalho. Médici conta que, em Nova York, o governador permitiu a continuidade dos trabalhos de construção de casas populares. Os trabalhadores, porém, não se sentiam seguros. Eles usavam máscaras, luvas, toda a roupa de segurança, mas a dúvida é se no banheiro ou no refeitório poderiam se contaminar. As empresas então contrataram mais funcionários para o serviço de higienização e as obras puderam prosseguir.

— Vamos ter que entender o comportamento do vírus e, ao mesmo tempo, saber que tipo de proteção será possível para o negócio continuar. E as atividades com mais riscos, pelo nível de contato entre as pessoas, não poderão ser feitas. O *lockdown* é necessário, mas é preciso pensar as saídas. Neste momento, o *lockdown* é fundamental pelo nível de ignorância que nós temos sobre a doença. As informações vão avançar rapidamente. Há empresas pensando em medicamentos biológicos e em vacina — explica.

Ele diz que dois países o preocupam particularmente. A Índia, pelo número grande de pessoas em cada casa, e o Brasil, pelos sinais contraditórios dados pelo próprio governo sobre como isso será enfrentado. Ele tira o chapéu para o ministro da Saúde, Luiz Henrique Mandetta, no entanto lamenta o clima belicoso criado pelo presidente.

Para Médici, a vantagem do Brasil é ter o SUS, e ele recomenda aumento forte dos gastos no sistema. Em 2006, a OMS determinou que os países se preparassem para emergências sanitárias. E foram criados vários indicadores de avaliação. O SUS pesou a favor do Brasil.

— O Brasil é o melhor da América Latina. Está melhor que o Chile, por exemplo. Mas nenhum país do mundo está 100% preparado. O que estamos vendo, na prática, é que a maioria dos países não tem capacidade de resposta — resume.

A travessia é perigosa, as escolhas, complexas. E o presidente cada dia inventa uma briga. Ontem, resolveu distorcer o sentido das palavras do diretor-geral da OMS.

80. O PRESIDENTE PERDE PODERES

5.4.2020

O presidente Bolsonaro está perdido em seu labirinto, como demonstra explicitamente nos atos do dia a dia. A última semana foi um bom exemplo. No domingo (29/3), ele foi às ruas estimular as pessoas a desobedecerem às orientações das autoridades de saúde. Na terça-feira, o conselho de governo, em longa reunião, conseguiu polir o pronunciamento que ele faria à noite. Amanheceu, no dia seguinte, disposto a derrubar a obra dos seus conselheiros e postou vídeo falso em que se dizia haver desabastecimento na Ceasa de Minas. Na quinta, falou em demitir o ministro da Saúde, cujo trabalho tem alta aprovação popular. Várias vezes atacou governadores e, claro, culpou a imprensa por tudo. O presidente é um elemento perturbador em meio a uma crise devastadora.

Desde o início desta crise, Bolsonaro piorou. No episódio em que estimulou manifestações contra o Congresso, no domingo 15 de março, o presidente foi aconselhado por várias pessoas do governo a não fazer isso, principalmente porque o surto do coronavírus estava entrando numa espiral ascendente. A uma das pessoas mais fiéis a ele no governo, e que sugeriu que o presidente desmobilizasse o ato, Bolsonaro deu uma resposta que revela bem o delírio persecutório em que vive mergulhado: "Eu só tenho as ruas, a mídia quer me derrubar, o Rodrigo [Maia] quer me derrubar, o [João] Doria quer me derrubar.

Eu não posso dizer para as ruas: vão pra casa. Eu preciso das ruas. Eu não estou estimulando, mas eles estão lá e eu abraço eles."

O Brasil estava entrando em período de grande padecimento e o que ocupava a cabeça do presidente era a ideia fixa de que todos são contra ele. E nem vê que as ruas estão se esvaziando. Ninguém é dono da rua, porque ela muda de lado.

Bolsonaro se perde nas brigas laterais ou nos conflitos que inventa. Naquele primeiro pronunciamento em que disse que a covid-19 era uma "gripezinha", foi muito aconselhado dentro do Palácio a mudar o tom. Preferiu ouvir o grupo da milícia digital que tem sua sede dentro do próprio Palácio. E não apenas falou o que quis, como continuou nas declarações rápidas, demonstrando até falta de empatia humana, ao tratar com desprezo as mortes ocorridas — e por acontecer — em decorrência da pandemia.

O pronunciamento da última terça-feira (31/3) parecia uma mudança de rumo, mas o que houve de bom naquela fala foi enxertado por seus ministros. O objetivo de ir à TV, que ele revelou à sua claque na porta do Palácio, era disseminar a tese falsa de que o diretor-geral da OMS, Tedros Adhanom, defendia a volta ao trabalho. Corrigido no mesmo dia pelo próprio Adhanom, que havia apenas manifestado preocupação com as pessoas que precisam trabalhar, e contido no conselho de governo, Bolsonaro mesmo assim usou indevidamente as declarações do diretor-geral da OMS.

Seu comportamento irresponsável diante da crise o deixa isolado e o torna periférico em seu próprio governo. Ele se consome de ciúme dos subordinados que brilham. Mas até as decisões que toma para impor limites ao seu ministério, como mudar o formato do *briefing* diário da Saúde, está tendo efeito bumerangue. A cada dia veem-se mais ministros afirmando o oposto do que o presidente diz. O ministro-chefe da Secretaria de Governo, general Eduardo Ramos, na sexta-feira agradeceu à imprensa e ao Congresso e disse que tem falado com os estados; o ministro Mandetta, da Saúde, várias vezes reforçou a orientação dos governadores; a ministra da Agricultura, Tereza Cristina, desmentiu que houvesse risco de desabastecimento.

O Congresso, os economistas, a imprensa, os médicos, os infectologistas, os governadores e os prefeitos empurraram o Executivo na direção certa da ampliação da rede de proteção social aos mais vulneráveis, do aumento dos gastos com saúde. E agora a sociedade cobra prazos de execução das medidas, principalmente quanto ao socorro a quem mais precisa. As ameaças do presidente de determinar a volta ao trabalho estão sendo contidas pelos alertas da Justiça. Se ele baixar uma ordem de volta à atividade, o Supremo impedirá. E isso com base no direito à saúde consagrado na Constituição e no princípio de que saúde pública é atribuição compartilhada entre União, estados e municípios. O país vai se governando. Ao presidente, restam o teatro na porta do Alvorada, para uma claque cada vez mais reduzida, e os robôs controlados pelo filho 02.

O bonito da democracia é isto: ela encontra seu caminho mesmo nas piores situações, como a que vivemos.

81. OS TRINTA DIAS QUE ABALARAM O BRASIL

11.4.2020

Quando o Brasil atravessou, ontem, a fronteira dos mil mortos por covid-19, o presidente Jair Bolsonaro saiu para passear novamente. Foi a uma padaria, a uma farmácia, passou pelo Hospital das Forças Armadas onde, debochando dos jornalistas, disse que foi fazer "teste de gravidez". Ele é coerente. Tem tratado a pandemia com a displicência de sempre. Seus atos e palavras nos últimos trinta dias mostram a constância da mensagem contra o isolamento social e as recomendações das autoridades de saúde.

No dia 10 de março, na viagem aos Estados Unidos para falar a uma plateia de empresários, Bolsonaro declarou que "a questão do coronavírus não é isso tudo que a grande mídia propaga" e que muito é "fantasia". Na volta, descobriu-se que em sua comitiva havia 23 infectados. No domingo, dia 15, ele foi à manifestação contra o Congresso e o Supremo, cumprimentou inúmeros manifestantes, desprezando os cuidados para prevenir o contágio. O comportamento mostrava desprezo às orientações médicas e o ato era um ataque à democracia. Ele compartilhou vídeos de manifestantes de várias partes do Brasil exibindo faixas que não deixavam dúvidas sobre a natureza antidemocrática das mensagens.

No dia 17, houve a primeira morte confirmada por coronavírus no país. Rio de Janeiro e São Paulo decretaram emergência. E ele: "A economia estava indo bem, mas esse vírus trouxe alguma histeria. Existem alguns governadores que estão tomando medidas que vão prejudicar nossa economia." No dia seguinte, disse que não haveria colapso na saúde e chamou o governador João Doria de "lunático". Defendeu a cloroquina, que deveria, segundo prescreveu, ser distribuída a todos os infectados.

Depois, em um pronunciamento no dia 19, pediu o fim do confinamento, acusou governadores de histeria, pediu a volta das aulas, porque "raros são os casos fatais de pessoas sãs com menos de 40 anos", e completou: "Pelo meu histórico de atleta, caso eu fosse infectado pelo vírus, não precisaria me preocupar, nada sentiria ou seria acometido de uma gripezinha, um resfriadinho." Uma fala reveladora de que ele não pensa no que pode acontecer ao país, mas apenas a ele mesmo.

Bolsonaro mostrou neste um mês — do dia 10 de março ao dia 10 de abril —, várias vezes, desprezo pela vida humana. No dia 26, ao chegar ao Alvorada, debochou: "O brasileiro tem que ser estudado, ele não pega nada. Você vê o cara pulando em esgoto ali, sai, mergulha, tá certo?" No dia seguinte afirmou: "Algumas mortes terão, paciência." E, depois, em entrevista ao apresentador José Luiz Datena: "Alguns vão morrer? Vão, ué. Essa é a vida." Em seguida, no dia 30, no mesmo trôpego linguajar: "Vocês acham que gente morrerão? Vai morrer gente."

No dia 31, ele voltou à televisão para outro pronunciamento e alguns se iludiram com uma suposta mudança de tom. Houve, aqui e ali, alguma frase que refletia a realidade, como a de que "esse é o maior desafio da nossa geração". Foram trechos inseridos pelos conselheiros militares do presidente, que passaram o dia tentando salvar o pronunciamento que, pela manhã, ele prometera fazer. Seu objetivo era distorcer as palavras do diretor-geral da OMS.

No dia 1º de abril, em mais um ato da sua campanha de acusar os governadores pela crise econômica, ele postou aquele vídeo que transmitia uma informação falsa de desabastecimento na Ceasa de Belo Horizonte. No mesmo dia, comparou o coronavírus à chuva. "Você vai se molhar, mas não vai morrer afogado."

Depois de tantas palavras de menosprezo à vida, é difícil acreditar na sinceridade do que ele disse em novo pronunciamento esta semana, quando se solidarizou com as famílias das vítimas. Na verdade, o objetivo era defender a cloroquina, usando o argumento de que o médico Roberto Kalil, diretor-geral do Centro de Cardiologia do Hospital Sírio-Libanês, a usara.

Durante todo esse mês, ele "fritou" em público o ministro da Saúde, Luiz Henrique Mandetta, desautorizando diariamente tudo o que ele recomenda e todos os alertas que faz. Neste mês em que o Brasil entrou em espiral de infectados e mortos e se assusta com a dimensão ainda desconhecida da pandemia, tudo o que o presidente da República fez foi brigar com governadores, minar seu ministro, ficar de picuinhas, receitar remédio duvidoso. Na crise, Bolsonaro provou que não sabe exercer o cargo de presidente da República.

82. ERROS E ACERTOS NO ESPELHO DA HISTÓRIA

12.4.2020

O que fizemos de certo como país e o que não fizemos aparecem agora diante de nós. O coronavírus trouxe um enorme espelho onde vemos com lucidez aguda os acertos e os erros. A democracia criou o SUS, formulou programas de transferência de renda e fez um cadastro dos mais pobres. Essa é a base para o trabalho de proteção dos brasileiros. A desigualdade, a falta de moradia decente, os esgotos não tratados e a má distribuição da água ameaçam transformar esta pandemia numa enorme tragédia social. E são os pobres e os negros os mais ameaçados. Como sempre.

O Brasil tem feito a si mesmo perguntas profundas neste tempo extremo. Uma delas é: onde estão os invisíveis? O país sempre conviveu com um fosso social imenso que separa os incluídos dos excluídos. Os com e os sem. No mercado de trabalho, sempre houve os com carteira e os sem carteira. Dentro e fora das leis trabalhistas. Os sem carteira se dividem em vários grupos: trabalhadores informais, os que trabalham por conta própria, os empregadores sem CNPJ, os desempregados, os desalentados, os nem-nem, os subutilizados. É uma multidão. São, evitando dupla contagem, 64,8 milhões. É a soma de toda a população da Argentina, de Portugal e da Áustria. Esses brasileiros, de alguma forma, iam vivendo e gerando a própria renda. O choque de realidade que a pandemia provocou os trouxe para a cena principal. Quem são, onde estão, como fazer um caminho para lhes entregar os recursos públicos? Dúvidas do tempo presente.

Tudo o que foi feito nos governos democráticos, nestes últimos 35 anos, ajuda muito. É o que temos. Não é suficiente. O governo Sarney começou com o programa do leite, evoluiu para cestas básicas. Betinho avisou que a fome de outro brasileiro era inaceitável e nos ensinou a solidariedade. Cidades testaram a transferência de renda vinculada à presença da criança na escola, o Bolsa Escola. Para isso, foi necessário fazer a ficha dos beneficiários. Campinas, Distrito Federal, Belo Horizonte passaram a criar cadastros. Outras cidades fizeram o mesmo. Depois veio o Bolsa Escola Federal, no governo Fernando Henrique, que fez o primeiro cadastro geral. Em seguida, o Bolsa Família, no governo Lula, que unificou programas federais, ampliou a transferência e incluiu mais brasileiros no que se chamou de Cadastro Único. É incompleto, mas é a base que está sendo usada agora no auxílio emergencial.

Para ampliá-lo, o governo pede, em meio a essa crise, que estejam todos, até as crianças, com os seus CPFs em dia. Essa exigência coloca os pobres em risco de vida. A mãe ou o pai de família precisam ir até um órgão público e aglomerar-se para registrar aquele pequeno ser humano como contribuinte. Pronto. Se é um pagador de impostos, então ele passou a existir. Essa exigência seria apenas surreal, não fosse desumana. Na fila, eles podem se infectar. A burocracia estatal, um dos nossos defeitos mais velhos, de novo coloca pedras no caminho.

Derrubar a superinflação indexada deixada pelo regime militar, e que virou hiperinflação, foi uma saga que consumiu dez anos de esforços. O real permitiu que mais brasileiros tivessem acesso a bens de consumo. A privatização produziu uma enorme inclusão no mundo da telecomunicação. Hoje, é com esses celulares em mãos que os pobres estão tentando inscrever-se no auxílio emergencial. Na venda das teles, criou-se um fundo cujo dinheiro deveria ter sido usado para informatizar todas as escolas públicas e universalizar a banda larga. É o Fust, Fundo de Universalização dos Serviços de Telecomunicação. Arrecada R$ 1 bilhão por ano e tem R$ 20 bilhões em caixa. O governo acaba de decretar o seu fim. Se a tarefa do Fust tivesse sido executada, seria possível hoje ter todas as crianças na escola, ainda que remotamente.

Fizemos casas para os pobres e nem de longe foi suficiente. Nas favelas o risco é aterrorizante. O serviço de água tratada é irregular. Como lavar as mãos? Nas moradias não há espaço. Como isolar algum eventual infectado? As falhas na política habitacional e no planejamento urbano cobram a conta. O SUS espalhou-se pelo país e com todas as suas falhas é a melhor rede que temos para acolher os brasileiros.

O que fizemos de certo nos 35 anos de democracia nos ajudará nesta emergência humanitária. O que deixamos de fazer cobrará uma conta alta demais. Que a dor desta travessia nos ensine.

83. BOLSONARO EM DIA DE MÚLTIPLOS ERROS

17.4.2020

O presidente Jair Bolsonaro dobrou ontem a aposta na estratégia de jogar a culpa da crise econômica e do desemprego nos governadores. Ele acredita que as dores econômicas serão mais fortes que as da pandemia e derrubarão o apoio aos seus possíveis adversários em 2022. Bolsonaro não tem um minuto sequer de grandeza, um traço mínimo de estadista. Ele governa por picuinhas, joga sempre no conflito e, mesmo no doloroso ano de 2020, sua única obsessão é 2022. Ontem foi um dia emblemático da exibição dos muitos defeitos de Jair Bolsonaro.

Ele tirou Luiz Henrique Mandetta do Ministério da Saúde porque teve ciúme do seu desempenho. Escolheu outro que fosse capaz de dizer que está completamente alinhado com ele. É espantoso, porque o presidente tem defendido ideias temerárias e sem qualquer apoio da comunidade científica. Bolsonaro acusou governadores e prefeitos de não respeitarem as liberdades democráticas. E lembrou que é o único que tem poderes para decretar estado de sítio e estado de defesa. No fim do dia, atacou fortemente o presidente da Câmara, Rodrigo Maia (DEM-RJ). O deputado reagiu dizendo que era um truque de Bolsonaro "para mudar a pauta negativa". Na economia, fez as confusões de sempre: "E agora tem esse problema aí do ICMS. Quem vai pagar a conta? O Jair Bolsonaro ou a população como um todo?

Já está em mais de R$ 600 bilhões o custo até agora. Pode chegar a R$ 1 trilhão. O Brasil suporta?"

Se ele está se referindo ao que a sua equipe econômica se recusa a transferir aos estados para compensar a queda do ICMS, o valor é R$ 80 bilhões. Ele faz confusão para jogar antecipadamente a conta das inevitáveis amarguras sobre seus supostos adversários políticos. "Em nenhum momento eu fui consultado sobre medidas adotadas por grande parte dos governadores e prefeitos. Eles sabiam o que estavam fazendo. O preço vai ser alto. Se porventura exageraram, não botem essa conta, não no governo federal, mais essa conta no sofrido povo brasileiro", disse.

O tom populista apareceu em suas várias falas, a oficial, em que pareceu acuado; a improvisada, na porta do Palácio; e na transmissão pela internet: "As pessoas mais humildes sentiram primeiro o problema, essas não podem ficar em casa por muito tempo. O governo federal não abandonou em momento algum os mais necessitados."

A verdade é que o auxílio emergencial foi aceito com relutância pelo governo e o valor do benefício foi elevado pelo Congresso. A implementação está sendo um desastre. Filas enormes se formam na Receita Federal ou na Caixa. São os pobres, sob o risco de se infectarem, se aglomerando para superar a burocracia e a ineficiência do governo e receber aquilo a que têm direito.

O governo Bolsonaro tem tentado opor a Câmara ao Senado, mas ontem os uniu. Os presidentes das duas Casas, Rodrigo Maia e Davi Alcolumbre, assinaram uma nota conjunta em que chamam o ex-ministro Mandetta de "guerreiro" e dizem esperar que ele não tenha sido demitido "com o intuito de [o governo federal] insistir numa postura que prejudica a necessidade do distanciamento social e estimula um falso conflito entre saúde e economia".

Bolsonaro falou ontem diversas vezes que é preciso encerrar o distanciamento social. Contou até que desistiu do decreto impondo a reabertura das atividades econômicas porque haveria oposição, mas que prepara um projeto para definir o que são as profissões essenciais. É ele tentando contornar a decisão do STF de que os estados têm o direito de tomar as decisões que tomaram.

E o novo ministro da Saúde, Nelson Teich? Ele teve uma primeira fala confusa. Defendeu uma coisa e o seu contrário, e depois coisa nenhuma. "Como a gente tem pouca informação, como é tudo muito confuso, a gente começa a tratar a ideia como se fosse fato e começa a trabalhar cada decisão como se fosse um tudo ou nada e não é nada disso."

Essa confusão do novo ministro era para tentar conciliar a sua fala de que é preciso ser científico e técnico e, ao mesmo tempo, dizer-se em "alinhamento completo" com o presidente. O primeiro passo para esse alinhamento é o presidente aprender que seu novo ministro da Saúde se chama Nelson e não Rubens. Bolsonaro trocou o nome duas vezes. Esse foi o menor dos erros do presidente ontem.

84. O RISCO BOLSONARO SOBRE A DEMOCRACIA

21.4.2020

O presidente Bolsonaro tentou consertar ontem o que havia feito na véspera, como é de seu estilo. Mas, ao fazer isso, mostrou de novo que de democracia ele não entende. "A Constituição sou eu." Não é não. A Lei Maior está sobre todos nós e a ela todos devemos respeito, inclusive o presidente. O ato ao qual ele compareceu no domingo (19) pedia, na prática, em cartazes e palavras de ordem, o fim da Constituição como pactuada entre os brasileiros em 1988.

Domingo era Dia do Exército e o presidente Bolsonaro foi a uma manifestação em frente ao Quartel-General do Exército. Manifestantes carregavam faixas pedindo "intervenção militar com Bolsonaro", um novo AI-5 e o fechamento do Congresso e do Supremo. Em discurso durante o ato, Bolsonaro afirmou: "Eu estou aqui porque acredito em vocês." Disse que havia "acabado a era da patifaria" e que ele não iria "negociar nada".

As Forças Armadas ficaram em silêncio durante um dia inteiro. No começo da noite, o Ministério da Defesa declarou em nota que as Forças Armadas trabalham "com o propósito de manter a paz e a estabilidade" e que são obedientes à Constituição. Em seguida, a declaração passou a tratar do assunto que deveria concentrar todas as atenções de Bolsonaro: a pandemia, para a qual "nenhum país estava preparado".

Eu ouvi dois generais que participam do governo. Um deles garantiu que o Estado democrático de direito é o pilar desta geração que está agora no comando das Forças Armadas:

— Não existe a mínima possibilidade de aventuras golpistas.

Esse integrante do governo avalia que o único reparo a fazer ao presidente é o local em que o ato foi realizado.

— Foi ruim o local, nada além disso.

O outro general afirmou que Bolsonaro não é militar, é "um ex-militar que virou político", e completou que tem absoluta certeza de que as "Forças Armadas não se prestam a aventuras".

O problema é que há muita ambiguidade. A ordem do dia 31 de março exaltou o golpe, dizendo que ele foi feito em 1964 para defender a democracia. O presidente usa símbolos do Exército — o dia, o local — para passar a mensagem de que o pedido de intervenção militar tem respaldo do comando. Portanto, era hora mesmo de as Forças Armadas se posicionarem oficialmente sobre o seu compromisso com a ordem democrática.

Ontem Bolsonaro se fez de desentendido. Alegou que nada falou contra a democracia na manifestação e que o ato foi pela volta ao trabalho. Ora, presidente, não faça tão pouco da inteligência alheia. A presença física do chefe do Executivo, comandante em chefe das Forças Armadas, na manifestação já era suficiente. Significava endosso ao que estava escrito nas faixas e ao motivo da convocação.

Desde domingo, houve fortes declarações de repúdio ao que o presidente disse. De ministros do Supremo, do presidente da Câmara dos Deputados, dos órgãos da sociedade civil. É preciso mais que palavras, porque Bolsonaro não pode mais continuar brincando com as instituições. Ele não pode continuar sendo leviano como tem sido. Essa não é a primeira manifestação antidemocrática da qual ele participa e não será a última. A menos que o sistema de freios e contrapesos demonstre de forma mais clara que ele não pode mais ferir os limites constitucionais.

O procurador-geral da República, Augusto Aras, conseguiu a proeza de iniciar um inquérito sobre as manifestações, mas, de cara, afastando qualquer risco para o presidente. Vai investigar o evento em si, sua organização e alguns "cidadãos e deputados". É um inquérito contra pessoa indeterminada e ele já indicou que o presidente não é alvo. O que um procurador que eu ouvi explica é que houve vários erros na decisão de Aras:

— A petição não pode ser sigilosa. Há interesse público na divulgação. E o fato é público, praticado à luz do dia e filmado. A boa investigação seria apurar o que o presidente foi fazer lá, e o que fez, e apurar quem organizou essa manifestação. A investigação não pode ser genérica, tem que ser contra uma autoridade determinada.

As democracias não morrem mais como antes, com militares, tanques e blindados desfilando nas avenidas das grandes cidades. Elas morrem aos poucos, quando um chefe de governo sem apreço pela democracia vai minando diariamente a força dos Poderes, como foi feito pelo coronel Hugo Chávez na Venezuela. Em reportagem que fiz no país me impressionava exatamente a falta de reação das instituições. O coronel se cercou de militares e era isso que se via em Miraflores: uma Presidência militarizada. Chávez atacava a imprensa, os partidos que não se submetiam a ele, a Justiça, e estimulava a polarização. Nos seus discursos, ele dizia falar pelo povo. Chávez dizia que, com ele, o povo estava no poder. O populismo é assim.

85. BOLSONARO ATACA AS TORRES GÊMEAS

24.4.2020

Os dois pilares do começo do governo Bolsonaro eram o ministro da Justiça, Sergio Moro, e o ministro da Economia, Paulo Guedes, mas nas últimas 24 horas o presidente atacou os dois. Ameaçou demitir o diretor da Polícia Federal, Maurício Valeixo, sabendo que isso provocaria uma crise com Moro, e mandou organizar um plano de retomada econômica sem Paulo Guedes. O que quer Bolsonaro? Encontrar-se consigo mesmo. Ele nunca foi um ativista anticorrupção, usou a bandeira por interesse eleitoral. Ele nunca foi um liberal na economia, fingiu ser por interesse eleitoral.

Bolsonaro disputou a eleição brandindo bandeiras estrangeiras à sua essência por oportunismo político. Tanto Moro quanto Guedes se deixaram usar. Nenhum dos dois desconhece a verdadeira natureza de Bolsonaro, mas eles fizeram cálculos ao entrar no governo. Guedes achava que convenceria o presidente de que o liberalismo levaria a um crescimento forte e, portanto, ao sucesso econômico. E político. Moro tornou-se ao longo da Operação Lava-Jato um conhecedor profundo do submundo da política e sabia que, quando deputado, Bolsonaro estivera no mesmo partido de alguns dos seus réus. Guedes sempre quis ser ministro da Economia e implantar o seu projeto porque estava convencido de que saberia fazer melhor do que os seus antecessores "social-democratas", como os define a todos. Moro sempre quis ser ministro do STF.

Moro se tornou um novo Mandetta, ou seja, um ministro cuja demissão não é uma questão de "se", mas de "quando". O presidente Bolsonaro sempre recua quando há uma reação forte às suas decisões, depois dá o troco.

Era previsível que Bolsonaro apontaria suas baterias contra a Polícia Federal neste momento. Muitas ameaças pesam sobre a cabeça da família Bolsonaro e todas elas passam pela PF: a investigação do submundo das *fake news* e dos ataques sórdidos aos supostos adversários políticos do presidente feitos pelo "gabinete do ódio", comandado pelo vereador Carlos Bolsonaro; a investigação sobre o que se passava no gabinete do então deputado Flávio Bolsonaro, onde o ex-capitão do Bope e miliciano Adriano da Nóbrega tinha influência e emprego para a mãe e a ex-mulher. E, para culminar, o inquérito aberto a pedido da Procuradoria-Geral da República sobre as manifestações antidemocráticas.

O procurador-geral, Augusto Aras — que também tem sonho antigo por uma cadeira no Supremo —, tentou ao máximo blindar o presidente, apesar de Bolsonaro ter sido o grande inspirador e animador do ato que pedia o fechamento do Congresso e do Supremo. Mesmo com a blindagem da PGR, o inquérito pode chegar a pessoas ligadas a Bolsonaro política ou pessoalmente. Por isso o movimento óbvio do presidente era fazer o que ele sempre quis: tentar controlar a Polícia Federal.

Moro sairá do governo — quando sair — com o peso de silêncios demais. Nos últimos dias, por exemplo, diante do ataque direto do presidente às instituições, endossando com sua presença ato com bandeiras anticonstitucionais, ele nada disse. Deveria. O Ministério da Justiça é o mais antigo do Brasil e é o que faz a ligação entre os Poderes. Se ele não viu, foi mais um caso de cegueira deliberada. E era um bom motivo para defender princípios e valores. Afinal, Moro foi durante anos membro da magistratura. Deveria saber a gravidade de se defender um Ato Institucional que rasga a Constituição.

Foi Guedes quem levou o convite de Bolsonaro a Moro para integrar o governo. Aos dois, o presidente disse que daria carta branca.

Era mentira. Nenhum dos dois teve autonomia. Guedes acumula uma lista grande de derrotas em suas propostas. Nem a reforma administrativa ele conseguiu tirar da mesa do presidente. Moro também coleciona derrotas e chegou à crise de ontem não apresentando sequer uma sombra do projeto que prometeu realizar no governo. Guedes sabe que quando os militares e o presidente da Fiesp se encontram, como ontem, para discutir um plano econômico, não há espaço para o seu projeto liberal.

86. SOMBRAS SOBRE JAIR BOLSONARO

29.4.2020

Três investigações cercam o presidente da República e pessoas próximas a ele, pessoal ou politicamente. Todos os inquéritos passam pela Polícia Federal. Ele nomeou um delegado, amigo dele e dos filhos, para a diretoria-geral. E daí? Daí que o Brasil é uma democracia e uma república em que somos todos súditos da Lei, lembrou o ministro Celso de Mello, do STF. Há muitas portas pelas quais o presidente pode escapar. Uma é ter um amigo na PF, outra é ter um ministro submisso no Ministério da Justiça, outra é contar com os favores do procurador-geral da República. E, se nada disso funcionar, ele pode comprar apoio no Congresso. Bolsonaro está blindando os quatro cantos do campo para poder terminar seu mandato.

O procurador-geral da República, Augusto Aras, foi se encontrar com o presidente logo no dia em que o ministro Celso de Mello estava decidindo a instauração do inquérito sobre a denúncia do ex-ministro Sergio Moro de que o presidente tentara interferir politicamente na Polícia Federal e que por isso demitira Maurício Valeixo. Podem ter conversado sobre assuntos outros, mas esse encontro é indevido. Aras chegou ao comando da PGR contornando a lista tríplice dos mais votados dentro do MPF. Aras fez também ofertas explícitas de conduzir uma Procuradoria com a qual o presidente pudesse contar. Tem cumprido a sua parte. Até no pedido de abertura de inquérito para apurar as denúncias contra o presidente por tentativa de interferência na PF ele o fez de tal forma que se investigasse também quem denunciou os fatos, ou seja, Sergio Moro.

Bolsonaro e seu entorno são alvos ainda do inquérito aberto pelo STF sobre *fake news*; de outro, sobre os atos antidemocráticos; e, agora, pelas suspeitas de ter pressionado o então ministro da Justiça, Sergio Moro, pela demissão do diretor-geral da PF, porque queria ter notícias de investigações em andamento. O da *fake news* pode chegar a seus filhos e ao "gabinete do ódio". O dos atos antidemocráticos pode investigar deputados bolsonaristas, como contou o colunista Merval Pereira. O último inquérito é direcionado a Bolsonaro mesmo.

O que o ministro Celso de Mello fez foi vigoroso. Segundo a definição de um colega:

— O relator reafirmou o império da lei. Proclamou a todos os ventos que à Constituição todos estão submetidos.

Essa é a causa que faz Celso de Mello se agigantar, e ele fez isso numa peça forte. O problema é que dificilmente o inquérito termina antes de ele deixar a toga, em novembro. O prazo começa com sessenta dias para se intimar o ex-ministro Sergio Moro. Mello também pediu que se avaliasse o pedido do senador Randolfe Rodrigues (Rede-AP) e se periciasse o celular da deputada federal Carla Zambelli (PSL-SP). Ela trocou mensagens com Moro em que chegou a se comprometer a convencer Bolsonaro a nomeá-lo para o STF se ele não deixasse o governo, ao que ele respondeu: "Prezada, não estou à venda."

O ministro Celso de Mello deixou claro que nem a imunidade do presidente, prevista no artigo 51, nem a cláusula de exclusão do artigo 86 impedem que ele seja investigado para se buscar "elementos de prova" e apurar "materialidade". Quem fará isso? A Polícia Federal. E daí? Daí que o amigo dele estará lá no posto-chave de diretor-geral.

Depois da investigação, ele só será denunciado se o procurador-geral da República assim decidir. E, depois, a Câmara terá de autorizar. Durante o governo de Michel Temer, duas denúncias contra o então presidente foram negadas. Se Celso de Mello chegar ao fim do seu período no STF e o inquérito não estiver concluído, quem herdará o caso será o ministro que Bolsonaro vai indicar. Quando o ministro

Teori Zavascki morreu, Temer avisou que só nomearia seu substituto depois de o STF decidir o nome do relator das investigações em torno da Lava-Jato. Dessa forma, poupou o país de qualquer constrangimento. Não se espera de Bolsonaro a mesma atitude. No STF, um ministro me contou que, se Celso de Mello se aposentar antes do fim do inquérito, há a possibilidade de o inquérito ser distribuído imediatamente, sem que se espere a chegada de um novo ministro. Até porque "o envolvido é aquele que indica o novo juiz".

Sombras cercam o presidente Jair Bolsonaro e ele trata de abrir as portas para escapar ileso. Há muitas portas. Mas a opinião pública pode fechar algumas delas. A pesquisa DataFolha trouxe péssimas notícias para o presidente: só 20% acreditam na versão de Bolsonaro na briga com Moro (o ex-ministro convenceu 52%) e 56% acreditam que ele queria interferir na PF. Em onze dias, subiu de 38% para 45% os que reprovam a condução da crise do coronavírus por Bolsonaro. Caiu 21 pontos a avaliação positiva do Ministério da Saúde, depois que ele demitiu Luiz Henrique Mandetta. O governo prefere olhar a avaliação geral do presidente, que subiu de 30% para 33%, apesar das várias crises que provocou. Os sinais de piora, contudo, estão em todos os outros itens da pesquisa. Jair Bolsonaro pode passar o resto do seu mandato lutando contra sombras.

87. BOLSONARO RENUNCIOU

30.4.2020

O presidente Jair Bolsonaro renunciou à Presidência quando, diante de 5 mil brasileiros mortos por covid-19, perguntou "e daí?". Não exerce a Presidência quem demonstra tal desprezo por seu próprio povo. Já não cabe a esperança de que ele entenda como é desempenhar as "magnas funções", para as quais foi eleito. Há suficientes palavras e atos ofensivos ao longo desta pandemia demonstrando que Bolsonaro jamais assumirá o papel que tantos líderes na história do mundo exerceram quando seus povos viveram tragédias. A nossa se desdobra em vários campos — na saúde, na economia, na vida social e pessoal. Bolsonaro vive em seu mundinho como se a realidade não fosse essa fratura exposta.

Ontem foi um dia de derrota para o presidente Jair Bolsonaro, mas grande mesmo é a dor do país. No Brasil real foram de novo mais de quatrocentos mortos num dia, e ainda ouvia-se o eco da voz de Bolsonaro escarnecendo — "lamento, mas e daí?" — quando se atravessou, na véspera, a marca de 5 mil mortos. No seu mundo, Bolsonaro ficou irritado porque não conseguiu nomear o amigo Alexandre Ramagem para a chefia da Polícia Federal. Na vida real, o país vive a aflição, o medo, a solidão, a falta de ar, a morte sem rituais de despedidas, os enterros apressados, a longa espera nas filas por um direito, o risco cotidiano.

No seu mundo, Bolsonaro ficou bravo porque encontrou o limite do sistema de freios e contrapesos da democracia. O ministro Alexandre de Moraes, do STF, mandou suspender a posse de Alexandre Ramagem numa peça em que deixou claro que não o fazia por idiossincrasia. Era um fato objetivo: existia o risco de se ferir o princípio da impessoalidade e de haver desvio de função da Polícia Federal. Os indícios disso estavam na própria fala de Bolsonaro ao tentar desmentir o seu ex-ministro da Justiça Sergio Moro. No fim do dia, o presidente bateu na mesa e disse que recorrerá da decisão do ministro. "Quem manda sou eu", avisou. E está à beira de criar um monstro jurídico. Não é possível recorrer da suspensão de um ato que ele mesmo revogou. É que quando o ministro Alexandre de Moraes impediu a nomeação de Alexandre Ramagem para a PF, o governo suspendeu o ato de nomeação. Agora Bolsonaro mandou a AGU recorrer da decisão de Moraes. Difícil a primeira tarefa do novo advogado-geral da União, José Levi. Ele sabe que é impossível recorrer de uma causa sem objeto.

Mas, pelo que se viu ontem nas posses, toda verdade pode ser distorcida para agradar ao presidente. O novo ministro da Justiça, André Luiz Mendonça, que era o titular do cargo agora ocupado por José Levi, foi muito elogiado porque esta teria sido uma escolha técnica. Elogios talvez prematuros. Seu discurso foi político e com o uso de símbolos religiosos. Chamou o presidente de "profeta". Como teólogo, deve conhecer a advertência bíblica sobre os falsos profetas. Está logo no primeiro Evangelho. O de Mateus. Os frutos desse profeta do ministro André Mendonça já são bem conhecidos.

Até que ponto é possível suportar o ultraje? Foram tantos nestes dezesseis meses, foram tantos antes das eleições, que o maior risco é o país aceitar uma Presidência exercida dessa forma deletéria como se fosse natural. Bolsonaro sempre ofendeu grupos sociais, fez disso a sua marca particular, um marketing da agressão. Ele gosta de ofender os sentimentos e de ferir valores.

Dos povos originários do Brasil veio uma lição ontem. Os Waimiri-Atroari querem a publicação imediata do seu direito de resposta nos sites da Presidência pelas inúmeras vezes que foram atingidos por palavras discriminatórias. Após um pedido do Ministério Público Federal, a Justiça Federal do Amazonas determinou à União e à Funai que assegurem ao povo a publicação de uma carta nos sites do Planalto. Eles estão reagindo aos "constantes discursos desumanizantes" e de crítica ao seu modo de vida nas falas frequentes de Jair Bolsonaro. Certa vez, ele chegou a dizer que o "índio está evoluindo, cada vez mais é ser humano igual a nós".

Durante a pandemia tudo tem ficado mais claro. Ele não quer exercer a Presidência. Ele quer gritar "quem manda aqui sou eu" quando encontra os limites da Lei. Ele gosta do mandonismo, não do exercício dos deveres da Presidência. Ele fala aos arrancos, porque não se dedica a entender as questões de Estado sobre as quais tem que decidir. Ele diz "e daí?" porque de fato não está nem aí. É isso que faz de Bolsonaro um presidente que renunciou às suas funções, apesar de formalmente continuar no posto.

88. SEM MEDO DO IMPEDIMENTO

3.5.2020

Jair Bolsonaro nunca foi contra a corrupção e nunca foi um democrata. Mas usou a bandeira que estava em alta e foi eleito dentro das regras da democracia. Os que acreditaram que ele era o melhor antídoto contra a corrupção escolheram o autoengano. Os que apostaram que ele respeitaria as instituições têm provas diárias de que erraram. A elite financeira que o abraçou, os mais escolarizados que foram para a rua por ele, o juiz-símbolo que o avalizou não podem mostrar surpresa. Na escala de valores de certos liberais, mais importante é a promessa de liberdade econômica do que a proteção dos direitos civis. Isso ficou claro na ditadura de Pinochet, quando o Chile enterrava seus mortos e os jovens economistas de Chicago comemoravam o trabalho que faziam na economia.

A pior complicação é agora. Bolsonaro foi eleito na democracia, mas não a respeita e conspira contra ela diariamente. A crueldade extrema do presidente é escalar a tensão institucional quando o país, atônito, tenta se concentrar no que fazer diante da pandemia que ceifa milhares de vidas. Vivemos uma conjuntura em que o presidente da República torna muito maior o peso que recai sobre nós. Já não basta viver o que vivemos — fechados em casa, assustados, enlutados, hospitalizados —, ainda é preciso tolerar um governante infernizando o cotidiano.

Bolsonaro disse que por pouco não houve uma crise institucional, insinuando que poderia não cumprir a ordem judicial e dar posse a Alexandre Ramagem na PF. E falou avisando que pode retornar ao confronto e passando a ideia de que só não descumpriu a ordem judicial porque decidiu dar uma segunda chance. O ataque que ele fez ao ministro do STF Alexandre de Moraes foi explícito e ofensivo. O presidente deu um ultimato à Justiça. Depois, na transmissão da noite, disse que tinha feito apenas um desabafo, sem ofender ninguém. As instituições brasileiras têm aceitado o desdito diante dos piores ditos. Assim, Bolsonaro fica sempre impune. Para seus apoiadores ele aparece como vítima, aquele que não consegue governar porque o Supremo não deixa, o Congresso chantageia, a mídia persegue. Apresenta-se como quem luta contra "o sistema". Tudo levando à conclusão de que, para bem governar, o presidente precisaria de superpoderes, de um AI-5, como pediram os manifestantes que ele apoiou. Essa é a única ideia na qual Bolsonaro acredita. Fortalecer o "quem manda sou eu".

Bolsonaro conspira contra a democracia à luz do dia diante de todos. Alguns líderes políticos pedem paciência, como se ele fosse apenas uma pessoa de maus modos. Não. Ele tem maus propósitos. As Forças Armadas aceitaram compartilhar o poder e passaram a viver na ambiguidade. Nos trinta anos de democracia, os militares fizeram uma trincheira: defenderiam o período autoritário como necessário. Protegido o passado, eles se dispunham a cumprir suas funções dentro dos marcos democráticos. A atual geração de oficiais-generais aceitou o risco de misturar-se ao governo Bolsonaro. O presidente usa a ideia de que as Forças Armadas estão ao seu lado. Alguns fazem críticas ao presidente. Mas só intramuros. Os generais que trabalham diretamente com ele ficam satisfeitos quando conseguem evitar um ato tresloucado. Em seguida, ele comete outro. Os militares se confortam com a tese de que seria pior se não estivessem lá. Não notam o que estão avalizando. Garantem que não aceitarão uma "aventura". Não percebem que estão viabilizando a aventura.

A questão é como proteger a democracia brasileira nessa armadilha na qual o país está. Não há outro caminho que não seja o do impedimento. O presidente precisa ser impedido através das leis que regem esse processo, que sempre foi e sempre será traumático, mas já foi usado por muito menos do que Jair Bolsonaro tem feito. Nem o Judiciário nem o Congresso podem ter medo neste momento. Bolsonaro já cometeu inúmeros crimes de responsabilidade. A lista é longa e os juristas e políticos a conhecem. A ideia de que "não há clima" para impeachment é muito confortável para todos os que querem eximir-se das responsabilidades que têm.

Se ele não tivesse afrontado as leis tantas vezes e estivesse somente atormentando o país com crises diárias em meio a uma pandemia, já seria motivo suficiente para se pensar no seu impeachment. Bolsonaro é um governante que escolheu agravar todas as crises enquanto o país trava uma luta de vida ou morte.

89. A ESPERANÇA, O POETA E O TEMPO

5.5.2020

Nossa esperança de novo se equilibra. Perdemos quem cantou para o país que dores pungentes não podem ser inutilmente. Com seu talento, Aldir Blanc fez do sofrimento de um tempo extremo músicas que nos ajudaram a seguir por um trilho estreito. É impensável tudo isso que anda acontecendo, mas a verdade é que, tantos anos depois, de novo, a tarde parece cair como um viaduto. A doença que o atingiu já levou mais de 7 mil brasileiros e o Brasil dança na corda bamba. Várias cordas, todas bambas. A da luta diária pela vida, a de um país atormentado, a de velhas sombras que o próprio governante joga sobre nós.

As más intenções estão sendo ditas pelo presidente Jair Bolsonaro por atos e palavras. Todos os dias. Ele se reuniu com os militares no domingo (3). Ouvi um general do alto escalão do governo. Ele me disse que existe uma "extrapolação de funções por parte do Judiciário" e que isso vem desde 2014. Citou dois exemplos: a escolha de auxiliares e a política externa. Seriam prerrogativas do chefe do Executivo que teriam sido invadidas. Portanto, o que senti nessa autoridade foi apoio ao presidente em dois fatos específicos: a suspensão da nomeação do diretor-geral da Polícia Federal, Alexandre Ramagem, e o problema dos diplomatas venezuelanos. Bom, uma coisa é a fricção que possa existir entre os Poderes. Normal. Outra é fazer o que Bolsonaro fez.

Bolsonaro usou as Forças Armadas para ameaçar quem pensa diferente daqueles que, ao seu lado na manifestação de domingo, pediam a volta da ditadura. O protesto contra a democracia poderia ser um evento menor, ainda que sujeito a punição legal, mas o ato se agiganta quando o presidente comparece e afirma: "As Forças Armadas estão do nosso lado." E quem não está daquele lado deve pensar o quê?

O Brasil tem vivido entre cantos e chibatas há tempo demais. Há muitas pedras pisadas neste nosso cais. Não é possível, à luz da História, reduzir a gravidade do que tem acontecido diante de nós, na frente de prédios que simbolizam o poder no Brasil. Quem viveu não pode dizer que não vê. Os olhos dos fotógrafos veem melhor. São agudos, têm foco, não se perdem na multidão. E por isso sobre eles veio a agressão de domingo no ato em que o presidente se divertia espalhando ultimatos aos Poderes.

Da autoridade com quem tentei entender como o ato de Bolsonaro era visto, eu só ouvi crítica aos manifestantes. Alguns teriam "ideias radicais e que não param em pé". A fonte garantiu que "ninguém vai embarcar numa aventura". É o mesmo que ouvi de outras fontes há duas semanas, quando o presidente também participou de uma manifestação contra a democracia. Esta primeira é objeto de um inquérito. Portanto, Bolsonaro participou de um evento semelhante a outro que está sob investigação. Ele dobrou a aposta.

As Forças Armadas soltaram, no começo da tarde, a segunda nota em apenas quinze dias. Disseram que são democráticas, repudiam as agressões aos jornalistas e que "estão do lado da lei, da ordem, da democracia e da liberdade". Bolsonaro também listou estas quatro: "lei, ordem, democracia, liberdade". E acrescentou: "Estão do nosso lado." O Ministério da Defesa não refutou essa insinuação de estar a favor de manifestantes que querem fechar o Congresso e o Supremo Tribunal Federal. Fica mais um silêncio pesando sobre o país.

A tibieza das instituições, a desenvoltura com que o presidente fere as leis, a agressividade que ele autoriza seus apoiadores a praticar ao lançar, ele mesmo, ofensas verbais contra pessoas ou instituições, o assalto aos órgãos de Estado — tudo vai se misturando, tudo lembra o passado. "Batidas na porta da frente. É o tempo", cantou Aldir Blanc.

Quando Aldir Blanc e João Bosco lançaram a música que virou hino, “O bêbado e a equilibrista”, a gente vivia sentimentos mistos. O país carregava muitos anos de dor, mas o irmão do Henfil, o Betinho, estava voltando e “tanta gente que partiu num rabo de foguete”. Então era cantar bem forte, junto com Elis, o fim daquele exílio. E agora? Qual é a melhor resposta ao tempo que bate na porta? Que ele passe. Porque tudo isso foi há muito tempo nas águas da Guanabara. E para o poeta que nos deixou, vítima da pandemia, a gente pode cantar sua música que fica como um legado, um carinho, em meio a tantas lutas inglórias.

90. PRESIDÊNCIA OBCECADA

6.5.2020

A frase-síntese dita pelo presidente — "Você tem 27 superintendências, eu quero apenas uma" — é reveladora da obsessão de interferência na Polícia Federal, mas não só. Mostra uma Presidência insana. Todos os graves assuntos de Estado para serem enfrentados e Jair Bolsonaro tinha uma única preocupação. Era março quando ele disse isso. A pandemia já estava infectando brasileiros. Em abril, quando ela se espalhou como uma grande tragédia humana, Bolsonaro aumentou a intensidade da pressão para nomear, a qualquer custo, o superintendente da PF no Rio de Janeiro.

No relato do ex-ministro Sergio Moro à Polícia Federal, impressionam o conjunto e o contexto. O presidente briga, é capaz de derrubar uma peça-chave de seu governo para escolher o superintendente da PF no Rio. Enquanto os governadores e prefeitos decidiam pelo isolamento social, construíam hospitais de campanha, ampliavam o número de UTIs e tentavam encontrar respiradores em qualquer lugar do planeta, enquanto as empresas doavam, as pessoas se mobilizavam e os profissionais da saúde iam para o campo de batalha, alguns para morrer, o que fazia o presidente do Brasil? Ofendia governadores, "fritava" o ministro da Saúde, encurralava o ministro da Justiça, participava de manifestações contra a democracia e continuava querendo interferir na Polícia Federal.

As versões do presidente para os fatos não ficam em pé. Ele diz que buscava apenas relatórios de inteligência na Polícia Federal. Ele sabe a esta altura do seu mandato a diferença entre inteligência policial e inteligência estratégica. O presidente tem a Abin, que dá informação de inteligência estratégica. Faz parte do Sisbin, o Sistema Brasileiro de Informações. Todos alimentam esse sistema, inclusive a Polícia Federal. Tudo deságua no Gabinete de Segurança Institucional, o GSI, que manda relatórios diários para a Presidência. Por meio deles é possível saber antecipadamente os riscos de fatos como, por exemplo, uma pandemia, para agir preventivamente. Somente ontem, a propósito, mais seiscentos brasileiros perderam a vida. Um perito no assunto me explicou que "quando a inteligência policial produz algo de interesse estratégico para o Estado isso é pinçado pelos analistas da Abin para o relatório ao presidente". E ele concluiu: "Mas o presidente da República não tem nada com a inteligência policial", ou seja, com a parte investigativa, judiciária. Ele não tem que ter acesso a uma investigação da polícia judiciária.

Bolsonaro parecia, naquele lamurioso pronunciamento do dia 24 de abril, ter sido surpreendido pela demissão de Moro, apresentada numa coletiva à imprensa. Parecia ofendido com a "traição". O relato circunstanciado de Moro revela que o presidente já sabia que a saída dele era fato consumado, até porque ele, Bolsonaro, jogou-o para fora do governo.

Enquanto Bolsonaro trava uma guerra contra o seu ex-ministro, na economia as notícias vão de mal a pior. A produção industrial despencou 9,1% em março, vindo abaixo do esperado, com uma queda de 3,8% em relação ao mesmo mês do ano anterior. Nesse tipo de comparação, foi o quinto recuo consecutivo, o que mostra que o setor já não vinha bem muito antes da chegada do vírus. No início da noite, a Fitch, uma das três maiores agências de *rating* do mundo, colocou sob viés negativo a nota do governo brasileiro. Disse que houve piora dos quadros econômico e fiscal e citou a renovação da crise política, "incluindo as tensões entre o Executivo e o Congresso e as incertezas sobre a duração e a intensidade da pandemia de coronavírus". O Brasil atualmente é classificado pela agência como BB-, a três degraus do grau de investimento. Agora está mais próximo de um novo rebaixamento.

Moro não pode se dizer surpreso. Foi para o governo sabendo que seu agora ex-chefe jamais fora um combatente anticorrupção, que viveu anos em partidos cujos integrantes ele mesmo condenou quando juiz. Quando Moro diz que não está acusando o presidente de crime, ele está se protegendo no campo que conhece muito bem. Mas que crime o presidente pode ter cometido dependerá da capacidade de investigação da Polícia Federal. Os ministros terão que depor e, ao contrário do presidente, não terão o direito de fazê-lo por escrito. A propósito, essa prerrogativa do presidente nem deveria existir, me disse ontem um procurador. "Depoimento tem que ser oral." Hoje Bolsonaro é um homem acuado. Só resta a ele a grosseria de mandar a imprensa calar a boca. Não será atendido.

91. DESPROPÓSITO CONSTRANGEDOR

8.5.2020

Seria só insólita se não fosse uma absurda pressão de um Poder sobre outro. A marcha para o Supremo foi uma total quebra de protocolo da relação entre os Poderes. E tudo aconteceu num rompante. O presidente decidiu em meio a uma conversa com empresários e o ministro da Economia, Paulo Guedes; e o advogado-geral da União, José Levi, ligou para o presidente do STF, o ministro Dias Toffoli, dizendo que o presidente da República queria ir para lá com empresários e alguns ministros. E saíram andando pela Praça dos Três Poderes. Os ministros do Supremo entenderam o gesto como uma tentativa de Bolsonaro de responsabilizar a Justiça pela crise.

Alguns ministros que acompanharam o presidente admitiram depois que ficaram constrangidos com a cena da qual tiveram de participar. No Supremo, outros ministros também discordaram da reunião. O próprio Dias Toffoli achou que não tinha como recusar. A grande questão é: o que Bolsonaro queria com o gesto?

— Há várias leituras possíveis. Pode-se entender que ele quis dizer para os empresários que a Justiça não está deixando a retomada da economia em razão de suas decisões. Na verdade, eu acho que é insegurança. O governo não sabe o que fazer e quer passar a batata para o outro lado da praça. Mas, sem protocolo, sem coordenação, sem planejamento e sem segurança sanitária coordenada nacionalmente, não é um juiz que vai decidir isso — resume um dos ministros do STF.

O evento causou irritação porque lembrava uma tentativa de intimidação. E o presidente levou até o filho investigado que já foi beneficiado, ainda que temporariamente, por uma decisão do próprio ministro Dias Toffoli, quando suspendeu os inquéritos com base no Coaf a pedido da defesa de Flávio.

O que foi falado lá no Supremo tinha várias incorreções. "Estão aqui grandes empresários que representam mais de 40% do PIB", declarou Bolsonaro.

Errado. A indústria de transformação reúne 11% do PIB, e eles, do grupo denominado Coalizão Indústria, dizem que são 40% da indústria. Isso significa 4,5% do PIB. Não é pouco, são setores importantes para a economia, mas a ordem de grandeza é bem diferente da que o presidente anunciou. "Economia também é vida", prosseguiu o presidente Bolsonaro. Lá fora, ele repetiu essa ideia: "Dizem que a economia deixa pra lá, que o importante é a vida. Não é assim, não."

O líder do grupo, Marco Polo de Mello Lopes, que representa a siderurgia, disse que a indústria enfrenta duas crises: a da covid e a da queda da demanda, "fruto, evidentemente, das decisões de fechamento por parte dos estados". Ou seja, tudo o que Bolsonaro gosta de ouvir é que a culpa é dos governadores. O presidente da Abrinq, Synésio Batista da Costa, alertou que há risco "de morte do CNPJ" e argumentou que "o mundo inteiro está operacional, até a China". Ora, as retomadas que deram certo esperaram a redução das mortes e das infecções.

Em todo o desarrazoado evento houve várias frases infelizes que pareciam valorizar mais a economia do que a vida humana. Evidentemente a economia é importante, mas a normalidade não pode ser baixada por liminar. O lobby industrial não pode desembarcar em Brasília, juntar-se ao presidente, ao ministro da Economia, a ministros militares, e marchar sobre o Supremo para dizer que vai haver um colapso se as atividades não forem liberadas agora.

O país está tendo uma média de seiscentas mortes por dia e já passamos de 9 mil mortos, além da nossa vasta subnotificação. Lamentaram a morte do CNPJ, falaram de indústria na UTI, usaram figuras de linguagem de mau gosto. E num gesto inútil, porque o que precisa acontecer para que a economia possa voltar o mais rapidamente possível a funcionar é o governo governar. Foi isso mais ou menos que o ministro Dias Toffoli disse.

Ter que fazer todo esse carnaval para ouvir de um ministro do Supremo que o governo precisa falar com os governadores e os prefeitos, que precisa criar um comitê de crise, é vexatório. Isso é o básico, já deveria ter sido feito. A coordenação entre os entes federados e a União, em meio a uma pandemia em que cemitérios e hospitais entram em colapso, era o mínimo que se esperava desde o primeiro momento.

O ministro Paulo Guedes, com suas contas improváveis, listou coisas como "os Estados Unidos desempregaram 25 milhões de pessoas em cinco semanas e nós preservamos 5,5 milhões de empregos". E, mais uma vez, prometeu que "o Brasil vai surpreender o mundo". Mais do que já está surpreendendo?

92. O MAL AVANÇA NAS SOMBRAS

10.5.2020

Na calada desta nossa noite em que a dor da pandemia se soma às ameaças do presidente Jair Bolsonaro à democracia, outras áreas correm extremo perigo. Em abril, o desmatamento na Amazônia foi de 406 quilômetros quadrados, 64% a mais do que no ano passado, segundo o Deter. Nos quatro primeiros meses, a alta foi de 55,5%. Portarias, MPs e instruções normativas dão forma ao projeto de perdoar grileiros e debilitar órgãos ambientais. Terras indígenas são ameaçadas e seus líderes correm riscos. O governo conta com as atenções do país concentradas na crise da saúde para avançar com o projeto de reduzir direitos indígenas e legitimar o ataque ao meio ambiente.

Em mais uma GLO na Amazônia, os militares estão sendo escalados para conter o que tem sido estimulado pelo próprio governo. A operação das Forças Armadas cria uma situação difícil. O Ibama, que já é cerceado, passa a ser subordinado aos militares. Seus quadros técnicos terão que seguir ordens de oficiais que não têm a mesma qualificação e experiência no combate ao desmatamento. Isso num momento em que os servidores que cumprem a lei na fiscalização são punidos. Os que destroem equipamentos, o que é a arma mais poderosa para combater o crime, são exonerados.

O ministro Ricardo Salles, enfraquecido, mudou de tática. Agora trabalha em silêncio. No dia 6 de abril, um despacho do Ministério do Meio Ambiente criou uma ameaça direta à Mata Atlântica. O ato administrativo recomenda ao Ibama e ao ICMBio que esqueçam a Lei da Mata Atlântica e se guiem pelo Código Florestal, que tem regras mais brandas. Isso, na prática, cancela multas, desobriga o proprietário de recuperar áreas de proteção permanente e reconhece como legítimas as propriedades rurais instaladas em áreas de proteção ambiental antes de 2008.

A Lei da Mata Atlântica foi uma conquista de duas décadas de luta no Congresso. Nesse bioma moram 150 milhões de brasileiros e os remanescentes de mata têm sido protegidos principalmente por particulares. Quem preserva ou se esforçou nos últimos anos para cumprir a lei se sente tolo. O que dá certo no Brasil é ser ilegal e esperar pela anistia. O Ministério Público Federal, a SOS Mata Atlântica e a Associação Brasileira dos Membros do Ministério Público do Meio Ambiente entraram com uma Ação Civil Pública contra o despacho de Salles.

A Amazônia é ameaçada diretamente pela MP da Grilagem. A MP nº 910, em vigor desde dezembro, está para ser votada com várias aberrações. Na primeira versão do projeto, permitia-se regularizar terra ocupada até dezembro de 2018. Na versão mais recente, quem tiver invadido terra até 2014 pode ter título de propriedade. Áreas de até quinze módulos fiscais podem ser regularizadas sem vistoria de campo. Em alguns lugares isso significa até 2,5 mil hectares. A luta está sendo para reduzir o tamanho da terra que pode ser legalizada sem o poder público conferir. Por fim, a MP estabelece que a existência de multas ou o registro de qualquer irregularidade não impedem o processo de legalização. Só será vetada a emissão de título de propriedade quando o processo tiver transitado em julgado.

A questão indígena sempre foi tratada com desprezo pelo governo Bolsonaro. Na gestão de Sergio Moro, a Funai foi aparelhada com a nomeação de pessoas totalmente estrangeiras à causa indígena. Nada indica que haverá mudança agora. O ministério devolveu à Funai dezessete processos de demarcação de terras indígenas, alguns já prontos para a homologação. Uma portaria recente da Funai reduziu os poderes do próprio órgão para conter o avanço da grilagem em terras indígenas. Há lideranças sob ameaça e os criminosos aproveitam a confusão provocada pela covid-19 para praticar seus crimes.

No dia 17 de abril, foi morto um jovem líder, de 34 anos, Ari Uru-eu-wau-wau, em Rondônia. Ele passou meses sendo ameaçado por grileiros. Ari tinha como foco do seu trabalho denunciar extração ilegal de madeira, ou seja, ele protegia o patrimônio público. Seu corpo foi encontrado na beira da estrada, com sinais de que havia sido arrastado depois de morto. Tinha sangramento na boca e na nuca decorrente de pancada forte na cabeça, e a causa da morte foi sangramento agudo. Era pai de dois meninos, de 10 e 14 anos. Nas sombras da pandemia e do ataque de Bolsonaro às instituições, outros perigos rondam o país.

93. UMA ACUSAÇÃO QUE AVANÇA

13.5.2020

Todos os indícios mostram que o presidente da República tentou, diversas vezes, inclusive constrangendo publicamente o então ministro da Justiça, Sergio Moro, interferir na Polícia Federal para que ela servisse aos seus propósitos. O presidente deu várias respostas, todas contraditórias, para tentar se defender dessa acusação, que ganha contornos cada vez mais sólidos. O procurador-geral da República, Augusto Aras, tem o poder de arquivar esse inquérito que ele mesmo pediu que fosse aberto, mas, quanto mais transparente for cada etapa da investigação, mais difícil será dizer que nada de errado aconteceu.

Ontem, ao fim da sessão de exibição do vídeo da reunião ministerial do dia 22 de abril para procuradores, policiais federais, o procurador-geral, o ex-ministro Sergio Moro e o advogado-geral da União, houve duas versões. Quem assistiu disse a jornalistas que o que foi dito na reunião pelo presidente era uma prova definitiva de que ele tentou interferir na Polícia Federal. Mas o presidente, em entrevista mambembe, de cima da rampa no Planalto, negou: "A preocupação, desde a facada, foi com a segurança minha e da minha família. Em Juiz de Fora, o Adélio cercou meu filho, no vídeo [com as imagens do dia do ataque], no meu entender, talvez quisesse assassiná-lo ali. A segurança da minha família é uma coisa, não estou preocupado com a Polícia Federal, a Polícia Federal nunca investigou ninguém da minha família."

Era natural que, depois de passar pelo que ele passou em Juiz de Fora, ele se preocupasse mais com a proteção da família. Nada disso tem a ver com o ministro da Justiça. Bastava falar com o ministro que comanda o GSI, general Augusto Heleno, das suas apreensões. Certamente a segurança dos Bolsonaros seria reforçada, para tranquilidade do presidente.

Mas todo o conflito foi com o então ministro da Justiça, toda a pressão foi para tirar o diretor-geral da Polícia Federal, Maurício Valeixo, porque Bolsonaro queria outro com quem tivesse mais "afinidade". E o fim último era trocar o superintendente no Rio de Janeiro. Não faz sentido, se a preocupação era a segurança da família.

Dentro do governo, argumentam em favor do presidente recorrendo a certas minúcias. Aí é que está. Esse tipo de detalhes só revela a posição de fragilidade em que já se encontra o governo. O argumento de que Valeixo teria dito que nunca ocorreu interferência enquanto estava lá só confirma que Moro e Valeixo representavam impedimentos para que Bolsonaro realizasse seu projeto e por isso eles precisaram ser removidos.

Não fica de pé o argumento que Bolsonaro usou ontem também de que não falou em "Polícia Federal" durante a reunião. Nem precisava. Se a bronca era sobre Moro, que era o chefe hierárquico da Polícia Federal, de que outro órgão ele estaria falando? E os fatos que se seguiram à reunião do dia 22 mostraram que era exatamente isto que ele queria que acontecesse: tirar um diretor sem qualquer motivo aparente, mesmo que precisasse derrubar um ministro, e assim poder nomear seu amigo Alexandre Ramagem para o cargo de diretor-geral da PF. E trocar o superintendente do Rio.

Todos os outros argumentos que Bolsonaro usou ontem também são sem sentido, como o de que ele poderia destruir a fita que registrou a reunião. Não poderia. Seria obstrução de Justiça, destruição de prova. Ele estaria muito mais encrencado.

A maneira absurda e criminosa com que Bolsonaro está agindo durante esta pandemia, que só ontem matou 881 pessoas, já é motivo suficiente para o afastamento do presidente. Ele não conseguiu entender até este momento, diante de 12,4 mil mortos, que riscos os brasileiros correm diariamente. Ainda ameaça quem não cumprir seus decretos desprovidos de razão, como o da liberação das atividades em academias e salões, e defende a tese de que não precisa ouvir o Ministério da Saúde.

Em meio a esta pandemia que nos sangra, com uma crise econômica brutal, o país é exaurido em suas forças pelos problemas criados pelo presidente. Tanto a demissão do ministro Mandetta, da Saúde, quanto a de Moro foram crises que ele inventou para tumultuar ainda mais a situação no país.

A soma dos indícios que já se acumulam em torno dele indica que Bolsonaro gastará os próximos meses se defendendo, na PGR ou no Congresso. Suas únicas saídas são Aras preparar uma pizza ou o centrão evitar seu naufrágio. Nesse último caso, nada sobrará da política econômica com a qual o ministro Paulo Guedes defendeu sua eleição entre os agentes econômicos.

94. ERROS DO GENERAL E DO PROCURADOR

16.5.2020

O general Augusto Heleno diz que a divulgação do vídeo da reunião ministerial de 22 de abril — que mostraria tentativa de interferência de Bolsonaro na Polícia Federal e cuja cópia está na mão do ministro do STF Celso de Mello — é "quase um atentado à segurança nacional, um ato impatriótico". O procurador-geral da República, Augusto Aras, usou argumentos políticos — no lugar de teses jurídicas — para defender que não seja divulgada a íntegra da reunião. Segundo Aras, isso poderia provocar "instabilidade pública" e ser usado como "palanque eleitoral precoce para 2022". O que provoca instabilidade é um presidente criando uma sucessão interminável de crises em plena pandemia. O que ameaça a segurança nacional é colocar vidas em risco com prescrição de medicamentos não comprovados e incentivo ao descumprimento da recomendação das autoridades médicas do mundo.

O general Heleno comete um erro velho, o de confundir interesses de um governo com os do país. Governo é passageiro, nação é permanente. Mentes autoritárias fazem essa confusão. Regimes fechados fazem essa fusão porque assim manipulam o sentimento de amor à pátria para encobrir seus erros. Na democracia é diferente. Impropérios na boca do presidente, críticas à China feitas em reunião de governo, ministros bajuladores tentando agradar ao chefe — um propõe a prisão dos ministros do STF, outra sugere a de governadores e prefeitos —, esconder isso não é proteger a segurança nacional.

Segurança nacional é preservar vidas, e o presidente da República as coloca em risco quando insiste de forma obsessiva no seu plano de decretar a abertura imediata da economia. O mundo está perplexo diante do descaminho no qual o Brasil entrou. Embaixadas começam a receber a orientação de que devem reduzir seu pessoal no Brasil, porque o país está sendo considerado área de risco nesta pandemia pela maneira insana como o presidente está conduzindo a resposta à crise. Para Bolsonaro estar certo, o mundo teria que estar errado. A verdade é que ele é o alienista machadiano.

Ontem Bolsonaro derrubou o segundo ministro da Saúde em menos de um mês, provocando descontinuidade administrativa na área mais sensível no momento. Quanto tempo se perdeu com os ataques constantes do presidente ao trabalho do Ministério da Saúde? Isso, sim, é um atentado à segurança nacional. Isso, sim, provoca "instabilidade pública".

Alguns perguntam no governo: e se houver crises com a China? Ora, quantas esta administração já criou à luz do dia e no palanque das redes virtuais? A China é o nosso maior parceiro comercial, contudo já foi criticada pelo presidente, atacada pelo ministro das Relações Exteriores e ofendida pelo ministro da Educação. O interesse permanente do Brasil é manter relações amistosas com todos os países. E o que coloca isso em risco não é a divulgação do vídeo da reunião, e sim a existência de um governo que tem uma política externa desastrada e se deixa guiar por preconceitos e desinformação.

Se o presidente da Caixa se exibiu para o chefe, a quem tenta tanto agradar, dizendo que tem quinze armas e as usaria para "matar ou morrer", como informa o jornalista Guilherme Amado, por que isso deve ser segredo? Se Bolsonaro exibiu sua coleção de palavrões dirigindo-a aos governadores do Rio e de São Paulo, por que, em nome da segurança nacional, isso deve ser escondido? Era uma reunião interna do governo, argumenta-se. Ora, que se comportassem. Com tanta gente presente, as autoridades poderiam moderar-se minimamente. Se preferem esse tom para tratar das graves questões nacionais, foram elas, as autoridades, que se amesquinharam. O risco da divulgação não é do país, mas deste governo.

A segurança nacional ficará mais resguardada se o país souber tudo o que houve nessa reunião ministerial e entender completamente o contexto em que o então ministro Sergio Moro se sentiu ameaçado de demissão, caso não trocasse o diretor-geral da Polícia Federal.

Os argumentos do procurador-geral são desprovidos de lógica jurídica. Não lhe cabe preocupar-se com supostos prejuízos eleitorais para o presidente. A atitude de defensor do governo é tão forte em Aras que ele assumiu o papel dos estrategistas eleitorais do presidente. E, ademais, quem vive empoleirado num palanque eleitoral precoce é Bolsonaro.

A decisão caberá ao ministro Celso de Mello, mas até agora os pareceres que recebeu não o ajudam a decidir.

95. BOLSONARO ENTRE ARTIGOS E INCISOS

17.5.2020

O presidente Jair Bolsonaro cometeu crimes de responsabilidade. Vários. Ele tem ameaçado a Federação, tem infringido o direito social à saúde, ameaçado o livre exercício do Poder Legislativo e do Poder Judiciário. Tanto a lei que regulamenta o impeachment do presidente, a Lei nº 1.079/50, quanto a Constituição Federal estabelecem o que são os crimes de responsabilidade. Impeachment é um julgamento político, e quem estiver na Presidência precisa de apenas 172 votos para barrá-lo. O inquérito na PGR investiga se Bolsonaro cometeu outros crimes. Até agora os depoimentos e as contradições enfraqueceram a defesa do presidente. O procurador-geral da República, Augusto Aras, pode querer muito arquivar o inquérito, mas os indícios aumentam a cada dia.

Bolsonaro pode enfrentar um processo no Congresso se o deputado Rodrigo Maia, presidente da Câmara, aceitar um pedido fundamentado. Há elementos para embasar um pedido de interrupção de mandato por crime de responsabilidade. O Congresso pode fazer isso ou não. É processo longo e penoso. Caso não faça, a explicação não estará em falta de crime, e sim em algum insondável motivo que pertence aos desvãos da política.

O artigo 9º da Lei nº 1.079/50 estabelece, em seu inciso 7, que é crime contra a probidade da administração "proceder de modo incompatível com a dignidade, a honra e o decoro do cargo". Decoro que ele quebrou inúmeras vezes. No inciso 5, a lei diz que é crime "infringir, no provimento de cargos públicos, as normas legais". O que está sendo revelado no inquérito da suspeita de interferência na PF dá várias razões para se concluir que Bolsonaro tentou ferir esse dispositivo. O artigo 6º caracteriza os crimes contra o livre exercício dos Poderes constitucionais. O primeiro inciso fala em "tentar dissolver o Congresso Nacional" ou "tentar impedir o funcionamento de qualquer das Câmaras". O presidente já participou de atos que, explicitamente, pedem o fechamento do Congresso em faixas e palavras de ordem e nos motivos da convocação. Discursou dizendo que acreditava nos manifestantes e afirmou que as Forças Armadas estavam com eles, em clara ameaça ao país. No artigo 7º, a lei de 1950 define o crime contra o exercício dos direitos políticos, individuais e sociais. Nele, o inciso 9 indica que é vedado "violar patentemente qualquer direito e garantia individual". Nesse ponto se enquadra a violação do direito à saúde, quando Bolsonaro prega, diariamente, contra as medidas recomendadas pelas autoridades sanitárias do mundo e pelos especialistas brasileiros em saúde pública.

O artigo 85 da Constituição Federal define como crimes de responsabilidade os atos do presidente que atentem contra três pontos fundamentais da democracia. Primeiro, "a existência da União". Bolsonaro foi do "aqueles governadores 'paraíba'" até a conclamação dos empresários para jogar pesado contra os governadores porque "é guerra". Isso atenta contra a União. Segundo: "O livre exercício do Poder Legislativo e do Poder Judiciário." Com as manifestações pedindo fechamento do Congresso e do Supremo, o que fez Bolsonaro? Terceiro: "O exercício dos direitos políticos, individuais e sociais." Ele os fere insistentemente.

Mesmo se for arquivado, o inquérito na PGR pode fornecer elementos para sustentar um processo de impeachment. Interferir na polícia judiciária afeta o livre exercício do próprio Poder Judiciário.

A Lei nº 1.079/50 foi muitas vezes analisada durante o processo de impeachment da ex-presidente Dilma, em 2016. Ela foi acusada pelo artigo 10º, que define "os crime contra a Lei Orçamentária".

Também a Constituição, no artigo 85, fala dos crimes orçamentários. Depois que passa, fica na memória pouca coisa, e o registro é de que a ex-presidente errou no Plano Safra e baixou decretos de criação de despesa sem a prévia autorização do Congresso. Mas foi mais. As "pedaladas" são apenas a palavra que a crônica política criou. Dilma caiu porque arruinou a economia, criou uma recessão que perdurou por dois anos, fez uma escalada de desemprego, abriu um rombo nas contas públicas e usou os bancos públicos para pagar despesas orçamentárias. Ela fez gestão temerária na economia. Eu achava naquela época, acho agora.

Desconhecer os crimes muito mais graves cometidos pelo presidente Jair Bolsonaro é aceitar um perigo infinitamente maior. Não se trata de ameaça à economia. Agora é a democracia que corre riscos.

96. A POLITIZAÇÃO DA ECONOMIA

19.5.2020

O pior que pode acontecer no meio de uma crise é a politização do Ministério da Economia. E é o que está acontecendo na gestão de Paulo Guedes. Quando o ministro dispara sua retórica cheia de ofensas aos supostos adversários do presidente, ele está sendo parte do problema e não da solução. A demora na sanção do projeto de socorro aos estados decorre do fato de que o programa passou a ser parte do arsenal na briga contra o isolamento social. Não faz sentido usar isso na queda de braço com os governadores.

As suas frases, de imagens fortes e sempre com sujeito indeterminado, são feitas sob medida para fortalecer o presidente Jair Bolsonaro na guerra perigosa que ele trava com os estados. "Vamos nos aproveitar de um momento de gravidade, uma crise na saúde, e vamos subir em cadáveres para fazer palanque? Vamos subir em cadáveres para arrancar recursos do governo?", disparou Guedes na sexta-feira (15), no balanço dos quinhentos dias de governo.

Ele ajudaria se dissesse de quem está falando. Quem está transformando tudo em palanque, desde o início? Se ele olhasse para o presidente Jair Bolsonaro, acertaria a resposta. O dinheiro não é do governo federal, é dos contribuintes. A dívida, se for contraída, será em nome dos brasileiros. Este é o momento em que teria necessariamente de haver solidariedade entre a União e os entes federados, que estão na frente de combate contra a pandemia. O Ministério da Economia, nestes momentos de crise, precisa ser um ponto de equilíbrio comprometido principalmente com seus princípios e pontos inegociáveis.

Há bons quadros técnicos no ministério que seguem fazendo seu trabalho, mas o ministro tem dado sempre um tom político e exaltado às suas intervenções públicas, replicando o estilo do chefe. E vamos convir que ninguém precisa pôr mais lenha nesta fogueira, que é acesa diariamente por Jair Bolsonaro.

Na questão do congelamento do salário do funcionalismo, Guedes atirou para todos os lados — Congresso, estados, servidores — e esqueceu, pelo visto, que o grande problema veio do próprio governo. Ele não conseguiu convencer Bolsonaro de que deveria propor a redução salarial dos servidores federais. Também não conseguiu fazer um projeto próprio de congelamento. Por isso negociou para que fosse incluída a proibição dos reajustes dentro do projeto do senador Davi Alcolumbre, presidente do Senado. Mas, para seu desgosto, o próprio líder do governo, falando em nome do presidente, votou a favor de livrar uma lista grande de categorias. Em vez de se voltar contra essa contradição interna do governo, Guedes atacou: "É inaceitável que tentem saquear o gigante caído, que usem a desculpa da saúde para saquear o Brasil." Ora, se tivesse unificado a linguagem do governo ele poderia pôr sempre a culpa em terceiros.

Quando foi aprovado na Câmara o projeto do pacote de ajuda aos estados, em abril, o presidente Bolsonaro atacou diretamente o presidente da Casa, deputado Rodrigo Maia. O ministro fez coro. Bolsonaro disse que Maia estava "conduzindo o Brasil para o caos" e que o deputado queria tirá-lo do governo. O ministro poderia ter sido água nessa fervura. Se tivesse negociado antes a proposta da Câmara poderia, quem sabe, evitar "a conta em aberto" que era como ele definia a proposta de compensação das perdas do ICMS e do ISS. Guedes preferiu dizer que o modelo era "irresponsável", um "cheque em branco", uma "farra fiscal", e passou a trabalhar para ignorar o projeto no Senado. Rodrigo Maia havia sido o grande aliado para a aprovação da reforma da Previdência. Mas a briga agradava bastante a Bolsonaro, que, naquele momento, disparava contra o presidente da Câmara, até por conta do velho método de ter sempre um adversário na algibeira.

Há muito o que o Ministério da Economia pode fazer para ajudar a apaziguar o país em plena crise, se entender que não pode ser parte da artilharia lançada contra supostos adversários políticos. Guedes, como presidente do Confaz, conselho que reúne os secretários de Fazenda dos estados, poderia, por exemplo, ajudar nessa interlocução federativa.

Quando, em teleconferência com empresários, pede a eles que usem o fato de serem "financiadores de campanha" para pressionar o Congresso a apoiar o governo, ou quando participa da caravana do lobby industrial sobre o STF, o ministro vira parte da confusão. O Ministério da Economia precisa ser técnico e saber exatamente quais são seus objetivos na economia.

97. O QUE BOLSONARO DEU AO CENTRÃO

20.5.2020

O pote de dinheiro do Ministério da Educação fica no FNDE. O Fundo Nacional de Desenvolvimento da Educação tem mais do que dinheiro, tem capilaridade. Através dele se fala com prefeitos do país inteiro, porque de lá é que sai o dinheiro para a construção de creches e escolas, a compra de ônibus para o transporte escolar, a distribuição de material escolar e o fornecimento de merenda. É isso que o presidente Bolsonaro está entregando aos indicados de Valdemar Costa Neto, do PL, e Ciro Nogueira, do Progressistas.

— Dos R$ 140 bilhões a R$ 150 bilhões do orçamento do Ministério da Educação, dois terços são carimbados: dinheiro para as universidades federais, os institutos federais, os hospitais universitários. Dos R$ 50 bilhões do FNDE, uns R$ 14 bilhões vão para o Fundeb. O resto, uns R$ 36 bilhões, é o dinheiro almejado. Por isso todos os prefeitos, quando chegam a Brasília, vão lá falar com os diretores e o presidente do FNDE — explica o catedrático da USP Mozart Neves Ramos, especialista em educação e ex-secretário de Pernambuco.

Binho Marques, ex-governador do Acre e também especializado em educação, acompanha o trabalho do FNDE desde 1993, quando, na gestão do ministro Murílio Hingel, no governo Itamar Franco, o Fundo, criado no governo militar, começou a ser aperfeiçoado. Esse Fundo é formado com o dinheiro do salário-educação, mas, conta Binho, Hingel passou a adotar critérios para a liberação dos recursos. Depois, houve novas mudanças na gestão do ministro Paulo Renato e nos governos do PT. O papel do FNDE foi ficando mais técnico. A tal ponto que Binho Marques acha que existe menos espaço para desvios:

— No passado, o FNDE era um balcão, bem bagunçado. Eu comecei a trabalhar com ele, na condição de secretário de Educação, num período promissor, com o Hingel. Ele chamou os secretários para construir regras de distribuição dos recursos. O Henrique Paim, que ficou muitos anos no MEC e foi presidente do FNDE, democratizou esses programas. Digo isso tudo porque não é mais como antigamente. O balcão deu lugar a um mecanismo com repasse automático por número de aluno. Antes era balcão mesmo, levava mais quem chegava lá com um deputado, senador, coisas desse tipo. Alimentação escolar e transporte escolar ganharam um sistema diferente de distribuição e mecanismos de controle. Isso reduz a manipulação política. O papel do FNDE ficou mais técnico, uma pessoa de perfil político fica perdida por lá.

É uma esperança, mas não há o que este governo e o ministro Abraham Weintraub, da Educação, não consigam destruir. Os políticos lutam por esse cargo exatamente por essa mistura irresistível entre dinheiro, capilaridade, muitas licitações e distribuição de benesses aos municípios. A Secretaria de Educação Básica, explicam os especialistas, é importante para definir políticas, porém quem vai dar o dinheiro para a construção da escola ou da creche é o FNDE.

A entrega do FNDE no balcão de negócios do presidente Bolsonaro com os partidos do centrão é uma tragédia a mais que se abate sobre o Ministério da Educação.

— Já tínhamos um desafio enorme no meio de uma pandemia com um presidente na contramão de tudo e um ministro que não sabe o que é educação — avalia Mozart.

Binho Marques chama atenção para outro angustiante problema:

— A gente perdeu muito tempo discutindo o Fundeb sem a participação do governo. Felizmente o Congresso, principalmente a deputada Dorinha, teve um bom protagonismo. Mas agora veio a pandemia, o Fundeb não está reestruturado e está perdendo recursos, porque depende diretamente do ICMS, cuja arrecadação está diminuindo. Se cai o valor do Fundeb, despenca o financiamento à educação.

E, para piorar tudo, há esse ministro.

— Parou tudo no MEC, o ministério desapareceu — diz Binho.

A opinião é muito semelhante à de Mozart:

— Para se ter uma ideia, o Conselho Nacional de Educação é que teve que fazer um parecer para orientar todo o sistema de ensino brasileiro durante a pandemia, para a reorganização do calendário escolar, a definição das atividades que podem ser contempladas no ensino a distância, da educação infantil ao ensino médio. Seria papel do ministério.

Nessa devastação que virou o Ministério da Educação, Bolsonaro decidiu abrir um dos seus mais vistosos balcões de negócios para blindar seu mandato.

98. A DOR COLETIVA E O DESAMPARO

21.5.2020

Um chefe de Estado demonstra sentimento quando o seu povo sofre, vai aos locais onde a tragédia acontece, conversa com atingidos e os conforta. Um governante mantém uma atitude de seriedade quando o país é alvejado por alguma catástrofe. Tem palavras de encorajamento para os que estão à frente da batalha socorrendo os enfermos. O que parece ser apenas protocolo faz parte do conjunto de obrigações da pessoa pública. Isso não resolve o problema, mas impacta muito mais do que se imagina a tomada de decisões. Só tem chance de acertar o líder que entende a dimensão da dor coletiva.

A comunicação de quem governa não pode ser tocada por um miliciano digital. Tem que ter sobriedade e propósito. Não pode ser uma corrida por *likes* e lacrações. A comunicação é a expressão do próprio Estado e por isso tem de ser dirigida por pessoas que evitem os ruídos e as agressões, as omissões e os conflitos. Mas nada substitui a palavra do líder, se ela for sincera e tiver relação com os atos praticados.

Ir até o local em que há sofrimento é a norma de conduta mais elementar que um governante tem de seguir. Não estar presente simboliza desprezo pelos governados. Normalmente, os que visitam o povo em seu sofrimento entendem a urgência da tomada de decisão. A pessoa pública conseguirá dialogar apenas com alguns e ver somente uma fração do que acontece, mas algumas histórias costumam falar por muitas e por isso, ao sair do casulo onde os áulicos lhe dizem que está tudo certo, o governante precisará ter ouvidos para ouvir e aproveitar a chance de ver com os próprios olhos.

O Brasil se acostumou à dor sem consolo. Aceita que o presidente faça piada quando a pandemia mata mais de mil pessoas num mesmo dia. Na piada rimada do presidente — "quem é de direita toma cloroquina, quem é de esquerda, tubaína" — não há apenas mau gosto. Há perversidade. Na terça-feira (19) em que ele fez a blague, houve 1.179 mortes por coronavírus no país. Bolsonaro parece querer exibir a indiferença como se tivesse orgulho dela.

De vez em quando alguém tenta entender o tamanho do acontecido calculando quanto as mortes representariam em quedas de avião — e são vários os aviões por esse critério que caem diariamente no Brasil —, ou usando métricas de outros desastres para apresentar uma dimensão da realidade. Isso é importante para que não se fique anestesiado diante da repetição diária dos eventos. Há gente atrás de cada número, como nos lembra o projeto "Inumeráveis", o memorial digital das vítimas de covid-19.

São inumeráveis as dores que atingem as famílias, inumeráveis as aflições de quem teme ser o próximo ou que o mal ameace as pessoas queridas. Inumeráveis as noites maldormidas no Brasil, nestes meses difíceis. Inumeráveis as horas de angústia de quem luta por um leito em hospital. Contudo, seguimos usando números para contar as vítimas de cada dia e, assim, dimensionar o sofrimento do país. Cada pessoa é única para os seus. E depois que o registro da perda deixar de ser notícia, a família atingida passará anos carregando as cicatrizes.

O ser humano foi dotado da virtude da empatia. O sofrimento não precisa ser pessoal para que cada um o sinta de certa forma e consiga se imaginar na pele do outro. Isso nos fez gregários. Assim nasceram as sociedades, os povos se organizaram, os países foram constituídos. Nessa ideia se inspiram as religiões. A cristã vai além e pede que entendamos o sofrimento do semelhante. Avisa que é preciso amar o próximo.

O presidente do Brasil nos revela até que ponto pode chegar a insensibilidade ao sofrimento. Se o "E daí?" dele foi um tapa na cara do país, a piada da cloroquina/tubaína, seguida da gargalhada no dia dos mil mortos, foi inqualificável. O dicionário da língua portuguesa parece gasto. As palavras andam fracas demais para qualificar o comportamento adotado por Jair Bolsonaro diante da dor dos brasileiros.

Quando tudo isso passar — e tudo isso passará — nós olharemos para trás e não acreditaremos que fomos capazes de tolerar este tempo extremo. Veremos com espanto o pesadelo coletivo que atravessamos sem o amparo de palavras de conforto de quem o país escolheu para o posto mais alto da administração. Os erros de gestão terão levado muitas pessoas à morte, mas nem poderemos saber que vidas teriam sido poupadas. Muitos serão os filhos do talvez. Haverá, então, a batalha das versões, e é apenas nela que pensa Jair Bolsonaro.

99. BRASIL À DERIVA NO MEIO DA TRAGÉDIA

23.5.2020

O mais espantoso na reunião do presidente com o ministério em 22 de abril é o conjunto. São duas horas repletas de palavrões e delírios, de escárnio e desrespeito com o país, que foram, enfim, divulgadas. O Brasil atravessando a sua pior crise em décadas e, em nenhum momento, o presidente fala da pandemia como um problema que o preocupe. Essa ausência choca. Suas falas coléricas são concentradas na defesa da sua família e dos amigos, no insulto aos adversários políticos e em ordens para que os ministros defendam o governo. E, sim, ele claramente quis interferir na Polícia Federal e disse que tem um sistema particular de informação. Em sua breve fala, o ministro Nelson Teich, da Saúde, disse que "a gente não é um barco à deriva". Engano. Essa reunião prova que o Brasil não tem governo, está à deriva em plena tragédia.

Brasileiros morrendo sem respiradores, a doença já se espalhando de forma avassaladora pelo país, os governadores e prefeitos tomando medidas em desespero pela ausência de uma orientação central, e o presidente acha que o importante é armar a população: "Como é fácil impor uma ditadura no Brasil. O povo dentro de casa. Por isso eu quero, ministro da Justiça e ministro da Defesa, que o povo se arme. É a garantia de que não vai ter um filho da puta, aparecer para impor uma ditadura aqui [*sic*]. Não dá para segurar mais.

Quero todo mundo armado, porque povo armado jamais será escravizado. Quero escancarar essa questão do armamento."

Os militares ministros do governo se mantiveram em silêncio diante da proposta de que a população fosse toda armada para defender o país de quem o presidente define como inimigo. Enquanto isso, já havia 2.906 mortos, e, nos trinta dias seguintes, mais de 20 mil. Mas aqueles que dirigem o Brasil se mobilizavam pelo risco suposto de pessoas serem presas e algemadas por prefeitos e governadores. "Pego as minhas quinze armas e vou usar para matar ou morrer, se minha filha for presa", disse o presidente da Caixa.

A ministra Damares, do Ministério da Mulher, da Família e dos Direitos Humanos, propôs que se prendessem os governadores. Mas há outros também ameaçados. "Eu, por mim, botava esses vagabundos todos na cadeia, começando no STF", disse o ministro da Educação, Abraham Weintraub, em meio a uma catarse cheia de palavrões, ao gosto do presidente, na qual em nenhum momento falou em educação, outra notável ausência.

Parte da reunião foi dedicada a xingar a imprensa. Logo depois de dizer que entre os valores do seu governo está a liberdade de expressão, Bolsonaro ameaçou os ministros, caso falassem com os jornalistas. "A questão da imprensa, não pode falar nada, tem que ignorar esses caras, pautados por esses pulhas, se puder, falar zero com a imprensa." Em um dos muitos momentos escatológicos, Bolsonaro afirmou: "Na linha do Weintraub, o que os caras querem é a nossa hemorroida, a nossa liberdade."

Ricardo Salles, ministro do Meio Ambiente, viu na crise uma grande oportunidade. "A oportunidade que nós temos agora que a atenção da imprensa tá voltada exclusivamente pro covid... enquanto estamos nesse momento de tranquilidade, porque a imprensa só fala de covid, ir passando a boiada..." E propôs que se fizesse o que ele estava fazendo: portarias e instruções normativas para mudar as leis ambientais do país.

Esta ruína é o governo do Brasil. Alguns ministros aproveitaram para fazer lobby, como o do Turismo, em favor da liberação dos cassinos. Houve desentendimentos em torno da economia: se era o Plano

Marshall, como o ministro Braga Netto definiu o seu plano de recuperação econômica pós-pandemia, ou se eram as ideias do ministro Paulo Guedes, que, aliás, mostrou um explícito objetivo político: "Não pode ministro querer ter um papel preponderante este ano e destruir a candidatura de um presidente, que vai ser reeleito se nós seguirmos o plano das reformas estruturantes originais." Em outro momento, Guedes voltou ao ponto: "Vamos fazer todo o discurso da desigualdade, vamos gastar mais, precisamos eleger o presidente."

Nessa reunião enojante houve uma ou outra palavra de sensatez. O então ministro Moro lembrou que o combate à corrupção foi bandeira da campanha; o ministro Rogério Marinho, do Desenvolvimento Regional, avisou que "caiu um meteoro na nossa cabeça"; o então ministro Teich alertou que não tinha como abrir a economia porque "o medo impede que qualquer atividade tenha sucesso".

O presidente disse, sim, que iria interferir na Polícia Federal, se é prova de crime o que se busca. Mas o conjunto da reunião mostrou a miséria moral do governo. Este governo não merece o Brasil.

100. IDEIA DE BOLSONARO É INCONSTITUCIONAL

24.5.2020

A proposta do presidente Jair Bolsonaro de armar a população, na radicalidade que ele defendeu na reunião ministerial de 22 de abril, se posta em prática permitiria a formação de grupos armados, milícias, como há na Venezuela, e até uma guerra civil. O mais impressionante é que os oficiais, inclusive um integrante do Alto-Comando, na ativa, ouviram isso sem reagir. É inconstitucional a proposta do presidente. O Estado tem o monopólio da força, garantido pelas Forças Armadas. Bolsonaro quer que pessoas armadas saiam de casa para desrespeitar leis e determinações das autoridades.

Um ministro do Supremo com quem conversei ontem considera que essa parte, divulgada agora em vídeo, é a mais relevante da reunião. Não apenas por ser claramente inconstitucional, mas porque já há precedentes:

— Tem aquele fato anterior, de revogação das portarias que permitiam a rastreabilidade de armas, balas e munições de uso exclusivo do Exército. Eles substituíram, inclusive, o responsável pelas portarias. Se você flexibiliza a rastreabilidade, você beneficia os milicianos e grupos marginais. Essa é uma questão que precisa ser olhada com atenção. Já há uma ação do PDT no Supremo.

A PGR tinha que tomar alguma providência, na opinião desse ministro.

Um general que ouvi acredita que as instituições impedirão que o presidente execute esse seu projeto armamentista. Disse que o presidente não tem o poder de armar a população, porque a legislação não permite e ele não teria o apoio necessário no Congresso para mudar a lei. O militar acha que o Brasil não tem essa cultura, a não ser "grupos restritos e os marginais".

— Assim, quando ouço esses arroubos, vejo apenas como uma figura de retórica — disse o general, que tem posição de destaque no governo.

O presidente estava naquela reunião estimulando, na minha opinião, um conflito armado dentro do país, a desobediência armada às ordens das autoridades estaduais. Isso pode ser o começo de algo muito perigoso. Na Venezuela, o coronel Hugo Chávez fez exatamente isso para se perpetuar no poder. Armou grupos, os círculos bolivarianos, inicialmente com o argumento de defender a "revolução" que ele dizia representar, depois outros grupos paramilitares foram sendo formados. Hoje, há mais "soldados" nesse exército paralelo do que no oficial.

Por outro lado, o chavismo fez uma simbiose com as Forças Armadas, militarizando o governo e dividindo o poder com os oficiais. Em seguida, enfraqueceu as instituições, como Congresso e Judiciário, e perseguiu a imprensa. O Brasil, no governo Bolsonaro, faz um ensaio claro na mesma direção do chavismo que demoliu a Venezuela. Com a divulgação daquela reunião do dia 22 de abril, o país redescobriu, graças à decisão de liberar o vídeo tomada pelo ministro Celso de Mello, do STF, do que é feito o governo. Lá se viu de tudo, desde ministros pedindo prisões de autoridades e ameaças do presidente a quem falasse com a imprensa até o estímulo à reação armada contra a ordem das autoridades legalmente constituídas.

Isso causou espanto em integrantes de outros Poderes, mas é crescente a impressão de que o procurador-geral da República, Augusto Aras, tentará arquivar o inquérito que investiga se houve tentativa de interferência de Bolsonaro na Polícia Federal. Entre os meus interlocutores, tenho ouvido que o fato ficou disperso entre as muitas falas do presidente.

Um procurador do alto escalão do MPF, no entanto, me disse ontem que é evidente que houve crime naquela reunião. O ponto do ex-ministro Sergio Moro estaria provado naquela fala, recheada de palavrões, em que Bolsonaro diz que vai trocar, sim, "o pessoal da segurança nossa" no Rio. Ninguém, honestamente, pode confundir com a segurança pessoal, pelo contexto e porque ele fala em proteger filhos e amigos. "Se não puder trocar, troca o chefe dele. Não pode trocar o chefe dele? Troca o ministro e ponto final", disse o presidente.

E ele, de fato, trocou o diretor da PF no dia seguinte para mudar o superintendente no Rio. Ponto final. Era isso que ele queria. Se Aras não quiser ver, é porque não quer fazer seu papel institucional. Perguntei ao procurador que eu ouvi que crime estaria caracterizado nessa fala.

— Advocacia administrativa, pelo menos — respondeu ele.

É diante deste fato que o país está: o presidente cometeu crime e faz ameaças à Constituição numa reunião ministerial. Ignorar isso é flertar com o abismo.

101. TORTUOSAS FALAS DO TIME ECONÔMICO

26.5.2020

A equipe econômica se saiu muito mal na reunião ministerial de 22 de abril. O ministro Paulo Guedes colocou a economia a reboque do projeto da reeleição e os presidentes do Banco do Brasil, da Caixa e do BNDES fizeram triste figura. Rubem Novaes, totalmente fora do rumo, disse que o pico da pandemia já havia passado; Pedro Guimarães deu um show de servilismo; Gustavo Montezano disse duas vezes que subscrevia as palavras do ministro do Meio Ambiente, Ricardo Salles, que havia proposto solapar as leis, aproveitando o foco da imprensa na covid-19. Roberto Campos Neto, do Banco Central, mostrou que se sente à vontade em reuniões de governo que nada têm a ver com o papel do BC.

O mercado ontem comemorou a divulgação do vídeo da reunião com alta na bolsa e queda do dólar, porque avaliou que nela não houve nada de mais. A visão míope e imediatista dos operadores já é conhecida. Ontem o *Financial Times* trouxe na primeira página uma matéria corrosiva sobre o presidente Jair Bolsonaro e os destinos do Brasil. O *FT* é formador de opinião no mundo dos grandes investidores. Na reunião, a equipe econômica mostrou aderência aos valores distorcidos e aos maus modos do governo. Não é uma ilha de racionalidade e não sabe como tirar o país da crise.

A reunião era para discutir o plano econômico pós-pandemia, que havia provocado ruídos. Paulo Guedes disse que via nele "as digitais" do ministro Rogério Marinho, do Desenvolvimento Regional, que, em resposta, pediu o abandono dos dogmas. O presidente Jair Bolsonaro passou a palavra a Guedes logo após a apresentação do ministro Braga Netto, da Casa Civil, dizendo que ele era "o ministro mais importante nessa missão aí". No entanto, não arbitrou o conflito que ficou latente entre Guedes e Marinho. Até porque Bolsonaro foi para a reunião com uma agenda própria, que não era o plano ali discutido nem a pandemia do coronavírus.

Na primeira intervenção de Guedes, já houve uma parte suprimida do vídeo, da qual se depreende que ele também entrou na teoria da conspiração que culpa a China pela pandemia. "A China [parte excluída] deveria financiar o Plano Marshall." Sua rejeição ao modelo estatista — que está embutido no Pró-Brasil, o que seria, na proposta do general Braga Netto, o "nosso" Plano Marshall — poderia ter sido ótima. O argumento que ele usou, contudo, foi o de que esse plano iria "destruir a candidatura do presidente, que vai ser reeleito se seguirmos o plano das reformas estruturantes". E mais adiante Paulo Guedes volta a falar. "Vamos fazer todo o discurso da desigualdade, vamos gastar mais, precisamos eleger o presidente." Quando a ministra da Agricultura, Tereza Cristina, disse que os juros para a produção agrícola eram de 9%, Paulo Guedes então dissertou sobre a natureza do Banco do Brasil — nem tatu nem cobra — e seu destino: "Tem que vender essa porra."

Apesar da retórica crua, Guedes nunca encontrou apoio do presidente ao seu projeto. Bolsonaro prometeu para depois da reeleição. "Em 2023." A verdade é que Bolsonaro não deixou Guedes avançar na agenda liberal. E, naquela fala, o ministro mostrou que tem uma preocupante visão dos bancos estatais, quando acrescentou: "O senhor já notou que o BNDE e a Caixa são nossos, públicos? A gente faz o que quer."

Não faz, não. Foi isso que quebrou a Caixa em outros governos. Mas a Caixa tem sido tratada como parte do aparato bolsonarista. Para exibir sua sabujice, Pedro Guimarães prometeu tomar um litro de cloroquina, disse que tinha quinze armas e chamou *home office* de "frescurada". Soltou vários palavrões, à moda do chefe. E superou o "nunca antes" do lulismo, dizendo que o auxílio emergencial — que é temporário e provocou o tormento das enormes filas — é "o maior programa de inclusão de pessoas da História da Humanidade".

Rubem Novaes, do Banco do Brasil, disse que falaria como "pessoa que olha os números" e mostrou que confunde oscilação com tendência: "O tal pico, o tal famoso pico, que gerava tantas preocupações, a minha sensação é de que esse pico já passou."

O presidente do Banco Central, Roberto Campos Neto, defendeu algumas ideias sensatas, mas desafinou quando disse que "a mídia joga medo" e, por isso, "a classe mais alta tem mais medo do que a classe baixa, porque tem mais acesso à informação, e informação enviesada". Se o projeto era um Banco Central independente, na atual gestão ele está perdendo a independência que tinha.

A visão de conjunto da reunião desmonta a ilusão de uma equipe econômica técnica. Ela é política, perdeu seu foco, não tem projeto. Guedes chegou a dizer que "o alerta aí do Weintraub é válido". Weintraub havia proposto prender os ministros do Supremo, definidos por ele como "esses vagabundos". Guedes disse que Weintraub falava dos "valores". Que valores?

102. COM QUE FORÇAS CONTA BOLSONARO?

29.5.2020

O Brasil está em situação grave. Os militares com cargo no Planalto e o ministro da Defesa acham que o presidente Jair Bolsonaro tem razão e só fazem reparos ao tom. Acreditam que, sim, o Supremo Tribunal Federal está exorbitando de suas funções. Não está, mas a opinião dos militares dos quais se cercou o presidente o reforça e ele, então, decide escalar e assim fortalece sua militância. Por outro lado, na reforma da Previdência foi feito um grande agrado às polícias militares, com a extensão aos PMs do benefício dado às Forças Armadas: a manutenção da integralidade e da paridade. Isso aumentou o apoio dos policiais ao presidente. Bolsonaro ontem fez ameaças ao Supremo e ao ministro Celso de Mello. Quem vai impor limites? Perguntei isso a uma alta autoridade e ouvi que as instituições já estão impondo limites.

Na visão dessa autoridade, o que os ministros do STF Celso de Mello e Alexandre de Moraes estão fazendo é impondo limites. O plenário do Supremo tem feito isso também. Câmara e Senado, quando mudam propostas ou rejeitam projetos, estão avisando ao presidente quais são as fronteiras entre os Poderes.

— As instituições estão fazendo um risco no chão — disse essa autoridade.

A já tradicional gritaria matinal de Bolsonaro foi, ontem, mais estridente. Cada palavra foi bem estudada. E a entonação. Quando ele elevou a voz para dizer "Acabou, porra!", referindo-se à atuação do Supremo, estava enviando mensagem à militância. Tudo o que faz ou diz é filmado para ser usado em campanhas ou no seu projeto autoritário. Para esse uso foi gravada a reunião ministerial de 22 de abril. O filho 03 foi de novo escalado para ameaçar a democracia. A fala do deputado Eduardo é de que não é uma questão de "se", mas de "quando" acontecerá a "ruptura". A frase foi dita na noite da quarta-feira (27) para acalmar a militância de extrema direita, assustada com a operação de busca e apreensão na casa de bolsonaristas investigados no inquérito das *fake news*. O projeto de Bolsonaro é este mesmo: a ruptura. Adiantam pouco as negativas de que não haverá golpe militar. As democracias hoje morrem de outra maneira.

O Supremo Tribunal Federal está em duas encrencas. O tribunal aprovou o fim da condução coercitiva do investigado (ADPFs nº 395 e nº 444). E se Abraham Weintraub, da Educação, não atender à ordem do ministro Alexandre de Moraes de ir depor? A segunda encrenca é o início polêmico desse inquérito das *fake news* e das ameaças ao Supremo. Foi aberto de ofício, o ministro Alexandre de Moraes foi nomeado sem sorteio e tropeçou no início com a censura à revista *Crusoé*. A matéria citava Dias Toffoli na delação de Marcelo Odebrecht. Ao longo do tempo, contudo, o processo ganhou relevância política, não porque mirou a direita, mas porque está investigando indícios de crime.

Os próprios militares que estão no governo não defendem o que um deles definiu para outro alto integrante do Poder como "milícia digital". O presidente, porém, colocou toda a força da Presidência para defender exatamente essa milícia digital investigada pelo Supremo. "Com dor no coração ouvi aqueles que tiveram a sua casa violada", disse o presidente. "Essa mídia social me trouxe à Presidência."

Bolsonaro está deliberadamente fazendo uma confusão entre a liberdade de expressão e o crime de divulgar *fake news*, caluniar, difamar, organizar-se para atacar através de robôs, contratar empresas de disparos de mensagens em massa em período eleitoral, financiar manifestações antidemocráticas. É isso que está sendo investigado. O grande desafio da democracia é criar antídotos contra esses ataques às instituições. O Congresso também prepara uma lei dura para evitar o uso criminoso das mídias sociais. As próprias plataformas estão estabelecendo normas. Não é ameaça à liberdade de expressão. O presidente sabe disso.

Ele está claramente querendo intimidar o Judiciário. Por efeito bumerangue, conseguiu aumentar a união dentro da Corte, como se viu no curto e claro discurso do ministro Luiz Fux, avalizado por Dias Toffoli, em defesa de Celso de Mello. Bolsonaro acredita que neutralizou o Ministério Público com a nomeação de Augusto Aras como procurador-geral da República, a quem ofereceu ontem publicamente o cargo de ministro no STF. Acredita que consegue o apoio das Forças Armadas pelas vantagens que deu aos oficiais, e que tem o respaldo das PMs pelo ganho dado aos policiais militares.

Durante a tarde, enquanto Bolsonaro conversava com o presidente do Senado, Davi Alcolumbre (DEM-AP), o presidente da Câmara, Rodrigo Maia (DEM-RJ), mandava o recado: "É bom dialogar, mas é bom ficar claro que nós vamos continuar reafirmando que a nossa democracia é o valor mais importante do nosso país e as instituições precisam ser respeitadas."

Bolsonaro tentará ignorar recados e passar por cima dos limites.

103. "OS ERROS TERÃO COR VERDE-OLIVA"

31.5.2020

A democracia corre riscos no Brasil? Essa foi a pergunta que fiz para o historiador e escritor José Murilo de Carvalho. Ele respondeu:

— Corre.

Era difícil imaginar uma resposta assim tão direta tempos atrás.

— Até o início do ano, o risco era pequeno, mas está crescendo, embora, por enquanto, em ritmo menor do que o coronavírus.

Autor do clássico *Forças Armadas e política no Brasil*, que acaba de ser relançado, José Murilo acredita, porém, que dificilmente Marinha e Aeronáutica apoiariam qualquer ruptura da ordem.

Ele não está falando — nem se pensa — em um golpe como o de 1964, que aconteceu em outro contexto histórico. Contudo, acha que o artigo 142 da Constituição tem um "caminho aberto para interpretações conflitantes". Dos muitos sinais dos últimos dias dados por militares que estão no governo, José Murilo considera mais grave o episódio envolvendo o general Augusto Heleno, até porque foi respaldado pelo ministro da Defesa:

— A posição do general Heleno é, sem dúvida, a que mais preocupa, por deixar a entender uma ameaça de intervenção. Pode, em parte, ser atribuída a seu temperamento, mas a nota que distribuiu no dia 22 de maio é ameaçadora. Pode ser interpretada como referência ao que a Constituição diz sobre o papel das Forças Armadas como garantidoras dos Poderes constitucionais, isto é, como um superpoder, como Corte Supremíssima.

Na nota, o general ameaçou o Supremo de "consequências imprevisíveis", caso o celular do presidente Bolsonaro fosse apreendido nas investigações do inquérito sobre a interferência política promovida pelo presidente na Polícia Federal. A Constituição, explica o historiador, diz que as Forças Armadas estão sujeitas à autoridade do presidente da República e acrescenta que elas se destinam "à garantia dos Poderes constitucionais".

— Há aí uma enorme dificuldade: como [as Forças Armadas podem] estar sujeitas a um Poder e, ao mesmo tempo, garantir os três? É caminho aberto para interpretações conflitantes e dá margem a declarações ameaçadoras como a do general Heleno. Ele faria a mesma ameaça se fosse para defender o Congresso e o STF contra os ataques do chefe do Executivo?

Ele lembra que na história recente esse é o segundo episódio que tem o Supremo como alvo:

— É irônico. O general Villas Bôas fez ameaça na véspera do julgamento de Lula no Supremo. Agora, o general Heleno ameaça o mesmo Supremo por, supostamente, perseguir o presidente.

Esses riscos extemporâneos que aparecem no país lembram uma máquina do tempo que nos tenha levado para mais de meio século atrás. Até porque quem presta atenção nas falas bolsonaristas fica com a impressão de que ainda estamos naquele mundo. Para um bolsonarista raiz, qualquer pessoa que discorde do presidente é um "comunista". José Murilo trata de pôr o passado onde ele deve ficar. No passado.

— Certamente nada como em 1964. Não temos um dos principais condicionantes de então, a Guerra Fria. O comunismo era, na época, uma realidade no mundo com adesões no Brasil, inclusive nas Forças Armadas. Hoje é conto de carochinha. A esquerda, se podemos chamar o PT de esquerda, está desarvorada. Grupos civis armados, como os de Brizola em 1964, hoje despontam entre os apoiadores radicais do presidente. Seria curioso se, para garantir a lei e a ordem, e de acordo com a Constituição, o Supremo convocasse as Forças Armadas para combatê-los.

Se, ao mencionar "ruptura", o deputado Eduardo Bolsonaro está falando em endurecimento do regime, o que aconteceu em alguns países, por exemplo a Hungria, isso teria o apoio dos militares?

— Minha aposta é que não. Marinha e Aeronáutica dificilmente apoiariam tal decisão. São forças mais profissionalizadas. Mesmo o Exército hesitaria. O artigo do general Santos Cruz deve representar a posição da maioria do oficialato. O mais crucial é a posição dos generais que permanecem no governo.

O historiador lembra que, no início da gestão Bolsonaro, a presença dos generais não significava que o governo fosse militar:

— Mas a constante alegação do presidente de ter apoio militar está deixando esses generais em posição delicada. Eles são corresponsáveis pelas trapalhadas do governo e agora não haverá mais como evitar que a imagem das Forças seja afetada. Os erros terão cor verde-oliva.

Essa situação de temer pela estabilidade democrática foi criada pela retórica belicosa do próprio presidente nesses dezessete meses de governo. A saída seria, segundo José Murilo de Carvalho, "o impedimento", mas ele acha que Bolsonaro está protegido pela pandemia:

— Com a quarentena não há rua, sem a rua não há impedimento.

O país se vê às voltas com velhos fantasmas que o governo Bolsonaro mesmo retirou do armário.

104. OS DESAFIOS E A RESISTÊNCIA

6.6.2020

Os índios estão se afastando das aldeias e entrando mais profundamente na floresta para fazer isolamento social. Foi o que o fotógrafo Sebastião Salgado contou. O desmatamento pode liberar outros vírus e bactérias que hoje vivem em equilíbrio no ecossistema da Amazônia, por isso preservar a floresta é proteger a Humanidade contra novas pandemias. É o que disse o cientista Paulo Artaxo, da USP. Temos o que celebrar na área ambiental: a resistência do ambientalismo, da comunidade científica, da sociedade brasileira. É o que pensa a ex-ministra Marina Silva.

Ontem, mediei um debate entre os três, pelo Dia do Meio Ambiente. Cada um de sua casa, como convém nos tempos atuais. De Paris, Sebastião Salgado está em contato direto com o solo da Amazônia. Ele informou que das comunidades indígenas saem as informações mais precisas do que ocorre na floresta. Perigos imensos rondam os povos indígenas.

— Na terra Yanomami há 22 mil garimpeiros, e eles podem levar a covid-19, além da destruição ambiental. No Vale do Javari, onde vivem os isolados Korubo, há também garimpeiros. É conhecido que os indígenas não têm as defesas imunológicas que nós temos. Na Amazônia há a maior riqueza cultural do planeta, mais de trezentas tribos que falam quase duzentas línguas. Há 120 grupos que nunca foram contactados. Pode haver um genocídio — alertou Salgado.

Paulo Artaxo explicou que há paralelos entre as crises do clima, da perda de biodiversidade e do surgimento da covid-19. Para todas elas a solução está na ciência:

— A extrema direita não aceita a ciência, a não ser quando é do seu interesse. Essas três crises juntas podem ter efeitos devastadores. O desmatamento da Amazônia tem impacto climático, provoca perda de biodiversidade e cria desequilíbrio num ecossistema que evoluiu por milhões de anos onde há inúmeros patógenos, vírus e bactérias. Eles podem ser liberados, como aconteceu com o ebola na África.

Para enfrentar os três problemas juntos, Artaxo recomendou buscar o desmatamento zero e proteger as populações indígenas, que são os guardiões da floresta. As áreas mais preservadas são exatamente as terras indígenas.

Marina lembrou que a sociedade brasileira tem resistido aos constantes ataques ao meio ambiente nos últimos anos.

— Para não ficar apenas nas tristezas, diante do desmonte da governança ambiental por um ministro que conspira contra a própria pasta, é preciso lembrar que estava tudo pronto para aprovar a MP da Grilagem e ela saiu de pauta. Salles tentou "passar sua boiada" e mudar a Lei da Mata Atlântica e teve que revogar seu ato. Por isso digo que é preciso celebrar os momentos em que a resistência venceu — pontuou a ex-ministra que, no seu tempo no Ministério do Meio Ambiente, criou um plano de combate ao desmatamento que foi mantido mesmo após a sua saída e reduziu em 83% a taxa anual de destruição da Amazônia.

Paulo Artaxo contou que sempre perguntam a ele, em seminários, quando o mundo voltará ao normal. Ele estranha a pergunta:

— Não é normal destruir 10 mil quilômetros quadrados de floresta amazônica por ano, não é normal emitir 48 gigatoneladas de CO_2 por ano, não é normal ter 7 milhões de carros em São Paulo criando transtornos e fazendo a população respirar o ar insalubre. O aumento da temperatura pode tornar o Nordeste inabitável em poucas décadas. Não existe *lockdown* para o clima. O normal seria buscar os Objetivos do Desenvolvimento Sustentável.

Salgado afirmou que o desmonte que o governo Bolsonaro tem feito ameaça o Estado brasileiro. A Funai, que já teve grandes antropólogos na direção, hoje é dirigida por um delegado de polícia. Há outros órgãos sob ataque:

— Temos que evitar a venezuelização do Brasil. Bolsonaro está empregando muitos militares para dar a impressão de que o Exército está apoiando a extrema direita, um grupo sectário, mas não está. O Exército é uma grande instituição que está na Amazônia protegendo nosso território e os povos indígenas.

Marina ressaltou que, atualmente, grupos da sociedade civil estão se unindo em movimentos como o Juntos, ou o Somos 70%, para proteger a democracia. Ela acha que a pandemia mostrou que a nova economia é ainda mais necessária, e que a inclusão tem de ser também digital. Hoje, quem está excluído digitalmente não consegue estudar nem trabalhar.

105. O CRIME DA DESINFORMAÇÃO

9.6.2020

Quando os absurdos se tornam frequentes, o risco é perdermos a noção da gravidade. Sonegar informações sobre mortos e contaminados numa pandemia é crime. Tudo o que o governo Bolsonaro fez nos últimos dias no Ministério da Saúde — tirar site do ar, divulgar números conflitantes, acusar governos estaduais de superfaturar a morte, desinformar deliberadamente — é abuso de autoridade. É também inútil. Os órgãos de imprensa anunciaram uma parceria inédita para divulgar os números diários de covid-19 no país, enquanto o Congresso vai montar uma Comissão Mista Especial de acompanhamento da pandemia. No final do dia, o governo ensaiou um recuo, mas ainda deixou muitas dúvidas no ar. Divulgou dados incompletos, com menos mortes e casos que o apurado pelo consórcio formado pelos veículos de imprensa.

A democracia busca sempre maior transparência. Ditaduras escondem informações, brigam com os números, quebram termômetros, ameaçam quem informa, mudam metodologias para ver se conseguem fazer os dados corresponderem à versão que lhes convém. Numa pandemia, a falta de informação desorienta pessoas e administradores públicos, podendo levar a decisões temerárias.

Numa crise, a comunicação confiável é uma arma poderosa na mão de governantes esclarecidos para ajudar na solução. É parte do tratamento. O Ministério da Saúde, quando comandado por Luiz

Henrique Mandetta, entendeu isso. Aquelas entrevistas diárias do ministro na TV ajudavam a esclarecer e informar. No início da pandemia, com tanto desconhecimento sobre o assunto, elas foram fundamentais e, sem dúvida, salvaram vidas por transmitirem o senso de urgência e gravidade. No curto período de Nelson Teich, a comunicação ficou mais opaca e o ministério se enfraqueceu. No interinato do general Pazuello, a pasta está sendo desmontada. A briga com os números é parte dessa conspiração.

A ideia que eles tentaram emplacar nesses últimos dias no ministério, de anunciar apenas as mortes confirmadas no dia, tinha vários defeitos. Primeiro e mais importante: deixaria alguns óbitos num limbo, porque os que haviam morrido e não tinham entrado nas estatísticas nunca mais entrariam, uma vez que os dados do passado, com outra metodologia, não estariam mais disponíveis. Segundo, interromperia o critério que vinha sendo usado e que era compreendido por todos já. Terceiro, eles mesmos se atrapalharam, como ficou claro na divulgação de dois números totalmente díspares anunciados para as mortes de domingo (7). Era de 1.382 e caiu para 525. Com manobras assim perde-se credibilidade.

Ontem, eles avisaram que haverá novo site e prometeram divulgação de todos os números. O das mortes do dia, o das mortes consolidadas no dia e os dados gerais, acumulados. Tudo isso foi anunciado pelo secretário executivo substituto, Élcio Franco. Ele ostentava uma caveira na lapela. Alguém deveria avisá-lo de que, dadas as atuais circunstâncias, não deveria exibir tal distintivo em uma entrevista no Ministério da Saúde.

O recuo de ontem pode não encerrar essa brincadeira trágica com as estatísticas. Foram dias atrasando deliberadamente a divulgação para tentar atingir — como explicou o presidente Bolsonaro — o *Jornal Nacional*. Tudo o que Bolsonaro conseguiu com suas idas e vindas foi mais desgaste e exposição negativa para o próprio governo. Há uma velha lei implacável: quem briga com os números acaba sempre perdendo.

É um espanto que o presidente consiga militares dispostos a incendiar o próprio currículo para seguir ordens estúpidas, como as que foram inspiradas em um notório e caricato áulico. O general Pazuello e seus coronéis, que militarizaram o Ministério da Saúde, fazem mal também à imagem da própria corporação que integram ou integraram. Sem traço de espinha dorsal, eles se submetem a ordens esdrúxulas desprovidas de qualquer respaldo técnico. Quando a situação melhorar, quando chegar o dia em que venceremos o vírus, graças a quem agiu certo durante esta pandemia e graças sobretudo aos heróis da Saúde, nós, jornalistas, seremos os primeiros a querer noticiar. E dessa vez com alegria.

A confusão pode ser só sobre dados, mas não percamos a visão do todo. O que Bolsonaro tem feito desde o começo desta pandemia é terrivelmente desumano: negar a gravidade da doença, não ser solidário, derrubar ministros da Saúde, prescrever remédios como se médico fosse, atacar governadores e prefeitos, adiar a transferência de recursos para estados e municípios e impor a maquiagem do número de mortes. Bolsonaro sabota a saúde do povo brasileiro, estimula comportamentos temerários e perturba a ordem pública. Ele é o pior governante que poderíamos ter numa crise desta dimensão.

106. CONTABILIDADE CRIATIVA DE NOVO?

10.6.2020

O Ministério da Economia poderia ser acusado de estar fazendo contabilidade criativa, por isso recuou da decisão de transferir o dinheiro do Bolsa Família para o setor de comunicação do Palácio do Planalto. Eram R$ 83,9 milhões, mas a manobra poderia liberar para outros gastos pelo menos R$ 6 bilhões em três meses. Foi assim o truque: o governo pegou o dinheiro do auxílio emergencial e pagou o Bolsa Família. Com isso "sobraram" recursos para usar como quisesse. Como escrevi na segunda-feira (8), no meu blog, as fontes que ouvi disseram que isso não era ilegal, mas que, no mínimo, era um erro técnico.

O auxílio emergencial foi pago com crédito extraordinário pedido ao Congresso para essa finalidade. O orçamento do Bolsa Família oscila entre R$ 2,4 bilhões e R$ 2,5 bilhões por mês. Em abril, foram gastos apenas R$ 113 milhões. Ao pagar os beneficiários do Bolsa Família com os recursos do auxílio, o governo ficou com mais liberdade para gastar dinheiro do Orçamento. No entanto, isso misturava despesas obrigatórias com gastos emergenciais aprovados dentro do estado de calamidade.

O argumento do Ministério da Economia foi que os beneficiários do Bolsa Família tiveram o direito de optar por receber o benefício mais alto. O que me explicaram no Congresso é que, sim, eles puderam optar, até pelas mudanças feitas no próprio Parlamento. O problema é que o governo poderia ter usado o Orçamento para pagar o valor normal e complementado com os recursos extraordinários.

— Isso permitiria a eles pedir um valor um pouco menor de crédito extraordinário. Eles que se preocupam tanto com o crescimento da dívida. Isso é dívida — diz uma fonte do Congresso.

A contabilidade escolhida produziu uma série de ruídos. O primeiro foi o valor de R$ 83,9 milhões para o setor de comunicação do Planalto. De acordo com a nota do Ministério da Economia, "o reforço da dotação advém da solicitação da Presidência da República para recompor seu orçamento". O dinheiro iria para "ações de comunicação e de campanhas publicitárias de caráter educativo, informativo e de orientação do cidadão". É, pode ser. Mas esse setor dirigido pelo secretário Fábio Wajngarten está sempre envolvido em controvérsias.

Isso era só o começo. A decisão de pagar despesa fixa com crédito extraordinário abriria um "espaço orçamentário que poderá ser utilizado para o atendimento de outras despesas da União", segundo a nota do Ministério da Economia. Ou seja, do ponto de vista da comunicação, também foi péssimo. Cada vez que fosse liberado algum gasto tendo como fonte o dinheiro do Bolsa Família, haveria reação.

Mas o que acendeu a luz vermelha no governo foi o movimento do Tribunal de Contas da União para entender o que estava acontecendo. Quatro anos depois da queda de uma presidente por "pedaladas" fiscais, esse manejo das contas poderia ser entendido como contabilidade criativa. E isso ganharia força no debate político.

O presidente Bolsonaro está às voltas com várias investigações. Neste momento, há o inquérito por suspeita de interferência na Polícia Federal. O presidente conta com a colaboração do procurador-geral da República para se livrar das suspeitas de cometimento de vários crimes. O inquérito das *fake news*, cuja investigação será compartilhada com o TSE, se aproxima de pessoas ligadas ao presidente. Há ainda o inquérito das manifestações antidemocráticas, das quais ele tem participado.

Bolsonaro tem também contra si a trágica administração da pandemia. Ontem, de novo ele deu demonstrações de alienação total da realidade. "Ninguém morreu por falta de UTI e respirador. Quem morreu não foi por falta de leito. Muitos faleceram, no futuro poderá se comprovar, por não usar a hidroxicloroquina", disse.

A esta altura dos acontecimentos, com 38.497 mortos, o presidente é capaz de afirmar algo que contraria todos os fatos. O Ministério da Saúde tentou manipular o número de mortos e foi obrigado a recuar pelo Supremo Tribunal Federal.

Com tanta confusão, o governo preferiu não correr o risco de ser acusado de fazer "pedalada" fiscal. Era só mesmo o que faltava. Apesar do que disse na nota técnica de segunda-feira, o Ministério da Economia preferiu suspender o repasse para a comunicação da Presidência.

107. INTERVENÇÃO EM UNIVERSIDADES

11.6.2020

O governo Bolsonaro amanheceu ontem atentando contra mais um princípio constitucional: a autonomia das universidades federais. Isso é uma constante no tempo doloroso que vivemos. É certo que, a cada dia, ele tentará, de uma forma ou de outra, enfraquecer alguma instituição ou minar de novo o processo democrático. O absurdo de ontem, logo cedo, foi a medida provisória que dá ao ministro Abraham Weintraub o direito de nomear interventores para as universidades cujos reitores tiverem concluído seus mandatos no período da pandemia. Bolsonaro e Weintraub estão usando a pandemia para intervir nas universidades.

O Ministério da Educação explicou que a MP está baseada na lei que estabeleceu medidas "para o enfrentamento de emergência de saúde pública". O presidente desdenha da pandemia, sabota todos os esforços de saúde pública e defende que nenhuma medida protetiva contra o contágio deve ser adotada. Porém, usa a lei que respalda o governo na tomada de decisões na área da saúde para suprimir o processo de escolha da lista tríplice para reitores universitários. Normalmente faz-se uma longa consulta na comunidade acadêmica que inclui alunos, professores e funcionários. A partir daí forma-se a lista tríplice de eleitos que é levada ao presidente da República.

Desde o primeiro dia deste governo a educação tem sido alvo de ataques. O objetivo é destruir. E isso é feito através da escolha de néscios para o cargo de ministro. Foram dois. O primeiro era até inofensivo perto deste, que chegou ao cargo achando que estava numa missão de demolição, inclusive da língua portuguesa. A educação é o assunto menos relevante para ele, como mostrou naquela reunião ministerial de 22 de abril, em que nada falou sobre as questões da sua pasta em meio à pandemia. Dedicou o seu tempo a uma confusa catarse, em que se disse perseguido, alegou que "tem se ferrado", defendeu a destruição de Brasília, disse que odeia a definição de "povos indígenas" e pediu a prisão dos ministros do Supremo. Essa fala transtornada deveria ter sido suficiente para ele perder o cargo. Com a MP de ontem ele ganhou mais poderes.

Curiosamente, a crise de saúde pública que Bolsonaro desdenha foi a justificativa encontrada pelo MEC para a MP que dá a Weintraub poderes de nomear "reitores temporários". Ou "interventores", como define, com mais precisão, o presidente da Associação dos Dirigentes de Instituições Federais de Ensino Superior, João Carlos Salles.

Há cerca de vinte universidades com processos pendentes até o fim do ano em estágios diversos, entre elas a do Pará, do Rio Grande do Sul, de Mato Grosso, a Rural de Pernambuco, a de São João del-Rey, a Tecnológica do Paraná. Algumas já estavam com a consulta quase concluída quando as aulas foram suspensas. Há diversas soluções temporárias, como a de manter o atual reitor até que se possa escolher a nova lista tríplice ouvindo alunos, professores e funcionários, conforme sugere a reitora da UFRJ, Denise Pires de Carvalho. Outra ideia que ouvi de um ex-reitor é manter o vice-reitor que tenha sido escolhido em data posterior e, portanto, ainda tenha mandato. Uma consulta informal, se houvesse diálogo entre o ministério e a comunidade acadêmica, permitiria encontrar uma solução para preservar a autonomia administrativa das entidades. O governo, claro, preferiu uma saída ilegal e autoritária.

A comissão da Câmara dos Deputados que acompanha o MEC soltou uma nota dizendo que a MP "afronta o estabelecido pelo artigo 207 da Constituição Federal, que dispõe sobre a autonomia das universidades para decidir sobre questões administrativas, didático-científicas, gestão financeira e patrimonial". Segundo a comissão, a

MP é "antidemocrática e inconstitucional". Por isso os deputados pediram a devolução imediata da medida provisória. Até porque outra MP sobre o assunto acaba de caducar.

Desde que assumiu o cargo, Weintraub vem ofendendo as universidades e fazendo acusações difamatórias que não consegue provar. Ele tem sido também completamente omisso em questões do ministério relacionadas ao ensino básico. Exemplo foi a sua ausência no debate sobre o Fundeb. Essa nulidade que ocupa imerecidamente o cargo de ministro da Educação ganhará, se a MP for aprovada, o poder de nomear interventores nas universidades públicas do país.

108. O IMPOSSÍVEL NÃO ACONTECE

14.6.2020

— Em quarenta anos de consultoria, o que eu aprendi é que o impossível não acontece.

Foi essa a resposta que me deu um experiente consultor quando perguntei se o presidente Bolsonaro concluiria seu mandato. Isso foi em 7 de maio. No mesmo dia, meu interlocutor previu que o Brasil seria o segundo país com mais mortes por conta da pandemia. Parecia exagerado, afinal era o oitavo. Na sexta-feira (12) virou o segundo.

— É impossível mais dois anos e meio dessa tragédia que nós estamos vivendo. Com esse grau de dissonância, ruído, complicação, briga. Isso não acontece — disse ele.

Esse é o grande assunto entre cientistas políticos, economistas, cenaristas em geral. Para permanecer, Bolsonaro teria que mudar. A nota assinada pelo presidente, o vice e o ministro da Defesa na noite de sexta-feira tem como alvos o ministro Luiz Fux, do STF, e o TSE, mas há uma ameaça implícita a qualquer voz divergente.

A hipótese de Bolsonaro mudar e distensionar o país é improvável. Bolsonaro não vai mudar. Por incapacidade mesmo. Ele será sempre criador de atritos constantes. Ele não sabe governar, por isso precisa dos confrontos. As brigas serão com pessoas, grupos sociais ou instituições. Escolherá aleatoriamente os "inimigos" para hostilizar. Quando faltar adversário, vai atirar para dentro do próprio governo.

Fiz a mesma pergunta que havia feito ao consultor — se o presidente terminaria o mandato — a uma alta autoridade da República, fora do Executivo. A resposta que eu ouvi:

— Com ele ignorando os conselhos que recebe, com essa estrutura que Bolsonaro criou, o Brasil explode antes de 2022. Do ponto de vista social e econômico. Eu tenho certeza. Como é que resolve? Dentro da democracia.

A democracia tem muitos caminhos. O afastamento de um presidente é remédio extremo, usado já duas vezes desde o começo do atual período da República. Bolsonaro pensa estar se blindando de duas formas. Usando as Forças Armadas como manobra dissuasória e comprando o centrão com cargos para ter votos no Parlamento. Para evitar um impeachment ele precisa de apenas 171 votos. Parece pouco, mas quando um governo desmonta, nada há que o sustente. O centrão estava no governo Dilma. Esse grupo de partidos vai para onde soprar o vento. Distribuir cargos a eles não é suficiente.

No horizonte dos riscos ao presidente está agora o Tribunal Superior Eleitoral, onde tramitam oito processos de cassação da chapa com a qual o presidente se elegeu. Os dois primeiros, que tratam de um ataque virtual a um site de mulheres contra Bolsonaro durante a campanha, foram suspensos por um pedido de vista do ministro Alexandre de Moraes. Dos restantes, quatro se referem a assunto mais delicado: a contratação dos serviços de disparo em massa de mensagens pelo WhatsApp. As investigações do inquérito das *fake news* estão caminhando na mesma direção: suspensão por pedido de vista.

É difícil saber a evolução desses processos, mas a nota divulgada pelo presidente, pelo vice, Hamilton Mourão, e pelo ministro da Defesa é grave porque contém uma ameaça, ao dizer que as Forças Armadas não cumprem ordens absurdas, como a tomada de poder, porém também "não aceitam tentativas de tomada de Poder por outro Poder da República, ao arrepio das leis, ou por conta de julgamentos políticos". O núcleo militar do governo está convencido de que o Judiciário está interferindo em áreas do Executivo. Portanto, isso é uma ameaça. E é um aviso prévio ao TSE de que o governo só aceitará resultado favorável. Se por acaso houver um processo de impeachment, eles farão as mesmas ameaças. No Congresso, o julgamento é político.

O ministro Luiz Eduardo Ramos, da Secretaria de Governo, disse em entrevista à revista *Veja* que é "ultrajante e ofensivo" para as Forças Armadas dizer que pode haver um golpe militar no Brasil. Segundo ele, o presidente jamais falou em golpe. Mesmo? O presidente vai a manifestações com faixas pedindo intervenção militar, fechamento do Congresso e do Supremo. Em uma delas, discursou afirmando que as Forças Armadas estavam com eles, os manifestantes, que carregavam aquelas faixas. Ministros de origem militar fazem constantes insinuações intimidatórias. O próprio Ramos disse na entrevista: "Não estiquem a corda."

É impossível manter o país por mais dois anos e meio neste grau de tensão, com um presidente como Bolsonaro, que estimula o conflito, ataca pessoas ou instituições, ameaça a democracia e põe em risco o pacto civilizatório que o Brasil penosamente construiu. Isso não acontece.

109. ELO ENTRE OS RADICAIS E O PRESIDENTE

17.6.2020

O deputado federal Daniel Silveira (PSL-RJ) foi visitado ontem pela Polícia Federal. Ele foi da PM do Rio de Janeiro e se sente tão inimputável que recentemente postou um vídeo em que ameaçava de morte quem estava em atos contra Bolsonaro. Alertou que os PMs andam armados e poderiam atirar no peito ou na cabeça de alguns que estavam na manifestação. É esse tipo de pessoa que o inquérito das *fake news* está encontrando. Há uma linha que liga ataques ao Supremo, manifestações a favor do presidente com faixas pedindo intervenção militar, nas quais Bolsonaro e alguns dos seus ministros já compareceram, e uma militância que, em parte, anda na faixa da ilegalidade.

O problema é que o próprio presidente anda nessa linha de sombras entre o legal e o ilegal. Bolsonaro, na última quinta-feira (11), fez aquela convocação aos seus militantes: "Deem um jeito de entrar nos hospitais e filmar." Estava publicamente estimulando um crime.

O procurador-geral da República, Augusto Aras, oficiou aos procuradores regionais para abrirem investigação contra quem invadiu hospitais. Aras se comporta como se não tivesse visto que o presidente estimulou aquilo que ele considera deva ser investigado. Repetiu a mesma atitude de alienação seletiva no caso das manifestações antidemocráticas. Aras abriu o inquérito para investigar organizadores e financiadores daquela manifestação na frente do QG do Exército. O fato de o presidente ter comparecido e fortalecido o grupo, dizendo que as Forças Armadas estavam com eles, Aras não achou importante. Ele tem um olhar periférico para os fatos. O que fez o ato ter gravidade foi exatamente a presença do chefe do Executivo.

O que torna a militante Sara Giromini notícia não é ela em si. Seu grupo não consegue fazer jus ao nome que ela inventou. Deveria trocar para "10% de 300 do Brasil". Ela é resgatada da irrelevância pelo presidente Jair Bolsonaro, que diz que eles são sua base popular e em nenhum momento repudiou os fogos de sábado (13) lançados contra o STF. O deputado Daniel Silveira não tem contribuição positiva à vida pública. Ficou conhecido por quebrar a placa que homenageava Marielle. Mas os manifestantes que ele ameaçou de morte foram chamados no dia seguinte de "terroristas" pelo presidente. Então eles falam a mesma língua. O problema de Bolsonaro não é ele ter "bolsões radicais". É ele se comportar como integrante do bolsão.

Quando o inquérito das *fake news* começa a oficiar as primeiras diligências, eleva-se o conflito com o Judiciário, porque a sombra que recai sobre o bolsonarismo é a ponta final do fio que começa a ser puxado pelo ministro Alexandre de Moraes, do STF. O que eram ataques virtuais e ameaças aos ministros do Supremo se ligam a manifestações reais contra as instituições, às quais o presidente vai, e que podem ter sido financiadas por empresários bolsonaristas. Os mesmos que são suspeitos de estarem por trás de financiamentos ilegais de campanha, através da contratação de disparos de mensagens em massa que distorcem os movimentos de opinião pública.

Esse fio entre investigados e o presidente, entre o legal e o crime, é que cria risco para a democracia brasileira. O que preocupa é a zona de sombra entre o governo Bolsonaro e esses ativistas agressivos capazes de hostilizar enfermeiras, invadir hospitais, lançar fogos de artifício contra o STF em meio a gritos de ofensa, gravar vídeos falando em matar manifestantes, postar ameaças gravadas a um ministro do Supremo. Há ilegalidade demais na atuação pública do governo. A ida de Abraham Weintraub à manifestação para confraternizar com militantes, que muito provavelmente são os mesmos dos fogos contra o STF, é mais um desses momentos em que fica explícita a relação perigosa entre o governo e o submundo. A demissão de Weintraub não resolve o problema. Ele sempre foi estimulado a ser assim.

O vice-presidente, Hamilton Mourão, disse à *Folha* que há um exagero e que não se pode considerar "meia dúzia de gente que estava aí na rua como ameaça". Mourão disse que seria o mesmo que considerar "aquela turma da foice e o martelo como ameaça". É verdade. O problema nunca foi haver grupos pequenos de radicais. A democracia convive com eles e os enquadra quando é o caso. A anomalia no Brasil neste momento é a intimidade entre esse bolsão e o presidente. Em atos, palavras e omissões, Bolsonaro tem estimulado um grupo de malucos.

110. TODOS OS MEDOS DO PRESIDENTE

19.6.2020

Ontem não foi um "grande dia" para Jair Bolsonaro, no sentido que ele costuma dar à expressão, mas foi um dia longo e cheio de eventos. O presidente amanheceu sabendo que seu velho amigo, ex-assessor e colecionador de segredos, Fabrício Queiroz, tinha sido preso na casa de Frederick Wassef, advogado do senador Flávio Bolsonaro. Wassef também defende o presidente em alguns casos. O STF, com votação consagradora, considerou constitucional o inquérito das *fake news*, que tem se aproximado de apoiadores e pessoas do círculo presidencial. Na confirmação da constitucionalidade do inquérito foram lançadas duríssimas mensagens ao presidente. Bolsonaro apareceu de tarde, tenso e estático, ao lado de Abraham Weintraub, um dos investigados. O presidente tirou-o do cargo de ministro da Educação a contragosto. Apesar do seu péssimo desempenho na pasta, o presidente o manteria se pudesse.

Wassef entra e sai do Palácio da Alvorada em fins de semana e fora do horário de trabalho. Entra e sai do Palácio do Planalto. Na quarta-feira (17) mesmo esteve lá na posse do novo ministro das Comunicações. É pessoa próxima da família. E justamente Wassef hospedava Fabrício Queiroz. Onde? Em um sítio em Atibaia (SP). Surreal.

Os Bolsonaros temem que Fabrício Queiroz fale porque ele sabe muito. É homem treinado para esconder informação. Contudo, está doente, e sempre temeu que suas filhas fossem atingidas. Tanto que a única pergunta que fez ao ser preso foi sobre as filhas. A mulher, Márcia Aguiar, está sendo procurada.

O nome "rachadinha" reduz o peso do crime. O deputado Flávio Bolsonaro tinha mais de uma dezena de funcionários fantasmas no seu gabinete. Todos eles entregavam parte do salário a Queiroz. Entre os fantasmas, havia parentes da ex-mulher de Bolsonaro que moravam em Resende, no interior do estado. E a mulher do próprio Queiroz, Márcia. A filha dele estava lotada no gabinete do então deputado federal Jair Bolsonaro, mesmo sendo *personal trainer* no Rio. A ex-mulher e a mãe do líder de milícia Adriano da Nóbrega também recebiam sem trabalhar no gabinete de Flávio. Queiroz comunicou à ex-mulher de Adriano, Danielle Mendonça, que ela seria exonerada porque Flávio "ficaria muito exposto na campanha" para senador, em 2018. O miliciano Adriano reclamou com a ex, porque parte do dinheiro ia para ele. Tudo isso já foi investigado. Essa fantasmagórica equipe fez 483 depósitos na conta do ex-assessor, preso ontem, no valor total de R$ 2 milhões em um ano. O nome disso é desvio de dinheiro público. "Rachadinha" é apelido.

De noite, na *live*, o presidente disse que a prisão havia sido "espetaculosa" e que Queiroz poderia ter sido convocado que compareceria. E que estava no sítio porque era perto do hospital, em São Paulo, onde ele se trata de câncer. Recentemente, Flávio também defendeu o seu então assessor, que demitiu no auge da campanha de 2018, dizendo que Queiroz era correto e trabalhador, e que "dava o sangue" pelo que acreditava. Continuam ligados, pelo visto.

No Supremo, o inquérito das *fake news* prosseguirá agora muito mais forte depois do julgamento sobre a sua legalidade. Dez dos onze ministros consideraram que, sim, ele é constitucional, e deram razões de sobra para a investigação sobre os ataques ao Supremo Tribunal Federal. Houve nas mensagens mais do que ódio. Houve ameaças de morte contra ministros, de estupro de suas filhas. Na *deep web* foi encontrado um plano de explosão do Supremo com croqui do prédio.

O ministro Dias Toffoli lembrou a história do ministro Hans Kelsen, da Suprema Corte da Áustria, que, atacado por conservadores extremistas, no clima da ascensão do nazismo na região, acabou pedindo para sair do tribunal. “Ninguém defendeu a Corte Constitucional. Ninguém defendeu a democracia. E eis que a pálida e escura noite do totalitarismo destruiu a civilização e seus valores”, disse Toffoli. O ministro Celso de Mello definiu como “insólita ameaça” e “gravíssima transgressão” à Constituição o descumprimento de ordem judicial, “por parte de qualquer autoridade, inclusive o presidente”. Era uma direta para Bolsonaro, que falava, vez por outra, em não cumprir as ordens do Supremo. Todos disseram que o STF é o guardião da Constituição, a “última palavra constitucional”. Recado para Bolsonaro. “Essa Corte tem a exata noção histórica do momento”, disse Celso.

Num dia de más notícias para o governo, tentou-se desviar a atenção com a demissão de Weintraub. Por seu péssimo trabalho, Weintraub recebeu uma promoção. Vai ser diretor do Banco Mundial na vaga que o Brasil ocupa. De noite, Bolsonaro teve tempo para mais uma *fake news*. Disse que 40% das mortes registradas como covid-19 não foram de covid.

III. A ESCALADA DO VÍRUS ENTRE NÓS

20.6.2020

Um milhão é um número assustador e sabemos que é apenas o que está registrado. O Brasil superou esse número de infectados pelo novo coronavírus sem uma luz no fim do túnel. Foram pouco mais de três meses de intensidade vertiginosa, de erros colossais, de tumulto extra produzido pelo próprio presidente da República. O mundo inteiro está aprendendo com a pandemia, alguns países mais rapidamente do que outros.

Para se ter uma ideia da velocidade, e de como a pandemia pegou o governo despreparado, um integrante da equipe econômica me disse no começo de março, quando o Brasil tinha quatro infectados, que o país seria pouco afetado. A estranha tese dessa autoridade era que o Brasil é fechado, do ponto de vista econômico e comercial. É, de fato, um país de muitas barreiras ao comércio e pouco integrado às cadeias globais de produção. Ainda assim, mantém uma intensa relação com o mundo, com muitos voos internacionais, e tem na China o seu maior parceiro comercial.

Talvez baseado nesse diagnóstico, o ministro Paulo Guedes chegou a falar numa entrevista à revista *Veja*, no dia 13 de março, quatro dias antes da primeira morte no país, que "com R$ 3, R$ 4, R$ 5 bilhões a gente aniquila o coronavírus. Porque já existe bastante verba na Saúde, o que precisaríamos seria de um extra. Mas sem espaço fiscal não dá". Na semana seguinte, no dia 17, o governo pediu ao Congresso que reconhecesse o estado de calamidade pública. O pedido foi publicado no *Diário Oficial* do dia 18 e aprovado no Senado no dia 20. O presidente da Câmara, Rodrigo Maia, propôs um "orçamento de guerra".

O país, que não tinha espaço fiscal, três meses depois está com a projeção oficial de déficit de R$ 800 bilhões em 2020. Tudo se precipitou. Os especialistas em políticas sociais alertaram que seria preciso criar um programa de renda de emergência, e economistas que sempre defenderam o controle do gasto público disseram que era hora de ampliar, e muito, as despesas. O ex-presidente do Banco Central Armínio Fraga, numa entrevista que me concedeu no dia 16, havia dito que o governo deveria decretar calamidade — o que o governo fez no dia seguinte —, como previsto na Lei de Responsabilidade Fiscal.

O mundo inteiro foi na tentativa e erro diante desse inimigo desconhecido, invisível, contagioso. Alguns países erraram mais. Nós disputamos o campeonato do pior do mundo, infelizmente. Esse é o preço que o Brasil está pagando pelo negacionismo do presidente.

Bolsonaro fez o que pôde para tornar a vida do país mais difícil na pandemia. Está no terceiro ministro da Saúde desde que o vírus chegou aqui. Entrou em rota de colisão com o então ministro da Justiça, Sergio Moro, que saiu atirando. Os tiros viraram um inquérito no STF em que o presidente é investigado por tentar interferir na Polícia Federal. Ele participou de manifestações que defenderam o fechamento do Congresso, do Supremo, e a decretação de um novo AI-5. Uma dessas foi em frente ao QG do Exército em Brasília, que virou outro inquérito. Fez uma calamitosa reunião ministerial em 22 de abril, quando o país já tinha quase 3 mil mortos e ele já havia demitido o primeiro ministro da Saúde. Nela, ele não mostrou qualquer preocupação com a pandemia, mas sim em armar a população para a luta contra as medidas restritivas impostas por governadores. Criticou todas as regras de prevenção, exibiu-se sem máscara, subestimou os riscos da doença, tentou manipular os dados, estimulou a invasão de hospitais e, na última quinta-feira (18), disse que o número real de mortes é 40% menor, baseado em nenhuma evidência.

A revista *The Economist* trouxe ontem uma reportagem dizendo que o Reino Unido tem o governo errado para esta doença. Entendo o que quer dizer. Governo faz toda a diferença. Um estudo da Economist Intelligence Unit sobre os países da OCDE fez um ranking do desempenho na pandemia. A Alemanha está entre os melhores países em qualidade de resposta à pandemia, o Reino Unido, entre os piores.

O mundo ainda não sabe o que fazer. Ontem, a Apple anunciou que voltará a fechar onze lojas em quatro estados americanos. A China teme uma segunda onda, com o aparecimento da doença em Pequim. No Brasil, os governadores começaram a abrir a economia, com maior ou menor grau de precipitação. Alguns já recuam. O país está numa enorme crise institucional, como se não bastasse haver um milhão de infectados por um vírus que a Humanidade ainda não sabe como vencer.

112. BOLSONARISMO É UMA IDEOLOGIA?

21.6.2020

A resposta para a pergunta do título é não. É um amontoado de preconceitos com ódio à democracia. O primeiro ponto desse conjunto disforme de ideias está na frase de Abraham Weintraub, de que todos os ministros do Supremo Tribunal Federal deveriam ir para a cadeia. Isso é a defesa do totalitarismo. Nem a ditadura militar fez isso. Quando se diz que alguém é defendido pela "ala ideológica" do governo, é uma interpretação caridosa para um grupo de malucos que sonha com a ditadura de Bolsonaro. "Intervenção militar com Bolsonaro" é a faixa sempre presente nas manifestações governistas.

Não há um conjunto orgânico de ideias que se possa chamar de ideologia bolsonarista. O conservadorismo que defendem não é o pensamento conservador clássico. É o reacionário, no sentido técnico de saudosismo de um passado idealizado. Em cima da lareira do sítio em Atibaia (SP) de Frederick Wassef, advogado do senador Flávio Bolsonaro, havia uma bandeira com a inscrição "AI-5". O mesmo decreto que é defendido nas passeatas. A maioria das pessoas que grita por esse Ato Institucional não saberia dizer o que ele representaria, na prática.

O ódio ao outro, ao diferente de si, é resumido na palavra "comunista", conceito largo no bolsonarismo, no qual cabem todas as pessoas que não cultuam o mesmo chefe. Bolsonaro é o último prisioneiro da Guerra Fria. Ela já acabou há três décadas, mas ele continua caçando comunistas. E o faz por diversas razões. Primeiro, porque a sua mente se sente mais confortável em um mundo bipolar. As muitas complexidades contemporâneas o deixam confuso. Segundo, porque ele gostaria de ter experimentado o que seus heróis viveram, quando tiveram poder de mando nos porões dos quartéis. O maior dos heróis de Bolsonaro, como ele mesmo diz, é o torturador Carlos Alberto Brilhante Ustra. Terceiro, porque ele precisa fabricar um inimigo para vender aos seus seguidores.

A interpretação de que a chamada "ala ideológica" defenderia os valores cristãos e a ideia tradicional da família também não corresponde aos fatos. Certas denominações evangélicas se deixam usar como massa de manobra, levadas por líderes que têm interesses outros que não a fé. É evidente que um governante que quer armar a população, cultua o ódio, chafurda em palavrões e não demonstra compaixão com o sofrimento humano em uma pandemia não pode ser o exemplo dos princípios cristãos. A visão idílica da família tradicional, do tipo "até que a morte os separe", também não combina com Bolsonaro. Ele se casou três vezes, jogou o segundo filho para disputar com a própria mãe na arena pública o cargo de vereador e disse que usava o apartamento funcional quando era deputado federal para "comer gente". O moralismo bolsonarista é de fachada, para esconder sua coleção de preconceitos. Na questão da mulher, por exemplo, o governo brasileiro passou a votar junto com os países árabes mais fundamentalistas.

A interpretação de que o ex-ministro Abraham Weintraub seria a expressão mais forte dessa ala ideológica tem um problema. Ele não apresentou uma proposta educacional alternativa que fizesse qualquer sentido. Apenas demoliu políticas públicas ou as tornou inoperantes e nada propôs em troca. Seus insultos à universidade mostram apenas ressentimento. A falta de coordenação com os estados e municípios era reflexo da sua incapacidade administrativa.

O lema anticorrupção também foi uma bandeira falsa, levantada por oportunismo político. Basta ver o caso Queiroz. Era prática antiga na família. Flávio Bolsonaro, evidentemente, não era o único a usar recursos públicos para contratar funcionários fantasmas que retornavam parte do que recebiam para o chefe de gabinete, no caso, o hoje famoso Fabrício Queiroz. O contato imediato de Queiroz com a milícia no Rio de Janeiro é um indício de que o mundo de sombras vai além da corrupção política. Se pudesse, o bolsonarismo acabaria com os órgãos de controle. Tem havido avanços nesse projeto. O inusitado pedido da Polícia Federal para suspender a ação da última terça-feira (16) contra alvos bolsonaristas, informação trazida pelos jornalistas Bela Megale e Aguirre Talento, mostra o avanço do projeto de desmontar a PF.

O sonho maior bolsonarista é um regime autocrático. Por isso os ataques tão frequentes ao Congresso, ao Supremo, à imprensa ou a qualquer voz divergente. Apurando bem o foco, o centro da chamada ala "ideológica" do governo é o próprio Bolsonaro e os seus filhos.

113. NO FUTURO, NÃO ACREDITAREMOS

28.6.2020

Se nos disserem daqui a algum tempo que no dia em que o Brasil contava 52 mil mortos por um vírus violento a prioridade do governo era proteger infratores de trânsito, nós tomaremos um susto. Somos testemunhas do inacreditável. Na última terça-feira (23), o governo mobilizou sua base parlamentar, agora engordada com o centrão, para aprovar a sua menina dos olhos: os motoristas terão mais liberdade de cometer infrações de trânsito antes de chegarem a perder a habilitação. No dia seguinte, o secretário de Vigilância Sanitária usou 184 palavras para comunicar uma notícia curta e dura: que a curva dos infectados e mortos ainda cresce no Brasil.

Naquela mesma quarta-feira (24) em que morreram 1.103 brasileiros por covid-19, o presidente e seu filho e divulgador Carlos, conhecido pela alcunha de Carluxo, foram à Polícia Federal. Aquela que está investigando o presidente da suspeita de intervir nela mesma. Ao lado de um receptivo diretor-geral, Rolando de Souza, o presidente se exibiu dando tiros com várias armas, o que pode ser conferido no vídeo postado neste jornal pela competente Bela Megale. Quem olhar no futuro essa cena, e for informado do contexto do país naquele dia, se perguntará: que presidente é este? Teremos dificuldade de explicar.

No tempo de hoje vamos vivendo o insólito. Um ex-ministro da Educação, investigado por racismo e por ameaça às instituições democráticas, foi indicado para diretor executivo do Banco Mundial. A instituição passou os últimos anos atualizando seus valores para fugir exatamente do que o ministro leva na bagagem das suas convicções.

No futuro duvidaremos de nós quando relatarmos aos mais novos que tudo estava fora do lugar no mesmo momento. O ministro do Meio Ambiente é aliado de desmatadores, o presidente da Fundação Cultural Palmares ofende Zumbi dos Palmares, a ministra da Mulher acredita que as mulheres devem se submeter aos maridos, o ministro das Relações Exteriores destrata países com os quais o Brasil tem relações e alimenta teorias conspiratórias sobre as organizações multilaterais, o Ministério da Saúde enfrenta duas demissões e uma longa interinidade em meio a uma pandemia, um militar chefia a Casa Civil e o ministro da Justiça acha que o presidente é um profeta.

Será difícil explicar também o contorcionismo dos últimos dias em torno do caso Queiroz. Sumido há muito tempo, o ex-assessor do hoje senador Flávio Bolsonaro foi encontrado na casa do advogado que defendia Flávio e o próprio presidente. Frederick Wassef é realmente um fenômeno. Inicialmente ele negou que conhecesse o próprio hóspede. Depois disse à *Veja* que escondeu Queiroz para proteger o presidente da República. O ex-assessor poderia ser morto e o presidente, responsabilizado. Quem no futuro não entender essa rocambolesca história não deve se culpar. Não será a única estranheza do caso. A Justiça do Rio deu a esse filho mais velho do presidente o direito a foro por prerrogativa de função que ele já não exerce, no caso, a de deputado estadual. Inventou a prerrogativa de ex. Um detalhe talvez comprometa mais ainda a verossimilhança dos eventos: o governo foi eleito dizendo que combateria a corrupção.

O brasileiro vive dois grandes tormentos: uma pandemia e uma das piores crises econômicas da nossa História. Nesse quadro, o presidente propôs aos ministros "escancarar". A verdade sobre a pandemia? Não. A necessidade de proteger a população? Não. As medidas para socorrer pessoas e empresas contra a crise econômica? Não. Ele propôs escancarar a liberação das armas.

Mais armas nas mãos das pessoas e menos punição para os delitos de trânsito. Eis a solução para todos os nossos problemas, da covid-19 à recessão econômica.

Os desatinos diários, os berros, as palavras chulas, a falta de demonstração de sentimento em relação às vítimas da tragédia, tudo se tornou tão rotineiro que o país foi se acostumando. Por isso só daqui a muito tempo teremos dimensão da ignomínia vivida pelos brasileiros neste triste momento da nossa História. Nos últimos dias o presidente não foi a qualquer manifestação antidemocrática, não ameaçou chamar as Forças Armadas contra o Supremo, não mandou jornalistas calarem a boca. Dizem que daqui para a frente tudo vai ser diferente. Que ele vai se comportar para escapar dos inquéritos do Supremo e vencer a eleição para um segundo mandato presidencial. Contando, ninguém acredita.

114. RESPOSTA ERRADA DO GOVERNO NO MEIO AMBIENTE

5.7.2020

Os primeiros movimentos de resposta do Brasil aos investidores apontam para o fracasso. Que chance tem de dar certo a estratégia de convencer que o Brasil respeita o meio ambiente com o presidente Bolsonaro afirmando que eles estão com "uma visão distorcida" dos fatos? Outra parte da resposta do governo à crítica pública feita por 29 instituições financeiras à política ambiental é uma carta preparada pelo governo e que terá entre os signatários a dupla Ricardo Salles e Ernesto Araújo. Que credibilidade pode ter uma carta assim? Não há o que Salles, ministro do Meio Ambiente, faça que apague seus abundantes atos e palavras contra o meio ambiente neste ano e meio. Araújo, ministro das Relações Exteriores, vive em órbita pelo mundo da Lua capturado por teorias da conspiração. Para piorar, existe o danado do fato: o Inpe acaba de mostrar que o Brasil bateu novo recorde de queimada na Amazônia.

Do ponto de vista econômico, o que está acontecendo é uma enorme contradição: a maior recessão da História do país e o desmatamento subindo. Como pode o nível de atividade estar em queda livre, e o desmatamento e as queimadas, em alta? A resposta é: o governo Bolsonaro deu fartos incentivos à atividade ilegal. Os criminosos sabem que ficarão impunes e que, se tiverem mais sorte ainda, verão uma medida provisória aprovada consolidando seu domínio sobre áreas que grilaram.

O vice-presidente, Hamilton Mourão, no comando do Conselho da Amazônia foi um avanço, mas o desmatamento está crescendo forte pelo segundo ano consecutivo mesmo com as ações do Exército. A entrada do presidente do Banco Central, Roberto Campos Neto, na turma que quer demover grandes fundos de saírem do Brasil tem um ganho e dois óbices. O bom é que Roberto Campos circula fácil pelo mundo das finanças internacionais e tem boa rede de contatos. O primeiro problema é que um presidente do Banco Central não se envolve tanto com questões de governo como ele tem feito; o segundo é que, pelo que disse até agora, ele também esposa a tese de que os outros é que estão mal informados.

Só pela carta que os 29 fundos mandaram para as embaixadas brasileiras, cobrando explicações sobre a política ambiental, já ficou claro que eles sabem exatamente o que se passa no Brasil. Citaram até a "boiada pandêmica" do Salles. O mundo de hoje é o da informação instantânea. A tese de que os outros países estavam desinformados a nosso respeito foi usada na época da ditadura para negar a tortura. Mesmo naquele mundo analógico, a estratégia deu errado porque contrariava os fatos.

O melhor é mudar os fatos. Essa é a forma de convencer. O vice-presidente disse à *Folha* que convidará embaixadores para sobrevoar a Amazônia. A visão do verde dos nossos bosques não convencerá porque todos podem consultar as imagens de satélite que mostram a progressão do desmatamento no Brasil. Os avanços que o governo pode relatar, como a queda da taxa de desmate a partir de 2004, pertencem ao governo Lula. A tendência começou a mudar nos governos Dilma-Temer, e a destruição acelerou nesta administração. Se os dados atuais forem comparados com a taxa de 2004 haverá, sim, uma redução, mas que foi resultado de políticas ambientais e fortalecimento dos órgãos de controle, totalmente desmontados na atual gestão.

Se quiser mudar a imagem do país, o governo brasileiro tem de começar trocando os ministros do Meio Ambiente e das Relações Exteriores. Salles é um dano ambulante à imagem do Brasil. Ele faz qualquer coisa para destruir o meio ambiente, até rasgar dinheiro, como fez com o Fundo Amazônia diante da Noruega e da Alemanha.

O problema de Araújo é de outra natureza. Decorre da sua falta de conexão com a realidade. Ele costuma deixar seus interlocutores constrangidos pela maneira como interpreta a conjuntura internacional e sobrevoa os eventos contemporâneos a bordo de teorias lunáticas.

O ponto central da dificuldade de melhorar a imagem ambiental do Brasil é que o presidente Jair Bolsonaro acredita realmente em tudo o que diz e faz nesse campo. Ele acha que o bom é liberar o garimpo e perdoar os grileiros. Já que não pode acabar com as terras indígenas, quer mineração nessas Unidades de Conservação. Se pudesse, fecharia órgãos como o Ibama e o ICMBio. Como não pode, ele os enfraquece e ameaça os servidores que cumprem as normas. Como fez com os que destruíram tratores encontrados em desmatamentos de terras públicas. Salles segue ordens do seu chefe. A imagem do Brasil reflete o que, infelizmente, tem acontecido. Distorcida é a visão de Bolsonaro.

115. MESMOS ERROS NA SAÚDE E NA DOENÇA

8.7.2020

O presidente usou até a sua contaminação pelo novo coronavírus como parte da campanha de desinformação que vem mantendo desde o início desta pandemia. Jair Bolsonaro tem obsessão pelos seus erros, fica com eles contra toda a evidência factual e científica. Em nenhum momento entendeu qual é o papel do presidente nesta crise, qual é a força do exemplo e a função da representação. Ontem foi apenas mais um dia em que ele mostrou toda a sua coleção de perigosos equívocos. A única diferença é que o seu exame deu positivo para o novo coronavírus.

Quando começou a ter sintomas, o presidente deveria ter se afastado de qualquer atividade presencial. Esse é o primeiro movimento do princípio da precaução. Viajou para Santa Catarina, foi à embaixada americana, carregou ministros militares e civis para essa comemoração, abraçou o embaixador. Na segunda-feira (6), manteve contato com vários ministros. E já estava tendo febre. Entre eles, o único que tem o hábito de usar máscara é o da Economia, Paulo Guedes. Espero que a tenha usado. Bolsonaro, seu governo e seus seguidores tratam a falta de uso de máscara como um manifesto, como uma demonstração de coragem. E ele continuou com a mesma atitude imprevidente, apesar de já estar com os primeiros sintomas.

Bolsonaro não entendeu a primeira lição dos médicos nesta pandemia: a preocupação de cada pessoa consigo mesma é uma forma de ter cuidado em relação aos outros. Não contrair a doença e não ser o vetor, esses são dois objetivos interligados. A cabeça dele é impermeável a muita coisa, como se vê nesta pandemia. Ele continua dizendo que quem tem menos de 40 anos não tem problema, e que as crianças deveriam voltar às aulas. Isso é não entender a dinâmica do contágio. Cada paciente, mesmo que pegue a forma branda da doença, pode contaminar outra pessoa cujo organismo tenha maior vulnerabilidade.

Ele insistiu ontem na falsa versão sobre o Supremo Tribunal Federal. Disse que o STF decidiu "que essas medidas de isolamento, entre outras, seriam privativas de governadores e prefeitos". Disse que "o presidente da República passou a ser um órgão [*sic*] que repassava dinheiro". Mais adiante, nessa mesma declaração em que comunicou a alguns jornalistas que estava doente, disse: "Eu fui alijado de tomar decisão no tocante ao tipo de isolamento." É falso, o Supremo não o destituiu de suas obrigações nem de seus poderes de presidente. Ele tem usado a repetição dessa mentira como parte de sua estratégia de fugir à responsabilidade imposta pela Presidência.

Bolsonaro comparou a doença a uma chuva, que pode molhar todo mundo, fez propaganda da hidroxicloroquina usando a si mesmo como exemplo e emprestando a ela efeito quase milagroso. Disse que tomou e "poucas horas depois já estava me sentindo muito bem". De noite, postou um vídeo tomando a terceira dose do remédio.

Afirmou que o Brasil é um país continental, com diferenças no clima no Norte e no Nordeste em relação ao Sul. "O vírus se dá melhor em climas mais frios." Isso já foi derrubado pelos fatos. O presidente da República não sabe o que aconteceu em Manaus? O que aconteceu em Fortaleza? Em várias cidades do Norte e do Nordeste? Disse que houve um "superdimensionamento" da doença, mesmo diante da terrível realidade de 66 mil mortos.

Repetiu todos os seus erros de avaliação, de análise, e o comportamento que demonstrou desde o começo da pandemia. Ele repetiu seus equívocos de autopercepção. "Eu sou presidente da República e estou na frente de combate. Eu não fujo à minha responsabilidade e nem me afasto do povo, eu gosto de estar no meio do povo", disse Bolsonaro.

Não é verdade. Ele gosta apenas de estar entre os que o apoiam, os que gritam "mito". Ele fugiu da frente de combate, do lugar onde realmente se luta contra o avanço da doença. Bolsonaro fugiu à sua responsabilidade de governante de um país que é o segundo em número absoluto de mortes. Nunca encorajou os médicos e enfermeiros, eles, sim, na frente de combate, nunca dirigiu palavras de sentimento aos enlutados. Ele chegou a ponto de cometer crime, como no dia em que estimulou pessoas a invadir hospitais.

Ao contrair o Sars-CoV-2, Bolsonaro poderia ter tido um momento de reflexão e de correção de rota. Mas ele repetiu os mesmos desatinos que tem cometido desde o início desta pandemia, que nos atinge de forma tão dolorosa.

116. QUANDO O DINHEIRO FALA É MELHOR OUVIR

11.7.2020

A presidente do Banco Central Europeu, Christine Lagarde, disse ao *Financial Times* que está comprometida com a busca de uma economia mais verde. "Eu quero explorar todas as avenidas disponíveis para combater as mudanças climáticas, porque, no fim das contas, o dinheiro fala." O dinheiro falou alto e claro ao Brasil nos últimos dias sobre a necessidade do fim do desmatamento na Amazônia. Na resposta, o vice-presidente, Hamilton Mourão, teve uma boa atitude, mas repetiu alguns velhos equívocos.

A boa atitude é receber os investidores e os empresários, comprometer-se com resultados e até, como Mourão disse ontem, adotar metas de redução de desmatamento. Isso, se virar realidade, será uma mudança radical na atitude do governo. Será preciso abandonar teses antiquadas.

Não leva a lugar algum repetir o argumento de que a pressão vem de competidores comerciais do Brasil. Sim, o Brasil é um fenômeno agrícola. Deu saltos de produtividade, desenvolveu novas tecnologias, tem água, terra, conhecimento. Sempre haverá competidores rondando. O problema é por que um país com imensas possibilidades facilita tanto a vida dos competidores como faz o governo Bolsonaro? Segunda dúvida: por que destruir exatamente esse patrimônio que nos dá vantagens competitivas?

A aliança tem que ser com o moderno agronegócio, e não com a cadeia de crimes que grila e devasta. É irracional não reprimir essa forma truculenta de ocupação de território e de roubo de bens públicos. É do nosso interesse levar o país ao desmatamento líquido zero, como nos comprometemos no Acordo de Paris. O país será o maior ganhador. Dentro do agronegócio há uma luta entre o novo campo e a lavoura arcaica. Por atos e palavras o governo Bolsonaro até agora fortaleceu o passado. Não farei a exaustiva lista dos erros desta administração na área ambiental. Ela não caberia neste espaço. O aumento do desmatamento e as queimadas falam por si.

É um tiro no pé levar o ministro Ricardo Salles para a conversa e ainda fortalecê-lo no cargo. Só se engana com ele quem jamais mergulhou no tema. Mourão tem tudo para entender profundamente. Morou na Amazônia, viajou na floresta por terra, ar e rios. Em algum ponto do rio Negro deve ter sentido a força da floresta em pé. Salles é um equívoco. Os financiadores sabem disso. Os empresários atualizados, também.

O vice-presidente convidou os investidores a financiar a conservação na Amazônia. Mas foi este governo que acabou com o principal instrumento, o Fundo Amazônia, pelo qual dois países amigos, a Noruega e a Alemanha, deram dinheiro ao Brasil. O dinheiro foi usado para financiar políticas públicas. O que os doadores do Fundo pediam? Governança. Que o conselho representasse a sociedade, os governos estaduais, a ciência, e não apenas o governo federal. Salles desmontou o conselho. Fez outro que só tinha Brasília, não tinha Brasil.

Mourão acertou quando falou em resultados e metas. Só que não pode ser para inglês ver. E para ser real é preciso esclarecer algumas coisas: o Ibama e o ICMBio já estavam sem recursos, mas foi o atual governo que os atacou de forma implacável. Os incêndios na Amazônia são majoritariamente criminosos, feitos por grileiros para eliminar o resto de vegetação que fica após o desmatamento. Isso não é palpite. Existem imagens de satélite que podem recuar no tempo e apagar dúvidas que ainda existam. Não se trata de enfrentar a "narrativa". E sim de encarar os fatos.

O dinheiro está pressionando por uma economia mais verde porque de repente passou a ter princípios? Não. Porque os fundos reagem à pressão dos seus *stakeholders*, de todos os envolvidos no negócio. O consumidor pressiona a empresa, que cobra do investidor, que quer saber do Fundo se há forma de rastrear o produto. E, na dúvida, o país é vítima de boicote. Os empresários brasileiros ontem disseram que já sentem a queda dos aportes estrangeiros.

O ministro das Comunicações não sabe que a floresta amazônica fica na Amazônia. O ministro do Meio Ambiente nunca tinha visitado a floresta quando assumiu o cargo. O governo pode continuar cometendo erros grosseiros ou compreender a gravidade do assunto. Este governo tem horror a ambientalista. Tá ok, entendi. Mas agora é o capital que está falando. É melhor ouvir.

117. ARAS REALIZA O SONHO DE JUCÁ

30.7.2020

Quando se divulgou a gravação, em maio de 2016, na qual o então senador Romero Jucá (PMDB-RR) falava em "estancar a sangria", referindo-se à atuação da Lava-Jato, foi um escândalo. Mas hoje o que o procurador-geral da República faz é o que Jucá tinha em mente. De um lado, Augusto Aras realiza a sua explícita ofensiva contra Curitiba e a Lava-Jato; de outro, enfraquece a Polícia Federal. Aras estimula o temor da existência de um Estado policial montado no MP, quando o perigo real está sendo instalado no Ministério da Justiça, com sua lista de monitorados.

Aras aproveita a preocupação da sociedade brasileira de que a Lava-Jato teria ultrapassado os seus limites. É um sentimento legítimo. Na democracia não se pode admitir a quebra de regras nem para o mais justo dos propósitos. Essa supervisão, porém, tem que ser feita pelo sistema Judiciário, sem subverter a natureza do Ministério Público. O MP não convive com a centralização que Aras tenta impor, porque não é órgão da burocracia que tenha hierarquia explícita. O procurador-geral é chefe do MP, no entanto não pode tirar a autonomia dos procuradores. Não é o comandante de uma tropa. Mas é o que Aras está tentando ser.

A Lava-Jato ameaçou toda a estrutura política e parte importante do mundo empresarial, com as investigações que mostraram a troca de financiamentos ilegais por favores dos detentores de cargo ou de mandatos públicos. Por isso, com seu movimento, Aras alivia muita gente. Principalmente o presidente que o escolheu e que pode nomeá-lo ministro do Supremo. O que Aras está fazendo não é correção de rota, é, sim, o desmonte do edifício que investigou a corrupção. Ele alega que está agindo em nome da transparência, quando seus atos não têm qualquer clareza.

Enquanto isso, no Ministério da Justiça, como vem revelando em seu blog no UOL o jornalista Rubens Valente, está sendo montada uma estrutura para investigar servidores públicos, policiais e intelectuais que se declaram antifascistas. A Rede Sustentabilidade pediu ao STF que impeça o governo de continuar com essa estranha investigação. O deputado federal Eduardo Bolsonaro reagiu postando em seu Twitter uma frase que mostra, em poucos toques, várias distorções deste governo. "Ué querem que o governo tenha em seus quadros pessoas ligadas ao movimento Antifa?"

O filho do presidente acha que é errado ser contra o fascismo. O bom seria ser fascista? Está convencido de que a máquina do Estado pertence ao governo Bolsonaro. Portanto, nela não podem trabalhar os servidores que não estejam alinhados com o pensamento dos atuais governantes. De acordo com a primeira das colunas de Valente sobre o assunto, há um dossiê com nomes, fotos e endereços de 579 pessoas e que foi feito pela Secretaria de Operações Integradas do Ministério da Justiça. O relatório registra que há "policiais formadores de opinião que apresentam número elevado de seguidores em suas redes sociais, os quais disseminam símbolos e ideologias antifascistas".

O Ministério da Justiça considera suspeito o fato de alguém ser antifascista. O filho do presidente acha que os antifascistas não podem estar no governo. Então esses policiais espionados devem ser demitidos por disseminarem tal ideologia? Há momentos em que o país parece ter sido tragado por uma inversão total dos valores. Na ditadura havia, em todos os ministérios, órgãos, autarquias e universidades, departamentos que vigiavam servidores, alunos, professores. Eram os inúmeros braços do SNI. Esse é o perigo real.

Aras está preocupado é com a Lava-Jato. De um lado, quer enfraquecer a Polícia Federal e por isso reaviva uma velha disputa de poder que já havia sido arbitrada pelo Supremo. De outro, afirma que a Lava-Jato é uma "caixa de segredos", que tem dados de milhares de pessoas medidos em *terabytes*. Conseguiu levar todas as informações para Brasília e diariamente diz algo para quebrar a confiança no trabalho dos procuradores.

O presidente Jair Bolsonaro jamais teve como bandeira a luta contra a corrupção. Usou-a para se eleger, mas sempre quis limitar as investigações, principalmente as que se aproximam de sua família. O gravador do ex-presidente da Transpetro Sérgio Machado captou uma conversa com Romero Jucá em que ele propunha um pacto para "estancar a sangria" desatada pela Lava-Jato. Isso é o que Aras está conseguindo.

118. FLORESTA NO CHÃO E FUMAÇA NO AR

5.8.2020

O ministro do Meio Ambiente quer floresta no chão e fumaça no ar. Em plena crise de imagem do Brasil por causa do desmatamento, que gerou uma onda de alertas dos investidores contra o país, ele propõe suspender a meta de diminuição de queimada e desmatamento ilegais. O que o Brasil perde se Ricardo Salles ganhar? Riqueza natural, qualidade do ar, investidores internacionais, biodiversidade, futuro. Além de Salles, quem ganha com o desmatamento? Alguns poucos criminosos, como mostrou a revista *Veja* na edição desta semana, dando seus nomes e endereços.

A impressionante reportagem fez o ranking dos dez maiores desmatadores segundo as multas emitidas pelo Ibama. Imagens de satélite indicaram o antes e o depois. O campeão é Edio Nogueira, da Fazenda Cristo Rei, em Paranatinga, Mato Grosso, onde foram derrubados 24 mil hectares de mata nativa, o equivalente a 22 mil campos de futebol. Ele usou aviões para jogar gigantescas quantidades de agrotóxico para matar as árvores, o que faz o fogo espalhar mais rapidamente. Edio recebeu uma multa de R$ 50 milhões que dificilmente pagará, até porque o presidente Bolsonaro critica isso que ele chama de "indústria da multa".

A empresa de Nogueira, a Agropecuária Rio da Areia, informa em seu site que fornece para JBS, Marfrig e Minerva. A *Veja* procurou os frigoríficos, que negaram compras recentes. A Minerva disse que a última compra foi realizada em 2015, a JBS admite que comprou, mas de outra empresa do mesmo grupo, em Mato Grosso do Sul. A Marfrig parou de comprar deles em 2017. Seja como for, está lá no site. E, como disse a revista, na reportagem de Edoardo Ghirotto e Eduardo Gonçalves, "é esse tipo de confusão que está estraçalhando a imagem do Brasil lá fora".

O ponto é: quem ganha com o abandono da meta de reduzir o desmatamento e as queimadas ilegais? Esse empresário, que joga agrotóxico para matar as árvores antes de queimá-las, ganha. Não é o único, a revista dá a lista dos dez maiores. No Pará, no Amapá e em Mato Grosso. Quem perde? O resto da sociedade brasileira.

O repórter Mateus Vargas, do *Estado de S. Paulo*, teve acesso ao documento em que Salles tenta contornar a meta de reduzir até 2023 o desmatamento e a queimada ilegais em 90%. Em troca, ele quer a aprovação do seu projeto, que definiu de Floresta+. Seria melhor chamá-lo de Floresta-, porque é para proteger uma área de apenas 390 mil hectares. O documento quer urgência na aprovação dessa ideia. Os técnicos do Ministério da Economia não gostaram. Oficialmente, o ministério concordou com a proposta de redução da meta. A lorota que eles contam é que será para "adequar aos compromissos de zerar o desmatamento ilegal até 2030". Ou seja, o plano plurianual pode ir mais devagar, em vez de ter a meta de reduzir em 90% o desmatamento ilegal até 2023.

No Acordo de Paris, o Brasil propôs zerar em 2030, mas tem metas intermediárias. Em 2020, o Brasil teria que ter derrubado o desmatamento para o nível de 3 mil quilômetros quadrados. Hoje, está em 10 mil, e subindo. Mesmo se estivesse cumprindo o compromisso que firmou com outros países, destruiria uma área equivalente a duas vezes a cidade de São Paulo. O Ministério da Economia deveria pensar duas vezes antes de concordar.

Ricardo Salles também completou o trabalho de desmonte da presença de qualquer representação nos conselhos ambientais. Dessa vez foi reduzida a participação de entidades civis e de conselhos estaduais e municipais na comissão executiva para o controle do desmatamento ilegal e recuperação de vegetação nativa, a Conaveg. Eles poderão ir, se convidados, mas sem direito a voto.

Esse é só mais um passo do programa "mais Brasília e menos Brasil" em cada conselho ambiental. Uma das decisões acabou travando o Fundo Amazônia. Salles tirou todas as ONGs, as entidades científicas e empresariais e representantes dos nove estados amazônicos do conselho. Resultado: demoliu a governança.

O vice-presidente, Hamilton Mourão, recebe educadamente investidores, empresários, banqueiros. Promete a todos que o governo vai melhorar o combate ao desmatamento ilegal. Com isso, ganha tempo e tenta reconstruir a credibilidade do governo. Quando saem propostas assim, de reduzir a meta estabelecida no plano plurianual de redução do desmatamento ilegal, Mourão fica falando sozinho. Ou ele está falando só para inglês ver?

119. ABANDONAR MITOS E ENTENDER A HISTÓRIA

9.8.2020

De um ex-banqueiro o que se espera é que entenda o mundo do capital, mas o ministro Paulo Guedes errou também nisso. Sua fala no Aspen Institute sobre a Amazônia e a questão indígena mostra que ele não se atualizou em assuntos decisivos para entender o mundo de hoje. Além disso, afugenta ainda mais os fundos de pensão e os fundos soberanos. Eles já avisaram que suas normas de *compliance* limitam investimentos — dos trilhões de dólares que administram — em países que desmatam e ameaçam povos originários.

Guedes tem com o presidente Bolsonaro total afinidade em assuntos como direitos humanos, liberdades democráticas e proteção da Amazônia. Não foi Guedes a convencer Bolsonaro das virtudes do liberalismo econômico, o presidente é que o conquistou para seu conjunto de crenças, aliás, incompatíveis com o liberalismo. Eis o paradoxo deste governo: não pode ser liberal pela simples inadequação desse ideário com o elogio do regime ditatorial, por natureza, inimigo de qualquer liberdade.

Ficou muito mal para o ministro sua sequência de erros conceituais. Como ele é uma autoridade pública, isso prejudica o Brasil. Guedes mostrou desconhecimento do estado atual das coberturas florestais em outros países, sustentou argumentos vencidos e confundiu estoque com fluxo, o que é constrangedor. No caso da floresta, nosso estoque é bom. O Brasil tem uma área considerável de mata preservada. Contudo, o fluxo é muito ruim. Estamos desmatando a um ritmo crescente nos últimos anos. Chegamos a 10 mil quilômetros quadrados no ano passado e abandonamos a política com a qual o país reduziu em 80% as taxas anuais de destruição, entre 2004 e 2012. A partir daí, o fluxo é contra nós, e piorou muito no governo Bolsonaro. A objetividade e os argumentos sóbrios são mais eficientes para afastar os riscos de o país ser desprezado nas decisões de alocação de recursos. Estamos em um momento de disputa por capital de qualidade.

De um economista não se espera queixa contra as artimanhas da competição. O lógico é que entenda o jogo do capitalismo e não facilite a vida de eventuais competidores. Afirmar que países europeus "usam a desculpa ambiental" para nos barrar não ajuda em nada. O que funciona é não fornecer provas contra nós. E o ministro deu a eles farta munição com o seu destempero.

A frase "vocês mataram seus índios, não miscigenaram" é muito ruim. O ministro não deve desconhecer que aqui matamos também, infelizmente. Extinguimos inúmeras etnias, ameaçamos outras e, neste momento, estamos colocando povos em risco. O governo tem estimulado atividades que agora são mais perigosas do que nunca, e só por ordem do STF foi instalada uma sala de situação para as ações de proteção aos índios isolados.

Outra frase infeliz: "As grandes histórias de como matamos nossos índios são falsas." Antes fossem mentirosas as histórias que pesam sobre a nossa História. Aimoré, Caeté, Tupiniquim, Tupinambá, Carijó, são tantos os que não podem confirmar a impressão do ministro por não estarem mais aqui. Seus nomes repousam na lista de povos extintos feita pelo IBGE. Ela é longa.

Uma indicação importante de leitura é o livro *Os fuzis e as flechas*, de Rubens Valente. Ele conta como os militares agiram na época da ditadura contra os índios. São eventos dolorosos como os que vitimaram os Waimiri-Atroari. Os números são imprecisos. É difícil saber quantos índios dessa etnia morreram para dar passagem à BR-174. Havia um cálculo de que eles eram 3 mil antes de 1970, quando as obras começaram. Em 1978, havia apenas 350 indígenas dessa etnia.

Valente usou os dados de um levantamento feito de avião por indigenistas da Funai que registra a morte de pelo menos 240 daquele grupo originalmente contactado. Na abertura do livro ele relata a morte de um grupo de Kararaô, de gripe, de sarampo, logo nos primeiros contatos, nos anos 1960.

Há casos reconhecidos oficialmente. Na Cabanagem, foram massacrados os Tapuia. Na luta contra as Missões, tombaram os Guarani. Uma carta régia decretou a "guerra justa", no Vale do Rio Doce, contra os Krenak, chamados "botocudos". Em 1901, o Exército fez três expedições contra os Guajajara, da etnia Tenetehara. O massacre ocorreu em Alto Alegre do Pindaré, no Maranhão.

Abandonar mitos e conhecer a História, mesmo em suas páginas infelizes, não reduz o amor à pátria, apenas nos permite ter uma visão realista e, quem sabe, um compromisso com um futuro diferente e melhor.

120. NO CENTRO DA CRISE QUE DEVASTA O PAÍS

11.8.2020

A incapacidade de sentir a dor do outro e de viver o elo que liga uma pessoa e seu próximo. Essa é a característica mais marcante da personalidade do homem que governa o Brasil. Foram muitos os erros que ele cometeu nestes meses do nosso desterro. Vivemos um exílio diferente, porque a sensação é de não reconhecer no governo as virtudes que sempre admiramos no país. Jamais saberemos quantas vidas teriam sido poupadas entre as 100 mil que perdemos se fosse outra a liderança. Carregaremos as dúvidas. Milhares de dúvidas. Dessa falta de sentimento humanitário surgiram as frases ofensivas como o "e daí?" e o "eu não sou coveiro".

Os coveiros trabalham duramente, em condições difíceis, em turnos dobrados, sob o risco de contaminação em enterros sem choro e sem flores. O luto não tem cerimônia. Fica cravado no peito de cada um. Os que perderam as pessoas que amavam não puderam ser consolados. Não há mais abraços no mundo. Os coveiros viram. A esses profissionais, todo o respeito. Sim, o presidente não é coveiro. Ele não teria a grandeza de ajudar alguém em momento terminal.

Toda vez que concedeu a frase "lamento as mortes" soou falso, porque era falso. Era seguida de adversativas e da platitude de que todos morreremos. Os médicos e os enfermeiros lutam diariamente para manter a vida, mesmo sabendo do destino final de cada um.

Essa é a grandeza de quem trabalha com a saúde humana. Eles, elas, podem se olhar no espelho e dizer: hoje venci várias vezes a luta desigual contra a morte. Às vezes, o preço é a própria vida, como a do jovem neurocirurgião Lucas Augusto Pires.

Foram muitas as demonstrações de falta de empatia e de compaixão nestes dolorosos meses. Não há mais o que esperar. Nem em sentimentos, nem em capacidade de liderar o país em meio a uma tragédia. Ele falhou completamente.

A falha cotidiana foi passar a mensagem perigosa de que não era necessário se proteger. A transferência de recursos aos estados e municípios não foi favor, o dinheiro é dos pagadores de impostos. O governo federal adiou o que pôde, com manobras regimentais, com deliberados atrasos burocráticos. Isso custou vidas humanas.

O auxílio emergencial não foi concessão dele. A proposta saiu do Executivo depois de muita pressão dos formadores de opinião, e no Congresso o valor foi elevado, porque o do governo era baixo demais. A execução foi desastrosa, com as filas de pessoas lutando por seus direitos e a multiplicação dos casos de fraudes. Montou-se um sistema que negava o auxílio a um bebê porque não tinha CPF, mas entregava o dinheiro a uma pessoa rica sem averiguar sua renda. As linhas para sustentar as empresas em colapso foram tão tardias que falharam.

O governante inúmeras vezes usou a imagem da Presidência para vender a ilusão de haver uma pílula mágica, a cloroquina, que foi produzida aos milhões nos laboratórios do Exército. Criou um tumulto administrativo no ministério que coordena as ações da Saúde. Convocou seus seguidores a invadir hospitais para perseguir a delirante versão de que era mentira a ocupação dos leitos. Quis suprimir os números das mortes. São muitos os crimes. Sim, a palavra é esta: crime.

Ele ofendeu e ameaçou governadores e prefeitos que se preocuparam em proteger a população, criou uma confusão na mensagem para as famílias, manipulou sentimentos conflitantes em um tempo difícil apenas para alimentar a mentira de que não era o responsável. Numa Federação e no presidencialismo não há quem substitua o presidente na tarefa de coordenação do enfrentamento de um flagelo coletivo. A ausência desse trabalho custou muitas vidas.

Sua atenção esteve em uma pauta estrangeira à vida. Quer armar a população, aumentar o acesso a instrumentos de morte, tirou exclusividades das Forças Armadas em determinados armamentos mais poderosos. Eliminou a legislação que permitia o rastreamento. Armas, armas à mão-cheia. Esse é o lema do homem que governa o Brasil.

O presidente conspirou contra a democracia. Nos gabinetes fechados e à luz do dia. Estimulou aglomerações de manifestantes contra os Poderes da República e alimentou milícias virtuais com ataques às instituições. Gritou ofensas e ameaças. Tudo isso enquanto os brasileiros tentavam se proteger de um inimigo mortal. Conseguiu duplicar as ameaças que pairavam sobre nós. Por semanas seguidas o país teve que lutar pela vida e pela democracia. O nome disso também é crime. Crime de responsabilidade. Deveria ser punido com seu afastamento da Presidência. Ele não merece a cadeira que ocupa.

121. BOLSA FAMÍLIA E BOLSONARO

15.8.2020

"O voto do idiota é comprado pelo Bolsa Família", disse Jair Bolsonaro certa vez. Ele já definiu esse programa como a forma de "tirar dinheiro de quem produz para dar para quem se acomoda", e pediu que fosse extinto. Em 2017, em Barretos (SP), afirmou que "para ser candidato a presidente tem que falar que vai ampliar o Bolsa Família". No mundo inteiro, o Bolsa Família sempre foi elogiado por ter foco, baixo custo, e porque, através dele, foi criada uma rede de proteção social aos mais vulneráveis no Brasil. Esse presidente, que tem tal desprezo por essa política social, diz que fará agora um programa semelhante. Seu objetivo é um só: o de se reeleger.

Todas as ações anteriores de Bolsonaro negam qualquer compreensão da importância de políticas de transferência de renda. Em março, foram cortados 158 mil beneficiários do Bolsa Família, 61% eram do Nordeste. Os governadores, então, foram ao Supremo, que, na semana passada, confirmou a decisão do ministro Marco Aurélio Mello de proibir novos cortes enquanto durar a pandemia. Em junho, o governo tentou tirar dinheiro do Bolsa Família para gastos com publicidade do Planalto. Na quinta-feira passada (13), o ministro Paulo Guedes, em entrevista a um instituto espanhol, revelou que haverá um acréscimo de 6 ou 7 milhões de beneficiários. No dia da reunião sobre o teto, Guedes gastou um bom tempo falando no Alvorada que seria criado um tal de Renda Brasil. Era uma forma de dizer para o presidente que cortaria gastos, mas daria para ele o Bolsa Família com outro nome.

O mais popular e mais bem-sucedido programa social do Brasil foi tecnicamente bem-feito, resultou de estudos de especialistas e nasceu dos programas definidos como Bolsa Escola. Algumas vezes foi usado nas campanhas eleitorais, quando se disseminavam boatos de que um determinado candidato acabaria com ele. No caso de Bolsonaro, parecia possível porque ele sempre fez críticas. Hoje, porém, o programa foi incorporado ao rol das políticas públicas que permanecerão. O que se quer agora é reempacotá-lo para servir à reeleição de Bolsonaro. A equipe econômica tem trabalhado com esse objetivo declarado.

Num vídeo postado por Bolsonaro na segunda-feira (10), o presidente da Caixa Econômica Federal, Pedro Guimarães, está no aeroporto, faz uma chamada de vídeo para o presidente e diz: "Tem uma história interessante da dona Maria José aqui." E, pelo celular, mostra o presidente à mulher. Ela diz que é "apaixonada, louca" por ele. E agradece "tudo o que você tem feito por nós, principalmente os amapaenses". Pedro Guimarães, no papel de garoto-propaganda, pergunta: "E quanto você vai receber hoje aqui?" Ela diz que são duas parcelas. "Eu vendo bombom trufado aqui no Amapá e tem me ajudado muito a sua ajuda", fala ela, dirigindo-se ao presidente. Conta que é evangélica. No encerramento do vídeo, Guimarães, em voz bem alta, em local público, para confirmar com quem está falando, diz: "E aí, presidente, tudo bem?" Tudo foi filmado por outro celular, talvez de um assessor de Guimarães. Bolsonaro postou o vídeo com o texto: "Auxílio de R$ 600 salvando vidas."

Dona Maria José está gerando renda com o auxílio que recebeu, ao fazer o bombom trufado. Um caso realmente interessante, mas Bolsonaro e Guimarães revelam que estão interessados em propaganda eleitoral, em tirar proveito da história dela. O uso político da CEF supera os abusos do passado.

O país precisará de uma ampliação do Bolsa Família. E seria bom que isso ocorresse dentro de um planejamento técnica e fiscalmente bem-feito, para continuar sendo sustentável. O palanque, contudo, vai desvirtuar o programa. Pesquisa do Datafolha indica que o auxílio emergencial, que era de fato necessário, reduziu sua rejeição e aumentou a aprovação.

Bolsonaro é um populista. E tem um projeto autoritário. Como no chavismo, que distribuía o dinheiro do petróleo para se perpetuar. Bolsonaro esqueceu o que dizia do Bolsa Família e usará qualquer programa social que for formatado como alavanca eleitoral. Não é possível deixar os pobres sem proteção. Não é aceitável ver um candidato a ditador usando recursos públicos como se fosse dinheiro dele doado aos pobres, como Bolsonaro e Pedro Guimarães quiseram fazer crer a dona Maria José.

122. RISCO DEMOCRÁTICO É O PONTO CENTRAL

23.8.2020

"Esta eleição é sobre preservar a democracia", disse o senador americano Bernie Sanders na convenção do Partido Democrata. A mensagem foi passada até nos cenários escolhidos pela campanha. O ex-presidente Barack Obama falou diretamente do icônico National Constitution Center, o Museu da Constituição, na Filadélfia. O candidato democrata Joe Biden confirmou no seu discurso que essa é a luta principal. No Brasil, o Supremo deu o mesmo recado. Proibiu o Ministério da Justiça de fazer dossiê contra funcionários que não apoiam o governo. "É incompatível com a democracia", segundo o ministro Luís Roberto Barroso. A Corte condenou a espionagem de adversários feita pelo Ministério da Justiça, confirmando, por 9 x 1, o voto claro da ministra Cármen Lúcia.

A democracia, que parecia garantida, passou a ser ameaçada por governantes sem valores democráticos e com desprezo pelas instituições. O importante no dossiê contra policiais antifascistas e pessoas notáveis — entre estes últimos, os professores Paulo Sérgio Pinheiro e Luiz Eduardo Soares — é que ele não pode ser feito. É inaceitável. Simples assim. Alguns ministros ressaltaram que o relatório tinha péssima qualidade como documento de inteligência. Isso é assunto lateral. O relevante é a atitude do Ministério da Justiça de usar a máquina para investigar servidores que não concordam com o governo.

O ministro da Justiça, André Mendonça, é o maior derrotado, mesmo tendo sido poupado e até defendido pelo presidente do Supremo, Dias Toffoli. O país viu seu contorcionismo. A ministra relatora quis saber: existe ou não existe o dossiê? Ele tentou escorregar, mas a realidade se impôs. O pior momento do ministro foi alegar questão de segurança nacional para negar ao STF o acesso ao documento. Felizmente, a ministra Cármen Lúcia não se deixou enganar pela mentira embrulhada na bandeira. Exigiu conhecer o teor e fundamentou seu voto: "O Estado não pode ser infrator, menos ainda em afronta a direitos fundamentais que é sua função garantir e proteger."

A existência dessa atitude infratora do governo, de montar um dossiê identificando servidores contrários ao fascismo, foi revelada pelo jornalista Rubens Valente. O país não caiu no erro de deixar passar para ver como é que fica. A Rede Sustentabilidade foi ao Supremo. O STF estabeleceu que o Ministério da Justiça não faça mais esse tipo de investigação, porque isso ameaça a democracia e é "desvio de finalidade".

Na discussão, duas coisas ficaram claras: mesmo que seja nomeado ministro do Supremo, André Mendonça não merece a cadeira. Ele se comportou mal com suas versões conflitantes, mas o pior foi não entender a função constitucional do Supremo. Outro ponto a ficar explícito foi a constrangedora submissão do procurador-geral da República ao Executivo. Colocando-se, na prática, como assistente do advogado-geral da União, Augusto Aras traiu o papel que a Constituição entregou ao chefe do Ministério Público.

Nos Estados Unidos, a convenção democrata, inteiramente virtual, trouxe um recado real. Obama disse que o presidente Donald Trump representa a maior ameaça às instituições americanas: "É isso que está em jogo neste momento, a nossa democracia." E, por fim, avisou sobre a dureza da luta nos próximos setenta dias: "Esta administração já mostrou que destroçará a nossa democracia, se é isso que precisa para ganhar."

O candidato Joe Biden confirmou a mensagem de toda a convenção. Falou dos tempos sombrios que Trump representa. "O caráter nacional está em disputa nas urnas. A decência, a ciência, a democracia." Falou em "salvar nossa democracia". Em tempos de descrença, alguém pode perguntar: para que a democracia serve afinal? Para ter líderes que tragam uma palavra de conforto quando o país atravessa período de sofrimento. "O melhor caminho para superar a dor, a perda e a desolação é encontrar um propósito", disse o candidato Joe Biden, que em sua vida pessoal viveu o que diz. E o propósito final tem de ser sempre ampliar a inclusão de todos os grupos da sociedade. A convenção democrata trouxe de volta à cena a nova demografia da América, colorida, diversa, multicultural, ecumênica, explícita na exuberante diversidade de Kamala Harris, negra, filha de imigrantes — mãe indiana e pai jamaicano —, que estará na chapa que enfrentará Donald Trump.

123. CAMINHO CERTO NO CHÃO DA AMAZÔNIA

6.9.2020

A terra e o ouro subiram de preço. Isso é um poderoso incentivo econômico à grilagem e ao garimpo na Amazônia. O Brasil tem vantagens competitivas no agronegócio, setor que está ligado, como nenhum outro, às cadeias internacionais. O desmatamento, porém, leva os grandes fundos de investimento e os consumidores externos a fazerem exigências ao país. Querem ter certeza de que o nosso produto está livre do crime de destruir a maior floresta tropical do planeta. No chão da Amazônia vicejam produtos preciosos — açaí, cacau, castanha —, mas não há cadeias produtivas que sustentem a geração de riqueza para quem mora lá.

Esse é o quadro no qual três bancos privados, competidores — mas não adversários, como se definem —, decidem se unir. Se vão contribuir para mudar essa realidade, o tempo dirá. O que eles querem? Estimular as cadeias locais de produtos da floresta com a ambição de que haja escala, ter incentivos econômicos para a preservação, buscar informação sobre as grandes cadeias produtivas para quebrar a ligação entre o legal e o ilegal. Saber para quem estão emprestando.

Na sexta-feira (4), durante uma hora e meia, entrevistei os presidentes do Bradesco, Octávio de Lazari, do Itaú-Unibanco, Cândido Bracher, do Santander, Sergio Rial. A proposta era saber como passarão dos bons propósitos que anunciaram recentemente para a prática. Eles fizeram afirmações interessantes que o jornal de ontem trouxe no texto de Glauce Cavalcanti e Carolina Nalin. O que me impressionou positivamente é que admitem, logo de início, que estão num processo de aprendizagem. Amazônia é um assunto denso como a floresta, que se abre em muitas vertentes como os igapós, e diante de sua dimensão o risco maior é se perder. A Amazônia pede de nós humildade.

O que de fato os bancos vão fazer? Um grande problema é o da produção de carne. Tempos atrás, a moratória da soja uniu produtores, ONGs, órgãos de controle, grandes consumidores. O pacto que fizeram obrigou as *tradings* a só comprar de quem comprovasse que não desmatou. A ideia é repetir isso numa mesa da pecuária.

— Estamos no epicentro de todas as cadeias, da fazenda ao garfo. E a agroindústria está ligada globalmente. É essencial sabermos se continuaremos nessa cadeia de produção. A Amazônia está no centro da capacidade competitiva do Brasil a longo prazo — explicou Sergio Rial.

Octávio de Lazari disse que há uma mudança de comportamento no consumidor que definirá que empresas vão prosperar no século XXI:

— O consumidor brasileiro das novas gerações está se tornando cada vez mais atento. Aquela empresa que não for responsável, ecológica e inclusiva, ou não respeitar a diversidade, vai ficar pelo caminho. Esse é o ponto fundamental da mudança de postura brasileira e mundial.

Na visão dos banqueiros, é preciso inverter a equação que hoje devasta a floresta.

— O caminho da redução de carbono é inexorável — disse Cândido Bracher. — Temos que aumentar o prêmio para o cumprimento da lei, estimulando o mercado de crédito de carbono, o mercado de serviços ambientais e o desenvolvimento de cadeias produtivas. A repressão ao ilegal tem que ser um elemento, mas não o mais importante. Tem que haver o estímulo econômico às boas práticas dentro das regras de mercado.

Há muita coisa que é difícil saber como lidar. Os três admitem que mineração é um desafio e que, ao contrário do que acontece na agricultura, o pequeno produtor, ou seja, o garimpo, não pode ser sustentável. E que a grande mineração não pode sair deixando cicatrizes na floresta. Perguntei sobre os indígenas porque o tema está ausente nos dez princípios que eles estabeleceram para orientar sua atuação na Amazônia. Eles admitiram que, de todos os assuntos, "esse é o que mais se aplica à necessidade de aprender e ser humilde", como definiu Bracher.

O governo anda em direção contrária a toda essa agenda. Eles consideram, contudo, que o vice-presidente, Hamilton Mourão, abriu um canal de diálogo. Querem pensar a Amazônia como uma questão de Estado e não de governo, e não fugiram da pergunta sobre a última declaração do presidente Bolsonaro, que comparou as ONGs a câncer. Eles discordam. As ONGs são parceiras, estão nos conselhos e têm conhecimento do assunto, disseram.

124. O TERRAPLANISMO ATACOU A ECONOMIA

10.9.2020

O Brasil já conhece os passos dessa estrada, sabe que ela não vai dar em nada. Sabe de cor os desvios, desvãos, delírios que podem levar à ideia de que algum ente governamental possa intervir em formação de preços de supermercados. Não dá para acreditar que o ministro Paulo Guedes não tenha tido força para explicar o básico ao governo Bolsonaro. A notícia de que o Ministério da Justiça notificou os supermercados pela alta dos alimentos seria cômica se não fosse séria. A inflação está baixa, não há uma elevação generalizada do índice. E, mesmo que houvesse, o Brasil sabe há trinta anos que não é por aí.

Na economia, nada há de mais obsoleto do que isso que nos assombrou na segunda metade dos anos 1980: a tentativa de controle de preços e a acusação a supermercados. Depois de várias tentativas que sempre deram errado, o Plano Real escolheu outro caminho, novo e elegante, que, enfim, derrotou a hiperinflação no Brasil. Houve derrapagens no meio do trajeto, como o congelamento do preço da gasolina no governo Dilma e a intervenção na energia. Deu errado. Na sucessão de retrocessos que nos atinge no governo Bolsonaro, só faltava mesmo esta: o Ministério da Justiça dar prazo para supermercado explicar o preço do arroz porque o presidente da República reclamou. Eu até lembraria que o ministro da Economia é liberal, mas isso nem importa a esta altura. Não se trata de incoerência em relação a uma escola econômica. É uma questão de bom senso e de conhecer — palidamente que seja — a História do Brasil.

Então vamos lá voltar à quadra um, porque o terraplanismo atacou agora a economia. Três fatores elevaram os preços dos alimentos: entressafra, auxílio emergencial e exportações puxadas pelo dólar alto e pela demanda chinesa. A execução do benefício teve muitos defeitos, porém, quando chegou aos mais pobres, fez enorme diferença. Imagine uma mulher chefe de família que recebia R$ 190 de Bolsa Família e que de repente recebeu do governo R$ 600 ou até R$ 1.200. O efeito multiplicador foi intenso. Isso é bom, porque atenuou a recessão. Por outro lado, pressionou a demanda de alguns produtos, como alimentos e material de construção.

Esse fenômeno é temporário porque nos últimos quatro meses do ano o valor do benefício vai cair. Mesmo assim, a inflação de alimentos em domicílio, que subiu 11,39% em doze meses, deve continuar pressionada. E alimentos têm mesmo oscilações fortes. A cebola, cujo preço subiu 81% nos primeiros sete meses do ano, no oitavo mês caiu 17,81%. Contudo, o índice geral do IPCA continua baixo: chegou a 0,70% no ano. Menos de 1%.

Nesse índice de agosto, a educação foi a âncora, explica o professor Luiz Roberto Cunha, da PUC-Rio. Houve a concessão de descontos pelas escolas e o item caiu 3,47%. Se tivesse sido zero, calcula Cunha, a inflação do mês seria de 0,45%, em vez de 0,24%. Os preços continuarão oscilando naturalmente. Não há uma conspiração entre donos de supermercados e arrozeiros. Reduzir a tarifa é uma boa ideia, até porque as barreiras são tão altas que deveriam ter sido reduzidas há mais tempo.

No segundo semestre a sazonalidade da carne é de alta, e além disso está acontecendo com esse e outros produtos uma demanda externa maior, com preço competitivo por causa do dólar alto. Isso torna mais caro o importado. Houve uma queda de 42% na importação de trigo, os preços da farinha até subiram 12%, mas o macarrão está com alta zero de preço. Deve ter sido isso que fez o presidente da associação de supermercados, ao sair da reunião com o presidente Bolsonaro, parafrasear Maria Antonieta. Em vez do "dê-lhes brioches", sugeriu que as pessoas trocassem o arroz por macarrão.

Meses atrás houve quem dissesse que o presidente do Banco Central teria de escrever uma carta para explicar por que não atingiu a meta de inflação. Não por ficar acima e sim porque o risco era de ficar abaixo do piso da meta. Agora, o que está acontecendo é uma alta localizada de preços, fácil de entender e difícil de reverter artificialmente. Qualquer intervenção distorce, como os ruídos dos últimos dias: declarações, reuniões, ameaças e notificações. Quando Jair Bolsonaro dizia nada entender de economia, estava falando sério. Quando disse que entregaria tudo a Paulo Guedes, não estava falando sério.

125. A IGUALDADE PERANTE A LEI

12.9.2020

A decisão do ministro do STF Celso de Mello tem um lado. O da República. República é o sonho da sociedade de pessoas iguais. Até que ponto as prerrogativas da Presidência podem ir em frente sem infringir o dogma da igualdade? O que Celso de Mello respondeu ontem em sua decisão, longa e sólida, foi que se o governante é investigado não pode mandar por escrito o seu depoimento para a autoridade policial. Precisa se submeter, como qualquer um, às perguntas, ao contraditório, às "reperguntas".

"Afinal, nunca é demasiado reafirmá-lo, a ideia da República traduz um valor essencial, exprime um dogma fundamental: o do primado da igualdade de todos perante as leis do Estado. Ninguém, absolutamente ninguém, tem legitimidade para transgredir e vilipendiar as leis e a Constituição de nosso país. Ninguém, absolutamente ninguém, está acima da autoridade do ordenamento jurídico do Estado", escreveu o ministro.

Ele mandou avisos prévios. Em decisões anteriores, foi deixando claro que a prerrogativa para um chefe de Poder entregar depoimento escrito só existe quando a autoridade está no processo como testemunha. Se for investigado ou réu, não tem esse direito. Certamente a AGU sabia disso, mas o entorno do presidente está preferindo a interpretação de que a decisão do decano é pessoal. É o oposto. É impessoal.

O ministro continuou em sua decisão: "Não custa insistir, neste ponto, por isso mesmo, na asserção de que o postulado republicano repele privilégios e não tolera discriminações", disse ele, em razão de "condição social, de nascimento, de parentesco, de gênero, de amizade, de origem étnica, de orientação sexual ou posição estamental", e isso porque "nada pode autorizar o desequilíbrio entre os cidadãos da República", sob pena de se transgredir "a ideia da República".

Segundo Celso de Mello, apesar da "posição hegemônica que detém na estrutura político-institucional", o presidente da República é também "súdito das leis" e, portanto, não tem esse direito de depor por escrito quando for "pessoa sob investigação criminal". O pedido para que o presidente deponha por escrito foi feito pelo procurador-geral da República, Augusto Aras.

A República é sonho que vem sendo sonhado desde a Colônia, como conta a historiadora Heloisa Starling no *Ser republicano no Brasil Colônia*. Esteve em cada levante, em cada manifesto de sublevados, esteve com os conjurados de Minas, Rio e Bahia. Foi sendo expropriada do seu sentido mais profundo até ser proclamada com o povo excluído da festa, como conta o historiador José Murilo de Carvalho no clássico *Os bestializados: o Rio de Janeiro e a República que não foi*.

Para não sermos eternamente a "República que não foi", o país precisa se mover sempre. O passo de ontem foi esse, dado pelo ministro que, em breve, deixará a cadeira do Supremo Tribunal Federal. Como sempre, ele buscou vozes antigas. Citou João Barbalho, membro da primeira Assembleia Constituinte (1890-1891): "Não há, perante a lei republicana, grandes nem pequenos, senhores nem vassalos, patrícios nem plebeus, ricos nem pobres, fortes nem fracos, porque a todos irmana e nivela o direito." Não seguir esse princípio seria aceitar privilégios "próprios de uma sociedade aristocrática".

Pela decisão de Celso de Mello o depoimento do presidente será presencial, e os advogados do ex-juiz Sergio Moro, que o acusou, poderão estar presentes e fazer perguntas. O ex-presidente Temer, em 2017, recebeu dos ministros Luís Roberto Barroso e Edson Fachin o direito de depor por escrito. Celso de Mello os elogia, mas discorda. E relaciona votos dele e de outros ministros negando essa prerrogativa.

E ademais, ensina, o interrogatório é um "ato de defesa", é direito do acusado no devido processo legal.

O parágrafo primeiro do artigo 221 do Código de Processo Penal dá a prerrogativa aos chefes dos Poderes de "optar pela prestação do depoimento por escrito" quando forem testemunhas ou vítimas. Quisesse o legislador que isso fosse estendido ao investigado, teria dito. O Planalto vai esperar o ministro se aposentar. Acredita que quem herdar o caso dará a Bolsonaro o direito de ser mais igual que os outros cidadãos da nossa República inacabada.

126. O AUTOCRATA E OS COLABORACIONISTAS

20.9.2020

Quando um país toma o caminho do autoritarismo, não é pela vontade de uma só pessoa. É resultado de falha de muita gente. É preciso ter um governante que despreza a democracia, e isso o Brasil tem no momento, mas todo autocrata precisa de colaboracionistas na sua conspiração contra as instituições. O Brasil neste um ano e nove meses demonstra ter uma multidão de ajudantes de Jair Bolsonaro em seu projeto antidemocrático.

Toda semana vários fatos são adicionados a outros, anteriores, mostrando a marcha que o país perigosamente empreende rumo ao abismo institucional. Muitos colaboram por má-fé ou ambição pessoal, alguns porque olham para um ato específico e julgam erroneamente que esse ato não se soma a todos os demais que enfraquecem as instituições. Há os que ajudam porque andam distraídos quando a pátria exige cuidados.

Pode-se começar a lista de qualquer ponto. Em cada um deles há sinais de que colaboradores, conscientes ou involuntários, ajudam o projeto autoritário. Na economia, quem entregou a bandeira liberal para esconder o voluntarismo autoritário do presidente colaborou muito. Mesmo quem não se considera liberal pode ver que os clichês são úteis, porém falsos. O "tirar o Estado do cangote do empresário" ou o "mais Brasil e menos Brasília" eram estelionatos, como tudo o mais. Diariamente vemos Brasília subjugando o país. Em nome do que trabalham os economistas do governo? Já não há projeto, não há consistência, não há autonomia mínima. Estão todos engajados na campanha de 2022. Nada entregaram, a não ser a si mesmos. E para um governante de maus propósitos.

Os gestores do Orçamento aceitam tirar dinheiro da educação num ano de emergência para jogar em asfalto, porque crianças e jovens aprendendo melhor não demandam inauguração, mas um trecho qualquer de estrada serve de palanque ao presidente. Aceitam os colaboradores do Ministério da Economia estar em minoria numa Junta Orçamentária de generais. Desistem de qualquer amor-próprio em nome não se sabe do quê. Um economista que passou pelo mercado financeiro entende quando já perdeu. Se fica na posição é porque acha natural o abuso.

A demolição da democracia tem tido muita ajuda da Procuradoria-Geral da República. Augusto Aras sabe o que faz. E não está sozinho. Remanescente de um tempo pré-constitucional, no qual era possível somar a advocacia com a procuradoria e servir a dois senhores, Aras tem pouco a ver com o atual Ministério Público, construído como defesa dos interesses coletivos após 1988. No entanto, tem tido ajuda no seu trabalho incessante de transposição da PGR para a AGU.

O STF instalou barricadas importantes contra o avanço do autoritarismo. Por isso o presidente foi para a rua com manifestantes pedindo o fechamento do Supremo. E o fez impunemente. Os investigados são os que financiaram os atos que pediam a morte da democracia. Quem os incentivou a pedir poderes ditatoriais para si está protegido pelo manto da Presidência. O STF tem que avaliar bem seus atos neste momento da República. Eles são supremos, contra eles a quem recorrer? Todos sabem naquele egrégio tribunal que o interrogatório de um investigado, se for sério, não pode ser por escrito, porque com esse conforto o trabalho de redação será entregue a um auxiliar. Todos sabem que o capítulo em que está a prerrogativa do artigo 221 do CPP tem como título "Das testemunhas". O capítulo "Do interrogatório do acusado" é outro. O presidente não pode ser testemunha da sua própria investigação. Um erro não faz um direito de isonomia. O espírito da lei repousa no voto de Celso de Mello. Com que artifícios jurídicos se tentará escapar do que está escrito?

O que mais a Justiça fará para não punir os que em gabinetes com inúmeras rachadinhas drenaram o dinheiro coletivo para os bolsos da primeira-família e até da ex-família? Com que tapumes serão protegidos? Com quantas liminares será cassado o direito da imprensa de informar?

Um projeto autoritário se constrói com muitos erros e omissões. O Brasil, neste momento triste de 135 mil mortos com um presidente que ri do sofrimento coletivo, está no caminho da perdição da sua maior conquista — a vitória da Constituição democrática que Doutor Ulysses, com ódio e nojo à ditadura, exibiu ao país, triunfante, naquele dia de não esquecer.

127. O COMPADRISMO E OS OUTROS ERROS

14.10.2020

O Brasil está em emergência ambiental. Não são focos em alguns biomas, é o país em chamas. A seca é uma das causas, mas o principal fator são os erros do ministro do Meio Ambiente. Ricardo Salles é um desmatador de aluguel. O mandante é o presidente da República. O vice-presidente, Hamilton Mourão, não nos deixa esquecer o lado perverso dos militares que voltaram ao poder com Jair Bolsonaro e repete a defesa do mais notório torturador brasileiro. O episódio da indicação de Kassio Nunes para ocupar a vaga de Celso de Mello no STF exibiu novos flagrantes da inaceitável promiscuidade do poder em Brasília.

Quem se afasta um pouco dos acontecimentos consegue ver com mais acuidade quanto a democracia brasileira está disfuncional. Os que têm posição de poder no Brasil afrontam os princípios que deveriam seguir pela posição que ocupam.

Um ministro do Meio Ambiente tem que respeitar o motivo pelo qual o ministério foi criado. Não foi para desproteger manguezais e restingas, não foi para ameaçar a biodiversidade. E é o que Salles faz de forma acintosa. E ainda ofende quem se mobiliza para corrigir os estragos que ele espalha pela natureza, como o produto químico que mandou jogar no Parque Nacional da Chapada dos Veadeiros, em Goiás. Salles segue uma agenda. A da destruição ambiental. Ele, deliberadamente, retirou a representatividade do Conama. Agora o conselho, passivo, referenda seus desatinos.

Salles não é um problema isolado, uma peça que, se sair, deixará tudo resolvido. Deve ser demitido porque é pessoalmente deletério, mas é bom sempre ter em mente que esse é o projeto governamental. Ele é defendido pelos generais que estão no governo, pelo presidente que o nomeou, e é acobertado pelo silêncio dos outros ministros.

A entrevista concedida pelo vice-presidente, Hamilton Mourão, a Tim Sebastian, da Deutsche Welle, não surpreendeu quem acompanhou suas declarações durante a campanha. Numa entrevista conduzida por mim na GloboNews em 2018, lembrei ao então candidato que Carlos Alberto Brilhante Ustra era comandante do DOI-Codi quando mais de quarenta pessoas morreram sob tortura em suas dependências. Quis saber se mesmo assim ele o considerava herói. E Mourão respondeu: "Heróis matam."

O papel do jornalista em entrevistas como essa é permitir que se revele o caráter do candidato. Isso ficou claro naquela entrevista. Agora ele confirma. O presidente e o vice-presidente do Brasil definem como herói quem, acusado por várias vítimas, foi condenado pelo comportamento repugnante de submeter adversários políticos a sofrimento extremo, levando alguns à morte quando estavam presos e sob a custódia do Estado. Na entrevista ao jornalista alemão, Mourão disse que quando todas as pessoas envolvidas "desaparecerem" poderá ser feita a análise desse caso. E ainda afirmou que Ustra respeitava os direitos humanos "dos seus subordinados".

Bolsonaro sempre fez apologia da tortura e dos atos mais violentos da ditadura, mas ele ficou apenas onze anos no Exército, saiu como oficial de baixa patente e pela porta dos fundos. Mourão cumpriu toda a carreira no Exército e saiu com quatro estrelas. Ainda assim — e mesmo agora — defende um notório torturador e acha que isso só poderá ser analisado quando "desaparecerem" todos os que querem "colocar as coisas como eles viram". Os torturados não apenas viram, sentiram as dores da tortura em prédios das Forças Armadas. Muitos nada podem contar porque foram mortos. Se o Exército não é capaz de reavaliar esses atos hediondos, quase cinquenta anos depois de cometidos, infelizmente os está legitimando.

Há agora erros novos acontecendo diante de nós. A escolha de Kassio Nunes não foi apenas pelo currículo — que, aliás, já revelou inconsistências —, mas também porque tomou tubaína com o presidente, segundo exposição de motivos apresentada pelo próprio Bolsonaro. O encontro na casa do presidente do STF, Dias Toffoli, mostrou diversos inconvenientes. Aquele abraço entre ele e Bolsonaro indica que Toffoli não entendeu até hoje o principal sobre o cargo que ocupa. Bolsonaro é investigado pelo Supremo, Toffoli tomou decisão que beneficiou o filho do presidente, o mesmo filho que sugeriu o nome do desembargador Kassio Nunes. O Senado vai avaliar a indicação, por isso o presidente da Casa, Davi Alcolumbre, também não poderia ter ido. O encontro evidenciou que todos os envolvidos não sabem a diferença entre o bom relacionamento institucional e o compadrismo.

128. PLANO PARA A ECONOMIA

18.10.2020

A economia brasileira vive uma crise gravíssima. O PIB está tendo a sua maior queda em um ano, o número de pobres aumentou, o desemprego aflige milhões de famílias, a dívida pública se aproxima do insustentável. Não há um plano para enfrentar esses flagelos. O comando da política econômica é errático e alienado. Em que mundo vive a pessoa que diz que a economia está se recuperando em "ritmo alucinante"? O ministro Paulo Guedes, quando fala, assusta pelo seu desapego à realidade.

Em um evento na semana passada, no Instituto Brasiliense de Direito Público, Guedes discorreu sobre os erros cometidos na Colônia, no Império e pelo "Estado hobbesiano", em mais uma daquelas repetitivas dissertações sobre o tudo e o nada. Em dado momento, defendeu os bancos estaduais que o governo de Fernando Henrique fechou, mas que deveria ter deixado abertos, na visão dele. Em qualquer fala, Guedes precisa achar alguma decisão em que os economistas do real teriam errado. Há um quarto de século.

O ponto é: nunca se sabe qual é o ponto do ministro da Economia. Em falas randômicas, ele foge para mundos outros, para tempos da História que interpreta de forma duvidosa, quando a sua matéria deveria ser o tempo presente, e a sua tarefa, dizer como tirar o país do atoleiro. Quando, afinal, chega ao mundo atual, ele de novo descreve inexistências, como o fato de a economia estar em ritmo "alucinante". Sobre a nova CPMF que pensa criar, fez uma acusação séria: "A Febraban é quem mais subsidia e paga todos os economistas brasileiros para dar consultoria contra esse imposto."

Algumas falas dele seriam perfeitas se fossem uma referência à conjuntura. "Uma série de ações performáticas para tentar o equilíbrio macroeconômico quando era um tsunami o que estava acontecendo." "Os economistas um pouco deslumbrados pela política." "Continuamos com a fuga do diagnóstico correto." Falava do passado, mas as frases seriam perfeitas para definir os eventos atuais.

Aqui e agora, o que está acontecendo é que a recuperação tem sido desigual. Seu grande motor é um auxílio insustentável. A alta é na margem. A maioria dos índices sobe em relação ao mês anterior, mas é muito negativa em relação a um ano antes. E o que foi 2019? Um ano pífio, depois de outros anos fracos que se seguiram a uma recessão. O que significa que o PIB encolheu, não se recuperou e caiu de novo. Agora sobe um pouco, no entanto a economia é menor do que há um ano. Como enfrentar essa letargia é um dos desafios. Há outros.

O ministro Paulo Guedes minimizou o problema do desemprego. Disse que nos Estados Unidos perderam-se 30 milhões de empregos e no Brasil pouco mais de um milhão. A economia americana destrói e recria vagas com grande facilidade porque tem um mercado de trabalho extremamente dinâmico. Não dá para comparar. Mas, aqui, 10 milhões de pessoas saíram da população ocupada. Essa é a forma mais correta de se dimensionar o problema. Existem contratos suspensos e salários reduzidos em empresas fragilizadas. O que acontecerá com esses trabalhadores? O que será das famílias que hoje dependem do auxílio emergencial? Há outros temores.

Um fantasma ronda o Brasil. A dívida pública. Alta demais, alimentada por um déficit persistente, a dívida é a espinha dorsal da economia. Se houver uma crise de confiança na capacidade do Tesouro de honrá-la, desmancham-se as empresas, os fundos de pensão, as aplicações das famílias, a economia brasileira. É por isso, e não pelo humor do mercado, que o assunto precisa ser encarado com um plano crível, de longo prazo, de equilíbrio nas contas públicas. Um ajuste inteligente, que reduza as despesas que concentram renda ou sustentem a parte velha da economia. Um pequeno exemplo: esse ajuste deveria tirar o subsídio ao carvão em vez de cobiçar a verba do Fundeb. Nesse ajuste, a reforma administrativa seria digna do nome e não esse texto pálido que foi para o Congresso, a revisão das renúncias fiscais seria profunda e ampla.

É preciso um plano que restaure a confiança de que no longo prazo o Tesouro vai equilibrar a dívida, o Brasil ficará menos desigual, a economia será sustentável do ponto de vista ambiental e mais integrada ao mundo. Um programa sério que enfrente a crise e aponte para o futuro e não ideias malucas que nos visitam por algumas horas até serem negadas.

129. A MORTE, A VACINA E O PRESIDENTE

22.10.2020

Em 2020 estamos morrendo, mas o presidente só pensa em 2022. É capaz de qualquer ato, o mais temerário que seja, para realizar seu plano. Ontem foi um dia em que o Brasil perdeu tempo na nova desordem criada por Jair Bolsonaro. Ele atacou a China, o governador de São Paulo, João Doria, humilhou o general Eduardo Pazuello e fez sua Revolta da Vacina para agradar à sua milícia digital. O presidente conspira contra a saúde dos brasileiros para aplacar seus radicais.

Há uma minoria muito estridente nas redes que cobra dele provas de lealdade. Abraçado a políticos com dinheiro nas cuecas, com sua família toda enrolada, o presidente não pode mesmo entregar a promessa de combater a corrupção. Então cria conflitos com a China, com Doria, com a vacina contra a covid-19, para provar que permanece sendo o mesmo. Ele foi cobrado pelo acordo de intenção assinado com o governo de São Paulo para uma futura compra da vacina, e por isso deu o seu chilique.

O Instituto Butantan é o maior fornecedor de vacina para o programa nacional de imunização e conta com a confiança do país. É óbvio que será um dos fornecedores, caso a vacina contra o coronavírus desenvolvida na cooperação com a China passe bem por todo o processo da Anvisa. Como disse ontem a agência, existem quatro "protocolos de desenvolvimento vacinal" correndo na Anvisa e nenhum pedido ainda de registro. Quando houver, será avaliado tecnicamente. O presidente da Anvisa, Antonio Barra, procurava palavras para não sair do roteiro da agência. Barra é o mesmo que em março foi para uma manifestação contra o Congresso junto com o presidente, participando de aglomeração. Recebeu esta semana a aprovação do Senado e agora tem mandato.

No entorno do presidente, a explicação dada pela manhã foi que Bolsonaro estava dizendo que Doria havia distorcido o que fora dito por Pazuello numa videoconferência com os governadores. Doria divulgou o comunicado da reunião para mostrar o que havia acontecido e o que, aliás, todo mundo tinha entendido. Há uma intenção de compra pelo governo, caso a vacina seja aprovada e tenha registro. Inventando uma briga inexistente, Bolsonaro postou que qualquer vacina deverá ser comprovada cientificamente e aprovada pela Anvisa. Mas fez isso escrevendo em caixa-alta: "A vacina chinesa de João Doria." E concluiu que não compraria a vacina. Depois, usou a palavra "traição" em relação ao ministro da Saúde.

Ao atacar o governador de São Paulo, ele tentava enfraquecer um suposto adversário no pleito de 2022. Ao fazer sucessivas referências depreciativas à China, ele estigmatizava o país. Mais do que isso: Bolsonaro agrediu nosso principal parceiro comercial e investidor estratégico. Não ganhamos nada em tomar partido na nova Guerra Fria. O interesse americano nessa briga com a China não é o nosso interesse.

A embaixada chinesa já havia soltado uma nota, na terça-feira (20), para rebater as acusações do secretário americano, Mike Pompeo, e do conselheiro de Segurança Nacional, Robert O'Brien, de que a China seria uma ameaça ao Brasil. No trecho mais duro contra os americanos, os chineses disseram que os Estados Unidos tinham um "histórico sujo" em segurança cibernética, com operações massivas de espionagem contra vários países, incluindo o Brasil. Após a polêmica com a vacina, o embaixador chinês, Yang Wanming, afirmou que investimentos chineses no Brasil geraram mais de 50 mil empregos diretos e poderiam chegar a US$ 100 bilhões, em um período de cinco anos. Era uma forma de comparar com o que foi oferecido pela missão americana. Perto do volume que precisa ser mobilizado para o investimento em 5G, o US$ 1 bilhão de financiamento americano não é nada.

Num mesmo ataque de nervos, o presidente agrediu um parceiro estratégico, mostrou de novo que não tem atributos para comandar uma Federação, humilhou o ministro da Saúde, justamente o mais submisso aos seus caprichos. O pior, contudo, é que Bolsonaro atentou contra a saúde dos brasileiros. Ele espalha o vírus da desconfiança em relação a uma vacina que pode vir a salvar milhares de vidas. Desde o começo da pandemia ele já brigou com governadores, ofendeu o STF, demitiu dois ministros da Saúde, defendeu remédios não comprovados, ajudou a disseminar o coronavírus com suas aglomerações e seu exemplo de desprezo à proteção. Bolsonaro é um atentado à saúde pública em meio a uma pandemia. E já são 155.459 os nossos mortos.

130. BOLSONARO É UM EXTREMISTA SÓ

27.10.2020

O resultado do plebiscito no Chile e a eleição presidencial na Bolívia são boas notícias numa região que acumula tensões e amarguras. Até a aposentadoria do senador uruguaio e ex-presidente José Mujica foi uma aragem de boa política por seu discurso forte e sincero, que viralizou nas redes. Nos casos chileno e boliviano, a saída dos impasses foi pelo melhor dos caminhos, a democracia.

Bolsonaro, por sua defesa dos regimes ditatoriais na América Latina das décadas de 1960 e 70, deu a impressão de que a região voltaria ao velho padrão de democracia interrompida. Como venceram candidatos de direita no Chile, Paraguai e Uruguai, o temor era de uma queda no túnel do tempo. Mas o que ficou claro é que Bolsonaro está sozinho, porque nem a direita da região tem afinidade com ele. Foi com constrangimento que o presidente do Paraguai, Mario Abdo Benítez, ouviu de Bolsonaro elogios ao ditador Stroessner. O presidente do Chile, Sebastián Piñera, rechaçou o ataque sórdido que Bolsonaro fez à ex-presidente Michelle Bachelet ao ofender a memória do pai dela, morto na prisão. Bolsonaro é um extremista só.

Piñera reagiu à violenta explosão de movimentos de rua contra seu governo caminhando para o centro e propondo uma solução há muito aguardada no país: a mudança da Constituição. Houve forte comparecimento às urnas neste fim de semana, os jovens participaram num país onde o voto não é obrigatório. A vitória dos que querem uma nova Constituição foi esmagadora.

No governo Bolsonaro, como sempre, há falta de compreensão sobre o que acontece debaixo de seus narizes. O líder do governo na Câmara, Ricardo Barros (PP-PR), mostrou desconhecimento ao usar o que está acontecendo no Chile para defender mudança na Constituição brasileira, porque ela teria tornado o Brasil "ingovernável". O ministro Bruno Dantas, do TCU, sugeriu "estudar um pouco de História e entender a transição democrática deles", dos chilenos. Pois é. O Brasil começou sua transição fazendo uma Constituinte; o Chile só agora abandonará a Constituição da época da ditadura.

A Bolívia viveu, há um ano, um momento de enorme turbulência política que fez temer a volta a um passado de instabilidade crônica no país. Na época, houve um debate bizantino sobre se havia sido ou não um golpe. Escrevi que era uma discussão ociosa porque se os chefes militares se reúnem e vão à televisão exigir a saída de um governante, é golpe. O ex-presidente Evo Morales havia errado também por disputar um quarto mandato, ao arrepio da Constituição e do Referendo de 2016. Morales deveria ter feito o natural processo de sucessão dentro do MAS. Seu personalismo agravou a crise. A solução, um ano depois, foi recolocar o MAS no governo pelas urnas, mas através de um novo líder, Luis Arce.

A diplomacia brasileira errou o tempo todo com a Bolívia, país com o qual temos uma relação densa. Houve um momento em que a Argentina teve que negociar com o Paraguai o pouso para reabastecimento do avião que levava Evo para o exílio. A diplomacia brasileira, que já solucionou conflitos na região e sempre reconheceu o direito de asilo, ignorou o problema. Agora, foi o último país a reconhecer a vitória de Arce. Piñera foi um dos primeiros.

O debate sobre modificar ou não a Constituição da era Pinochet foi sepultado ontem pelas urnas no plebiscito convocado por Piñera. Quase 80% dos que votaram disseram que é preciso mudar. Começa agora um longo processo. Em 2021 haverá eleição para a Constituinte e depois que ela for redigida será novamente votada. Nesse caminho, o Chile pode avançar mais na cicatrização das velhas feridas da era da ditadura militar.

A diferença entre a direita da região e Bolsonaro é que o presidente brasileiro defende a ditadura, o que outros governantes não fazem. Além disso, no seu governo, há pessoas que, como ele, admiram torturadores. E existem militares, remanescentes da pior ala do regime, a do general Sílvio Frota, derrotada pelo presidente Ernesto Geisel no dia 12 de outubro de 1977. Nosso retrocesso é muito maior do que nos damos conta.

Ao renunciar ao seu mandato de senador, o ex-presidente uruguaio deixou um legado de palavras que devem ser guardadas. Entre várias frases memoráveis, destaco a que dirigiu aos jovens: "Triunfar na vida não é ganhar, triunfar na vida é levantar-se e recomeçar toda vez que cair." A resiliência, essa é a lição de Pepe. Doze anos preso em condições desumanas, ele viveu o que aconselha.

131. VITÓRIA DA CAUSA DA HUMANIDADE

8.11.2020

"A causa da América é, em grande medida, a causa de toda a Humanidade." A frase, escrita por Thomas Paine em 1766, amanheceu ontem como nova. "O sol jamais brilhou sobre uma causa com maior importância", escreveu Paine, o incandescente fundador da pátria, no *Senso comum*. A vitória de Joe Biden e Kamala Harris tem múltiplos significados. O presidente eleito, Joe Biden, avisou no seu primeiro comunicado: "O trabalho adiante de nós vai ser duro." E será. Ninguém expressou melhor o sentimento de deixar para trás um governo que pregou a intolerância e praticou a mentira do que o comentarista Van Jones. E o fez aos prantos. "É mais fácil ser pai esta manhã. Mais fácil falar aos filhos que ter caráter é importante."

Quando Donald Trump, no primeiro debate, se negou a condenar um grupo que prega a supremacia branca, o negro Van Jones, comentarista da CNN, perguntou o que dizer às crianças, ao filho. Agora, há muito a contar aos jovens sobre velhas lutas contra preconceitos. O homem mais velho a ocupar a Casa Branca vem junto com uma mulher negra, filha de imigrantes. "We did it, Joe", disse ela, rindo, no telefonema ao vencedor. Tudo é simbólico. Há cem anos, as mulheres americanas conquistaram o direito de voto. Kamala Harris é água desse rio que corre há um século e que abrigou em seu leito outros rios. Será lindo vê-la assumindo a Vice-Presidência do país escolhido por sua mãe, indiana, e por seu pai, jamaicano. É o momento em que se pensa que não há impossíveis, não há "isso não é para você".

O dia 7 de novembro é histórico para Joe Biden por lembrar sua posse como senador, há 48 anos. Mas, para toda a sua geração e as que vieram depois, serve como quebra de outro preconceito, o que recai sobre os velhos. Nunca é tarde para um sonho. Essa é a mensagem.

Há, em qualquer eleição, duas direções para olhar o evento. Olha-se para o que virá e o que se deixa para trás. O passado agora é Donald Trump. Ele é o líder que exibiu os piores sentimentos como se fossem normais. "Há muita gente que não consegue respirar, acorda, vê os tuítes, vai a uma loja e vê que as pessoas que antes tinham medo de mostrar seu racismo estão ficando cada vez mais desagradáveis", disse Van Jones. Um presidente sempre amplifica suas mensagens. Quando mente, ofende, discrimina, ele autoriza esse comportamento. Trump, certa vez, debochou de um jornalista por ter um defeito físico. Foram quatro anos expostos ao governante do país mais forte do mundo estimulando as piores atitudes. Como ensinar às crianças que ser decente vale a pena se o presidente debocha de valores, desrespeita códigos civilizatórios, descumpre leis?

Em uma vitória há também o olhar para o futuro, e esse é o mais relevante. O futuro não será azul. Será uma transição hostil para um governo que assumirá em meio a uma pandemia e a uma crise econômica. Há, ainda, as fraturas da América para serem curadas. Todos terão trabalho a fazer para reatar o país partido. Alguns republicanos cumprimentaram o novo presidente, como fez Jeb, da casa Bush, que por doze anos governou o país. "Eu tenho orado pelo nosso presidente em grande parte da minha vida adulta. Eu vou orar por você e seu sucesso." Um protestante republicano estava dizendo a um democrata católico que oraria por ele.

A Filadélfia foi o berço da Constituição e, simbolicamente, o ponto do recomeço. O ex-presidente Fernando Henrique ressaltou a coincidência e lembrou que em dois séculos e meio nenhum presidente havia atacado os alicerces da democracia. "O atual o fez sistemática e deliberadamente." No mundo, inúmeros líderes cumprimentaram

Joe Biden. O primeiro-ministro inglês, Boris Johnson, falou da aliança na luta contra a mudança climática.

"Vejo as águas que passam e não as compreendo [...]. Como poderia compreender-te, América?" — lançou Drummond essa pergunta há 75 anos. A dúvida amanheceu ontem como nova. Como entender tudo o que houve nesses dias? Como entender os últimos quatro anos e os 70 milhões de votos em uma pessoa nefasta? "Tantas cidades no mapa... Nenhuma, porém, tem mil anos." O poeta parecia ver o que vivemos esta semana investigando a geografia americana para adivinhar no mapa eleitoral a cor de cada cidade. É forçoso entender tudo o que houve porque, como ensinou Paine, essa é a causa da Humanidade.

132. UM PRESIDENTE QUE ATORMENTA

11.11.2020

O Brasil está vivendo a maior tragédia de saúde pública em um século e o presidente comemora. Há 162 mil mortos e o presidente diz "mais uma que Jair Bolsonaro ganha". Ele se referia à morte de um voluntário da pesquisa do Butantan sobre a vacina contra a covid-19. Depois foi revelado: era um caso de suicídio. Não há vitória para qualquer pessoa num país que conta seus mortos. Esta é uma guerra pela vida. Ela deveria unir o país sob o comando da ciência e da medicina. Um drama levou uma pessoa de apenas 33 anos à morte e isso não pode ser vitória de ninguém. Esse não foi o primeiro atentado de Bolsonaro à saúde pública, espalhando descrédito contra uma vacina que pode vir a ser aprovada. Esta é uma calamidade nacional e o presidente a trata como se fosse uma disputa de egos ou um palanque antecipado das eleições de 2022.

Até quando as instituições vão ignorar o crime envolvido nisso? Vários crimes, aliás, todos tipificados e arrolados no Código Penal para quem ameaça a saúde pública e o faz dessa forma, insistente e cotidianamente. Desde o início da pandemia, o presidente Bolsonaro cometeu inúmeros absurdos, como o de combater a proteção contra o vírus. Ontem o país amanheceu com mais um tormento criado por ele.

Em uma postagem ele disse que a vacina pesquisada pelo Instituto Butantan e pela empresa chinesa Sinovac traz "morte, invalidez e anomalia". Não há qualquer comprovação. Na postagem delinquente ele se refere à vacina afirmando: "Doria queria obrigar todos os paulistanos a tomá-la." Com essas palavras ele está considerando impedir a Anvisa de aprová-la? E ele termina com aquela frase horrenda, dadas as circunstâncias envolvidas. "Mais uma que Bolsonaro ganha."

A consequência foi lançar sobre a Anvisa a dúvida da politização. Os brasileiros precisam de um órgão técnico, mais do que nunca. Os servidores certamente vão seguir seus protocolos com responsabilidade. Mas o evento cria uma névoa sobre a agência. Em momento algum, na entrevista de ontem, a Anvisa afastou a dúvida insinuada pelo presidente contra a vacina. O contra-almirante Antonio Barra Torres, em defesa da agência da qual é presidente, deveria negar o que o presidente postou. Preferiu a tangente, ao afirmar que não teceria comentários sobre questões políticas. Porém, o que Bolsonaro declarou era um diagnóstico: "morte, invalidez e anomalia". Se causa tudo isso é preciso esclarecer. Se não há qualquer indício desses efeitos colaterais, é fundamental negar.

Os testes com uma das vacinas mais promissoras foram suspensos pela Anvisa, numa decisão ainda não completamente esclarecida. A agência informou seguir o protocolo, porque houve um "evento adverso grave". O Butantan informou ter enviado o comunicado no dia 6. Na segunda-feira, dia 9, às 20h40, recebeu a notícia da suspensão dos testes. A Anvisa alegou que o ataque de *hacker* em seu sistema impediu a agência de receber a informação do Butantan no dia 6. Só que, como lembrou o Instituto, a agência poderia ter esperado a realização da reunião que ela mesma convocou para a manhã de ontem. A causa da morte do voluntário, segundo o IML, foi suicídio, portanto, sem relação com a vacina em si. Isso poderia ser apenas — e já seria grave no contexto de uma pandemia — desentendimento burocrático entre o regulador e o produtor de vacinas. Mas o presidente da República tornou tudo mais grave.

Numa pandemia, o Brasil precisa manter a confiança na Anvisa e no Instituto Butantan. Se a Anvisa autorizar e o instituto produzir, a credibilidade dos dois órgãos será fundamental para que os brasileiros se imunizem. Da mesma forma, o país precisa ter confiança no imunizante a ser produzido pela Fiocruz. Ou qualquer outro que seja importado pelo governo.

O Brasil tem um presidente que atormenta, que escolheu fazer parte do problema e não da solução. Ele politizou o Ministério da Saúde e o transformou numa sombra do que já foi, brincou com essa doença como se ela não tivesse a seriedade que tem, inoculou em seus seguidores a desconfiança na ciência e nas vacinas, prescreveu remédios sem comprovação científica, estimulou aglomeração e maus hábitos. O que falta para Jair Bolsonaro entender a dor do Brasil?

133. UMA NOVA ONDA E O MESMO TORMENTO

20.11.2020

Nós, brasileiros, estamos submetidos a longo sofrimento, a uma dor que se desdobra em várias aflições neste ano em que a palavra "distopia" deixou de ser forte o suficiente para descrever o que vivemos. Virou uma palavra pálida. Quando o país achava já ter vivido tudo, começam os sinais de que a pandemia vai se agravar. Mais mortes, mais doentes, mais saudades, mais erros do governo. Como o presidente se atreve a ser assim tão desrespeitoso com a vida humana, e por tanto tempo? Como o ministro da Saúde consegue ser tão servil a um presidente que ameaça a saúde pública, pela qual deveria zelar?

Quando o ministério acerta em uma postagem breve, o recado é censurado. Na quarta-feira (18), às 10h44, o aviso do Ministério da Saúde foi de que "não há vacina, substância ou remédio que previnam" a covid-19. Portanto, "a nossa maior ação contra o vírus é o isolamento social e a adesão às medidas de proteção individual". O recado foi retirado e substituído por postagens recomendando apenas o "tratamento precoce". Pode-se imaginar o que houve. O presidente enquadrou o ministro. E o general mostrou, de novo, que, para ele, obedecer a uma ordem é mais importante do que cumprir seu dever. Ele está no comando da área da Saúde, diante de uma pandemia que sangra o país, mas, para Pazuello, o importante é o lema: "Ele manda, eu obedeço."

A Constituição, à qual o general deve obediência muito maior, estabelece que é crime impedir alguém de cumprir o seu dever. Releia, ministro, os artigos de 196 a 200 da Constituição Federal que o Brasil escreveu após a ditadura. É o nosso pacto social, nossa Carta Política. Esses artigos definem os direitos e deveres do Estado na Saúde. As políticas públicas, diz o texto, devem reduzir o risco à doença e oferecer serviços de proteção. A rede de saúde é regionalizada e hierarquizada no Sistema Único, o nosso valioso SUS. Deve haver, ao mesmo tempo, descentralização e direção central.

Portanto, é irrenunciável o papel de coordenação do governo federal. Mas não pode ser, como tem sido com Bolsonaro, no sentido inverso ao da proteção da saúde. Veja o artigo 200, onde está escrito "executar as ações de vigilância sanitária e epidemiológica". E lembre-se, ministro, dos momentos difíceis que passou com o coronavírus no corpo. "Estou zero bala", disse ao presidente. Estava não, general, estava entrando num túnel de dúvidas e angústias que milhares de brasileiros vivem neste momento. E outros temem. Sim, temem. Isso não nos diminui, não nos transforma em fracos, como o presidente diz, com palavras carregadas de preconceito. Quem protege a própria vida ajuda a proteger a coletividade. O recado sensato do Ministério da Saúde foi eliminado porque houve, disseram, "erro humano". O erro foi acertar.

Que as autoridades, todas elas, releiam o artigo 85 da Constituição, que descreve o que são os crimes de responsabilidade. O presidente já os cometeu várias vezes, além de infringir outros códigos. O artigo 2º da Lei nº 1.079, a do impeachment, diz: "Os crimes definidos nesta lei, ainda quando simplesmente tentados, são passíveis da pena de perda de cargo." Um desses crimes é ameaçar os direitos sociais, como o da saúde.

Está havendo um crescimento dos casos de contaminação, internação e morte. Ontem, em entrevista ao *Jornal da CBN*, o presidente do Conselho Nacional de Secretários de Saúde, Carlos Eduardo Lula, disse que não dá para enfrentar a segunda onda sem uma coordenação federal nas políticas. Várias questões, segundo ele, têm de ser "capitaneadas pelo Ministério da Saúde". O secretário lembrou que não haverá Natal nem ano-novo como normalmente comemoramos.

Está sendo duro para todos nós. Cada um sabe a dor de viver o que vive. A solidão, o distanciamento, as renúncias, a saudade, a expectativa na espera de um exame médico, a dor da perda, o luto dos funerais apressados. Os que perderam seus entes queridos sofrem muito mais. Mas há uma dor coletiva, um sofrimento difuso no ar.

O Brasil está entrando em uma nova onda de agravamento da doença sem qualquer esperança de que o presidente mude seu comportamento. Estamos passando por um tempo extremo, com um governante que, em nenhum momento, nestes duros oito meses, mostrou qualquer empatia pelos que sofrem. E, além da falta de solidariedade, Bolsonaro também não entendeu, ainda, o papel do governo federal numa calamidade.

134. A CONTA SERÁ DO AGRONEGÓCIO

26.11.2020

Sim, a China pode nos atingir com as consequências negativas desse tipo de agressão grosseira, gratuita e infantil como a do deputado federal Eduardo Bolsonaro (PSL-SP). O agronegócio precisa se mexer, porque é o alvo. Basta que a China queira fazer um gesto de boa vontade em relação ao governo Biden e passe a redirecionar sua compra de soja para lá. Ou que invista em países que substituam, pelo menos em parte, as exportações brasileiras de alimentos. Uma pequena redução já nos afetará.

Essa é a visão de um diplomata experiente que vê com perplexidade os movimentos sem eira nem beira da nossa política externa. A palavra dura também cabe na diplomacia, mas só deve ser usada com propósito bem definido. Nada da política externa do governo Bolsonaro tem rumo. Uma política biruta.

Um analista bem próximo ao governo Bolsonaro que, contudo, discorda da tendência que tem tomado a política externa, explica a raiz do problema. O verdadeiro chanceler é o assessor internacional Filipe Martins, um jovem sem qualquer qualificação para a ascendência que tem sobre assunto tão relevante.

— O Ernesto é um maria vai com as outras — diz esse analista, referindo-se ao ministro Ernesto Araújo.

De fato, o atual ministro só mostrou seu fervor de extrema direita durante a campanha presidencial, criando um blog para se alavancar para o cargo. Uma vez lá, passou a aceitar todo tipo de interferência e se coloca subserviente aos ditames tanto de Eduardo Bolsonaro quanto de Filipe Martins, um fanático olavista sem qualquer experiência no ramo das relações internacionais.

A mensagem postada pelo filho do presidente contra a tecnologia chinesa de 5G, acusando-a de permitir "espionagem da China", era tão absurda que foi apagada depois. Eduardo Bolsonaro estava fazendo mais um ato explícito de vassalagem ao governo de Donald Trump, que está nos seus dias finais. Como foram muitas as agressões dele, de Araújo, e do próprio presidente Bolsonaro, a embaixada chinesa reagiu falando que o deputado está solapando as relações entre os dois países. E disse que ele deveria "evitar ir longe demais", para não "arcar com as consequências negativas".

A China é o nosso maior parceiro comercial, um dos nossos maiores investidores. Mesmo que não fosse, não há razão alguma para que se dê ao filho do presidente o direito de ofender qualquer país nas redes sociais.

A relação entre Estados Unidos e China vai passar por outro momento, com a posse de Joe Biden. Pode vir a ser até mais tensa do que antes. Com Trump, havia escaramuças intempestivas, ataques via Twitter, idas e vindas. Com Biden, haverá mais estratégia na disputa, que continuará existindo entre as duas potências. Mas uma carta no baralho chinês, em qualquer contexto, será sempre a de aumentar as compras de soja e de outras *commodities* agrícolas no mercado americano. Nesse caso, o agronegócio exportador brasileiro pagará a conta. Se os empresários não se insurgirem, se acharem que basta resmungar, estarão mais vulneráveis.

Em artigo publicado no *New York Times*, o analista David Leonhardt disse que o governo Trump foi um presente para a China. "Ele antagonizou aliados que estavam também preocupados com o crescimento da China, em vez de construir uma coalizão com Japão, Europa, Austrália e outros." Foi, segundo ele, citando um professor chinês da London School, um "presente estratégico para a China". De fato, nesta hora poente de Trump no poder, a China fechou um acordo, no último dia 15, com um grupo de quinze países asiáticos, inclusive o Japão, considerado o maior acordo de livre comércio do mundo. Trump havia retirado os Estados Unidos da Parceria Transpacífico, costurada por Barack Obama, para estabelecer com vizinhos da China um acordo de comércio. A China aproveitou o erro de Trump e fez seu próprio tratado. Esse episódio mostra como a diplomacia é um jogo para profissionais. Amadores acabam sempre atirando no próprio pé.

Biden, em artigo publicado na revista *Foreign Affairs*, disse que os Estados Unidos precisavam ser "duros" com a China. Com Biden, os Estados Unidos voltam ao multilateralismo, mas a rivalidade com os chineses continuará. Só que, ao mesmo tempo, na área comercial e econômica, há uma simbiose entre os dois países, ao contrário do que havia na bipolaridade da Guerra Fria. Diante de relação tão complexa, cabe ao Brasil não tomar partido, porque a missão da política externa brasileira é defender os interesses brasileiros.

135. ESTE GOVERNO É UM RISCO DE VIDA

6.12.2020

Existem governos bons, existem governos ruins e existe o governo Bolsonaro. Este é um risco de vida. A declaração do ministro Eduardo Pazuello de que as aglomerações da campanha eleitoral não intensificaram a pandemia no Brasil é um atentado à saúde dos brasileiros. Mostra que o general da ativa nada entendeu dos assustadores números que estão diante de nós. Os casos aumentaram muito, os hospitais estão chegando ao limite de ocupação, os médicos e enfermeiros estão esgotados e tendo de buscar forças para a nova e perigosa batalha pela vida humana.

O governo Bolsonaro atravessou todas as fronteiras do que pode ser considerado um mau governo. Ele é pior. Está além dessa classificação. O ministro da Saúde nos mandou morrer, pelo visto. Olhe a frase: "Se esse vírus se propaga por aglomeração, por contato pessoal, por aerossóis, e tivemos a maior campanha que podia ter neste país, que é a municipal, nos últimos dois meses, se isso não trouxe nenhum tipo de incremento ou aumento da contaminação, não podemos falar mais em *lockdown* nem nada."

O que é essa declaração? O ministro da Saúde de um país que já perdeu mais de 175 mil pessoas para o coronavírus continua não entendendo a sua responsabilidade? Nessa frase ele ignora que esta foi uma campanha muito mais contida. Quem promoveu aglomerações foi, principalmente, o presidente. Os candidatos usaram mais os meios digitais e organizaram encontros com proteção. O mais importante, porém, que Pazuello revela desconhecer nessa declaração feita no Congresso é que os números de contaminação, de mortes e de ocupação de leitos de UTI têm crescido. E isso em função do relaxamento nos cuidados e no distanciamento.

O ministro da Saúde está estimulando mais relaxamento, está dizendo que não tem importância haver aglomerações, e isso em meio a uma nova escalada da doença. O ministro da Saúde demonstra continuar negacionista, ao dizer "se ele se propaga por aglomeração, por contato pessoal, por aerossóis...". Se? O general ainda duvida do que já está pacificado pela ciência.

"Pífia." Pazuello usou essa palavra para definir a oferta dos laboratórios para o Brasil. Essa é uma boa palavra, mas para definir a gestão dele. É pífia. Uma administração que começou apresentada pelo presidente como sendo a de um especialista em logística que, no entanto, não usou esse suposto conhecimento para distribuir e oferecer os testes empilhados no aeroporto de Guarulhos (SP). O Brasil chega atrasado nas filas da vacina por falha de logística também. Tudo deveria ter sido pensado antes.

A fala do ministro da Saúde no Congresso foi atrasada, incompleta, vaga, quando o país precisa que ele dê respostas exatas e ágeis. Com que laboratórios ele falou? Quando os contatou? Que respostas ele tem diante da pouca oferta de vacinas para os brasileiros? Será que as quantidades ofertadas são pífias por culpa dos laboratórios ou porque o governo chegou tarde?

O Brasil tem dois grandes e confiáveis fabricantes de vacinas, Fiocruz e Instituto Butantan. Por que o ministro continua se negando a falar da vacina que tem a parceria do Butantan com o laboratório Sinovac? Pazuello ficou marcado por aquele lamentável episódio em que teve de se humilhar em público e desfazer documento assinado, porque o presidente reprovou a cooperação entre o governo federal e o maior estado da Federação. Para ele, a obediência está acima do seu dever como homem público. Ele pode arruinar a própria biografia, pode arrastar com ele a reputação das Forças Armadas, o que ele não pode é colocar a vida de brasileiros em risco.

Essa é uma doença terrível, mortal, ainda sem remédio e contra a qual nossos médicos, cientistas, enfermeiros lutam corajosamente. O distanciamento social, o uso de máscara, todos os cuidados de proteção são o que existe hoje para evitar a propagação do vírus. As vacinas, todas as que forem confiáveis, efetivas, terão de ser usadas nesta guerra.

Entre as obrigações de Pazuello, pelo cargo que ocupa, está a de dar explicações à opinião pública. Entretanto, o país precisa catar retalhos de informações, declarações tortas e fora do tom para tentar adivinhar o que o ministro da Saúde está planejando para a nossa saúde. Há governos ruins. Há governos péssimos. Este ultrapassou essas definições. Ele é ainda pior. Temos um governo calamitoso em meio a uma calamidade.

136. GENERAL NÃO SABE PREPARAR A GUERRA

10.12.2020

O general está errando na estratégia de guerra e falhando na execução de sua missão. Ao ministro general Eduardo Pazuello foi entregue a tarefa de proteger a saúde dos brasileiros em plena pandemia. Isso é uma guerra. O inimigo é altamente letal, já foram 179 mil os brasileiros mortos. Pazuello deveria usar toda a munição e todas as armas disponíveis, mas escolheu apenas algumas. Ele nos desarma, ao desprezar a vacina do Instituto Butantan diante de inimigo perigoso, e demonstra ter dúvidas se haverá demanda por proteção entre as potenciais vítimas do coronavírus.

Ontem, Pazuello tentou consertar o que havia dito na véspera, mas os últimos dias foram esclarecedores para quem tinha alguma dúvida de que o governo escolheu mal o general para esta guerra. E escolheu mal porque o próprio presidente revela, desde o começo, não se importar com os efeitos da pandemia.

Na reunião de Pazuello com os governadores anteontem, ficaram evidentes os erros de estratégia, de avaliação, de planejamento e de logística do ministro da Saúde. Diante de um inimigo perigoso e desconhecido, um bom comandante não faz o que ele fez. Até agora, ele escolheu uma única vacina, a britânica Oxford AstraZeneca. A Pfizer ele admitiu que pode até comprar. Só que, segundo ele, as quantidades de vacinas que os laboratórios podem oferecer, da Pfizer ou de outras, são "pífias". Nesse contexto de escassez de oferta, fica ainda mais difícil entender por que ele desfez o acordo que havia firmado em outubro com o Butantan para ter a vacina CoronaVac.

Na briga com o governador de São Paulo, João Doria, Pazuello disse que o Butantan não é de São Paulo e sim brasileiro. A verdade é que o instituto é administrativamente paulista porque, há mais de um século, foi fundado pelo governo de São Paulo. Ao mesmo tempo, é de todo o país, pela confiança que a população brasileira tem no nosso maior fabricante de vacinas. Mas, diante da afirmação de Pazuello, ficou mais claro que o governador João Doria fez a pergunta certa. Quis saber por que discriminar a vacina na qual trabalha o Instituto Butantan.

Todo general sabe, por dever de ofício e longo treinamento, que é preciso, numa guerra, manter a união. Pazuello até falou que não devemos nos dividir. Perfeito. Mas quem tem dividido o país é o presidente. Ou é preciso lembrar as vezes que ele atacou governadores? A demora de tomada de decisão por parte do governo federal está provocando essa divisão, com cidades e estados indo procurar diretamente a forma de proteger sua população. O prefeito de Belo Horizonte, Alexandre Kalil, entrou em contato com o governo de São Paulo. Vários governos estaduais, também. O governador do Maranhão, Flávio Dino, foi ao Supremo Tribunal Federal.

Se o ministro tivesse assumido, desde o começo, o papel de liderança que o governo federal sempre teve em programas de imunização, se tivesse mantido diálogo contínuo com os governadores, se tivesse mostrado senso de urgência e discernimento, não precisaria pedir por unidade. Ela aconteceria naturalmente e sob o comando do Ministério da Saúde. Os governadores terem de pedir uma reunião com o ministro para discutir o programa nacional contra o coronavírus é a prova de falha da liderança. O ministro já deveria ter transformado esses encontros em rotina, deveria ter apresentado seu programa, deveria ter adotado a estratégia, comum em todos os países, de apostar em várias vacinas viáveis. Ou seja, seu dever no cumprimento da missão era usar a melhor estratégia da guerra, manter todos unidos contra o inimigo comum e usar todas as armas e munições.

A referência bélica é em sentido figurado. Armas e munições são as vacinas, que nos garantirão a vida e o funcionamento normal da economia. Não apenas o imunizante, mas também seringas, agulhas, cronograma, planejamento, capacidade de estocagem e de transporte. A logística da imunização, enfim. A prioridade de Bolsonaro, contudo, é literal. Ontem, o governo levou a zero as alíquotas de importação de revólveres e pistolas.

O governo atende ao desejo dos clubes de tiros, enquanto o general da Saúde duvida do interesse da população em se defender do vírus. "Se houver demanda...", disse e repetiu Pazuello. Ele assim o fez para, mais uma vez, demonstrar que segue na tropa do presidente da República, que sempre negou a gravidade da pandemia e a necessidade de proteção contra o inimigo. O general está perdido no tiroteio.

137. ONZE PESSOAS E UM DESTINO

11.12.2020

Onze integrantes da equipe econômica se reuniram com o presidente da República e tiraram uma foto. Todos eles sem máscara, em plena pandemia. É o retrato de uma equipe que se rendeu ao presidente. Aos seus erros. Economistas sabem ler as curvas de tendências e elas mostram aumento dos casos e das mortes. Economistas também sabem o que é *hedge*, um seguro contra o risco. Os equipamentos de proteção individual têm esse papel. Equipe econômica que acerta é aquela que defende suas convicções contra as conveniências políticas ou os equívocos do chefe do governo.

Os gestos de pessoas públicas induzem comportamentos. O não uso de máscara estimula uma atitude perigosa que tem feito vítimas. Render-se a essa imposição do presidente pode parecer apenas um detalhe, todavia representa muito mais. Resume o principal erro desta equipe econômica, que é a rendição incondicional ao presidente. Mesmo quando ele está completamente errado.

Até agora a equipe não entregou o programa que prometeu, e não o fez exatamente pelo mesmo motivo que a leva a não usar a máscara — para agradar ao presidente. O ministro Paulo Guedes não tem sido capaz de convencer Bolsonaro das etapas indispensáveis do seu programa. Não há nada de liberal no atual governo. Guedes não fez a abertura do comércio, mas aceitou estimular a importação de armas.

Não livros. Não computadores. Nenhum outro bem ficou dispensado de impostos. O comércio livre de tributos ficou apenas para revólveres e pistolas.

Um momento marcante que salvou o projeto de consolidação do Plano Real foi quando todos os integrantes da equipe econômica, em 1995, foram ao Palácio da Alvorada, à noite, avisar que pediriam demissão coletiva caso o presidente Fernando Henrique cedesse em meio à crise bancária. Havia pressão política contra a intervenção no Banco Econômico, vinda de um aliado do presidente, o então poderoso Antônio Carlos Magalhães. A bancada da Bahia era grande e havia propostas econômicas importantes dependendo de aprovação. A reunião terminou de madrugada, mas a equipe garantiu a autonomia para fechar o banco e continuar enfrentando a crise.

Bolsonaro já demitiu secretário da Receita, presidente do BNDES, mandou arquivar ideias, desidratou reformas. O país está há nove meses em uma pandemia e a equipe não formulou nem uma proposta sustentável de ampliação da rede de proteção social, nem uma proposta crível para o futuro das contas públicas. Normalmente, as ideias do Ministério da Economia são bombardeadas pelo presidente e o ministro as recolhe.

A PEC Emergencial atropelou uma proposta maior e melhor que havia sido feita no Legislativo, a do deputado Pedro Paulo (DEM-RJ). Houve uma tramitação confusa e a PEC foi perdendo consistência. Foi misturada a outras duas medidas e o que economizaria bilhões vai, na verdade, poupar alguns milhões. Se for aprovada. A reforma administrativa foi engavetada por um tempo e depois esvaziada por Bolsonaro. Quando chegou ao Congresso, era uma sombra da que havia sido concebida.

O ministro Paulo Guedes, com uma frequência monótona, defende ideias abstratas, em vez de formular propostas concretas. Desiste de projetos diante da primeira cara feia do presidente. Vive no mesmo estado de negação de Bolsonaro. Primeiro, achava que o Brasil não seria atingido pela pandemia, um equívoco de avaliação que atrasou a adoção de medidas. Agora, diz que não haverá segunda onda, quando as curvas de mortes e contaminações já estão subindo.

Os bons gestores trabalham com o princípio da precaução. Economistas fazem cenário e se preparam para as contingências.

A foto do ministro e seus assessores sem máscaras, ao lado do presidente Jair Bolsonaro, é um detalhe eloquente. Eles sorriem num país que vive uma tragédia sanitária, está em pleno agravamento da pandemia e não tem um plano de vacinação. É fundamental o Ministério da Economia se preparar para esse novo agravamento da covid-19 e fazer todo o necessário para garantir o melhor cenário na economia. Só haverá melhora da economia com a vacinação em massa da população brasileira.

138. MENSAGEIRO DA MORTE

30.12.2020

O presidente da República gosta de tortura. Ele a defende, tem prazer em falar dela e fustigar as vítimas. Foi o que Jair Bolsonaro fez ontem, mais uma vez, com a ex-presidente Dilma Rousseff. Ela foi brutalmente torturada aos 22 anos, durante a ditadura militar, sobreviveu e reconstruiu sua vida. E agora, aos 73, ouve do chefe de governo do país palavras de deboche e ironia sobre o seu sofrimento. É desumano e, além disso, é crime.

Bolsonaro comete crimes reiterados, na cara do país e das instituições. Tortura é crime hediondo e ele tem prazer em falar disso, sempre tentando pôr em dúvida a palavra da vítima. Ele exalta torturadores e os tem por heróis. Bolsonaro defende a ditadura e já foi para a rua, na condição de presidente da República, defender o fechamento do Congresso e do Supremo.

O que faz o país? Nada. Ele permanece presidente e continua usufruindo a sua extensa impunidade. Ele não foi cassado em 2016, quando, no plenário da Câmara, elogiou o torturador a quem chamou de "o terror de Dilma Rousseff". Deveria ter sido afastado do cargo de deputado federal. Foi o que eu escrevi na época.

É crime. Mas também é sadismo. O prazer de ver a dor do outro, de lembrar ao outro o seu sofrimento em meio a gargalhadas. Dilma o chamou de sociopata. E ele é. Somos governados por um sociopata.

Dilma o chamou de fascista. E ele é. Dilma o chamou de "cúmplice da tortura e da morte". E é o que ele tem sido ao longo de sua vida e de sua Presidência.

O Brasil quer olhar o futuro. Um país com tantos desafios e dores precisa olhar o futuro. Bolsonaro está preso a um passado cujo pior lado ele se compraz em lembrar. Ele não elogia a ditadura militar por um eventual acerto econômico ou obra de engenharia. Ele gosta é da brutalidade com que eram tratados os que se opunham a ela. É isso que Bolsonaro faz questão de lembrar.

Essa sociopatia é a mesma que ele tem demonstrado no decorrer desta pandemia. Ele brinca com a tortura dos anos 1970 da mesma forma que nunca demonstra solidariedade por quem está perdendo entes queridos para o coronavírus. Expôs ao país, durante o ano inteiro, as palavras da sua perversidade. O "e daí?", o "eu não sou coveiro", o "todos vão morrer um dia". Foram inúmeras as demonstrações de desprezo pela vida humana.

São quase 200 mil mortos ao fim de nove meses. Doloroso tempo. Tempo de temer a morte, de se preocupar com parentes adoecidos, de se proteger do vírus, de tentar respirar. Tempo de médicos e enfermeiros lutarem sem trégua num esforço épico pela vida humana. Tempo de cientistas mergulharem em laboratórios para conseguir em período recorde vacinas contra o mal.

O presidente do Brasil continuou no seu achincalhe. Sabotou todas as orientações médicas, ofendeu quem se protegia, promoveu a disseminação do vírus, espalhou mentiras, estimulou invasão de hospitais, tentou manipular estatísticas, aparelhou o Ministério da Saúde e a Anvisa. Agora, depois de longo padecimento, os brasileiros veem cidadãos de inúmeros países, inclusive vizinhos nossos, serem vacinados. Enquanto isso o presidente diz que "não dá bola" para a vacina.

O Brasil está chegando ao final de um ano em que o mundo inteiro viveu uma assombração. Nós vivemos duas. Como todos os outros países, tivemos que lutar contra um inimigo invisível que tentava tirar de suas presas o ar dos nossos pulmões. Mas tivemos também um presidente que tripudiou sobre a dor do país, como um verdadeiro mensageiro da morte.

Dilma, a jovem que foi torturada e presa por mais de dois anos, chegou ao governo em 2011 e virou comandante em chefe das Forças Armadas. Nunca usou o cargo para perseguir os militares. A Comissão Nacional da Verdade, instituída naquele ano por seu governo, foi uma exigência do país, e o que ela buscou foi a informação sonegada por tantas décadas. Outros países fizeram antes de nós essa procura e foram mais duros com os torturadores. Dilma entregou aos brasileiros a Lei de Acesso à Informação, uma importante arma da cidadania. Todos os que leem esta coluna sabem o quanto divergi de muitas decisões do governo dela. Concordar ou discordar das administrações é o cotidiano do jornalista. O fundamental na vida, contudo, são os valores. O sentimento de empatia, de solidariedade, de compaixão, Bolsonaro não tem. E isso ele prova quando fala sobre o passado da ditadura ou sobre o presente da pandemia.

139. OS OÁSIS EM UM ANO ÁSPERO

31.12.2020

Pareceu, em certos dias, que o deserto não acabaria. Mas houve pontos de refresco na caminhada. Quero falar deles nestes derradeiros instantes de 2020. Na crise, as empresas fizeram doações em volumes nunca vistos. Diante da escalada da ameaça ao meio ambiente, empresas e bancos formaram coalizões com organizações sociais e anunciaram compromissos em defesa dos biomas brasileiros. Fundos internacionais avisaram que ou o Brasil protege a floresta ou ficará fora da rota do capital.

A sociedade fez movimentos na direção certa, num ano torto. Médicos e enfermeiros foram à exaustão, mas fizeram a diferença entre vida e morte. A ciência venceu a sua luta mais difícil, enfrentando o vírus e o negacionismo. Saiu vitoriosa. Nunca tantos cientistas nos ilustraram tanto. Em tempo recorde, a ciência está entregando ao mundo as vacinas que abrem a janela para a esperança.

Emicida é parte das boas notícias do ano. É o futuro. Ver tantos negros no Theatro Municipal de São Paulo deu uma sensação de alívio a quem não se conforma com a partição da sociedade brasileira. Ver o jovem Leandro, como a mãe ainda chama o rapper, levar todos a um passeio pela História, para constatar que os negros estiveram presentes — o tempo todo presentes — nas grandes conquistas do país, foi muito bom. Esse "reescrever" da História para corrigi-la é um deslumbramento. O documentário *AmarElo* foi um ponto de virada. A ideia de que se pode matar o mal de ontem com a pedra lançada hoje é tranquilizadora. Então nós podemos ainda corrigir o mal feito antes? Sim. Podemos começar de novo.

As empresas iniciaram o combate à desigualdade racial em seus quadros de funcionários, que ainda mantêm os negros nas funções com menor remuneração e nenhum poder, e os brancos no comando. Essa paisagem corporativa começou a mudar. O recrutamento ativo passou a ser levado a sério. Não por benemerência, e sim por necessidade, algumas empresas corrigem sua forma de pensar e de recrutar pessoas. Foi um avanço num ano distópico. Eu sei que muitos podem pensar: foi um avanço, mas pessoas morreram por isso. George Floyd e João Alberto Freitas. É verdade. No passado, porém, houve mortes que foram esquecidas, sem mover a roda emperrada da História.

Donald Trump perdeu a eleição e isso foi muito bom. A escalada de desmonte da democracia americana, a negação da mudança climática, o estímulo aos supremacistas e governantes autoritários estão acabando. Joe Biden está compondo um governo com diversidade. A vice, Kamala Harris, reforça essa esperança. Na área ambiental e climática, Biden fez uma equipe que convenceu, segundo editorial do *New York Times*. O veterano John Kerry vai organizar a volta ao Acordo de Paris. A primeira indígena no governo, Deb Haaland, será a secretária do Interior. Terá poder sobre parques e florestas nacionais que antes estavam entregues a um lobista do petróleo. O setor de energia ficará com Jennifer Granholm. Como governadora de Michigan, ela liderou a implantação de energia renovável. A lista dos acertos é longa.

Foi o ano em que as famílias, as empresas, os eventos, o jornalismo testaram o fim da distância. Não era mais preciso estar presente para estar presente. Houve um salto digital enorme. Havia a possibilidade antes, porém isso nunca foi tentado nessa escala. Seminários, encontros, reuniões, entrevistas, festivais, tudo passou a ser feito pelas plataformas que nos agregam em pontos diferentes do país e do mundo. Esse salto tecnológico deixará um legado. O mundo ficou mais estreito, entre quatro paredes e, ao mesmo tempo, ampliou-se.

O ano foi farto de eventos ruins, contudo quero falar dos bons e me lembro dos aniversariantes. Clarice Lispector e João Cabral de Melo Neto teriam feito 100 anos. O centenário do nascimento desses dois gênios nos ajudou em 2020. As leituras ou releituras apontaram caminhos. Clarice ensinou, em *Paixão segundo G.H.*, que "a atualidade não tem esperança, a atualidade não tem futuro", e isso nos dá esperança de que essa atualidade não se perpetue. E escreveu, como se intuísse a grande aflição que vivemos este ano: "Se eu gritasse uma só vez que fosse, talvez nunca parasse de gritar. [...] nós que guardamos o grito em segredo inviolável." João Cabral foi ofendido no ano de seu centenário, no Itamaraty, local de seu trabalho como diplomata. Quem o ofendeu não será lembrado na História, já o poeta, sim, ficará. Estará nos rios que ele seguiu, nas pedras que ele amou, nos brasileiros desvalidos que ele homenageou com seus versos. "E ainda se me permite mais uma vez indagar: é boa essa profissão na qual a comadre ora está?" Se a mim fosse dirigida a pergunta, e não à rezadeira, diria que sim, o jornalismo viveu um grande ano, dando boas informações num tempo confuso.

Cada pessoa sabe o que viveu, e houve perdas irreparáveis. Foi difícil, sim, mas os oásis nos ajudaram na travessia.

140. GOLPE DE TRUMP ALERTA O BRASIL

7.1.2021

Como um Nero dos nossos tempos, o presidente Donald Trump criou um tumulto social, incendiou o país com mentiras e ficou no Salão Oval, vendo o fogo cercar as instituições americanas. O Brasil pode apenas observar ou pode se proteger. O plano do presidente Bolsonaro é exatamente seguir a estratégia de Trump, por isso ele alimenta, desde 2018, a teoria conspiratória em torno da urna eletrônica, das leis eleitorais no país, do STF. Ele planta para colher o que vimos acontecer ontem, em Washington.

A democracia americana tem regras complexas de apuração da vontade popular, mas tem instituições fortes dispostas a fazer a Constituição ser respeitada. Não à toa o sistema derrotou a tentativa de golpe disparada pelo presidente da República. Trump usou todos os poderes da Presidência para atacar a Constituição.

As cenas de vandalismo vistas neste 6 de janeiro na capital americana foram chocantes. Trump decidiu levar o país à beira do colapso institucional. Esse é o modelo do presidente brasileiro. Bolsonaro sempre desprezou a democracia, arma seus seguidores e os estimula a se levantar contra os governadores. Bolsonaro se prepara e ensaia diante de nossos olhos. E, ontem, vimos a dimensão do precipício.

Os acontecimentos em Washington mudaram a natureza da eleição na Câmara brasileira. Devemos imaginar o improvável, porque ele acontece. Imagine o que Bolsonaro poderá fazer se tiver as presidências das duas Casas na mão? O Congresso deve refletir sobre essas cenas em Washington. Elas foram fruto da negligência diante das seguidas ameaças feitas por Trump. Um líder deletério e sem apreço pelas instituições tentou encurralar a consolidada e sólida democracia americana. É melhor que as autoridades brasileiras aprendam com o que houve. A polícia foi extremamente negligente, o Departamento de Defesa negou o pedido da prefeita de acionar a Guarda Nacional para proteger o Capitólio. Aqui, Bolsonaro distribui mimos para militares e cultiva a fidelidade da Polícia Militar. Ignorar os riscos é o maior risco.

Quem plantou todo o conflito e conspirou contra a democracia americana foi Donald Trump. Insistentemente, através dos seus tuítes e discursos, ele estimulou extremistas, como fez com os racistas radicais do Proud Boys, mandando-os ficar de prontidão. Eles ficaram. Nos últimos dias, Trump várias vezes convocou seus seguidores para a "batalha do dia 6". Chegado o dia, Trump disse que eles deveriam marchar para o Capitólio. Eles entraram no Congresso para vandalizá-lo. E, mesmo quando finalmente pediu que os manifestantes voltassem para casa, Trump mentiu sobre a eleição.

O Brasil tem muito a aprender com os terríveis eventos de ontem em Washington. Bolsonaro alega que houve fraude na eleição que ganhou. O que fará se perder em 2022? O sistema político terá força suficiente para enfrentar um ataque de um homem que vem conspirando contra a democracia desde o primeiro dia no Planalto? Ele participou de atos antidemocráticos em que manifestantes pediam o fechamento do Congresso e do STF.

Os autocratas agem assim. Repetem mentiras, sejam quais forem as evidências em contrário. Solapam a confiança nas instituições democráticas. Ignoram as leis. Respeitam apenas as eleições que ganham. E, uma vez no poder, usam toda a estrutura do governo para permanecer.

Trump ontem, na Casa Branca, cercado da família e dos áulicos, viu o incêndio que ele havia ateado no país. Era dia de o vice-presidente presidir a sessão protocolar para confirmar a decisão do Colégio

Eleitoral, que, após o voto popular, elegeu Joe Biden e Kamala Harris como presidente e vice-presidente do próximo mandato. Houve momentos de reafirmação da democracia, como o discurso do senador Mitch McConnell alertando que anular a decisão dos eleitores imporia um dano permanente à democracia americana. Os eleitores também falaram de novo, na Geórgia, e deram a Biden as duas cadeiras que faltavam para o controle do Senado. Uma delas será de Raphael Warnock, primeiro negro a ocupar o posto de senador pelo estado.

O Brasil deve olhar com seriedade tudo o que houve no Capitólio. Um presidente que mente durante anos e sabota as bases da República um dia usará seus poderes contra o país. Precisamos fortalecer as defesas da democracia brasileira.

141. A NOSSA DOR MULTIPLICADA

8.1.2021

O Brasil chegou a um número impensável e inaceitável. Duzentos mil brasileiros perderam a vida em decorrência da pandemia de covid-19. O coronavírus mata no mundo inteiro, mas mata mais nos países cujos governantes desprezam a vida humana, a prudência e a ciência. É o caso aqui. Ontem, o presidente Bolsonaro, em defesa do assunto que ele acha crucial, o retorno do voto impresso, referiu-se à "tal da pandemia". A "tal", que ele ainda subestima, enlutou lares, levou aflição a milhões de brasileiros, lotou os hospitais, os cemitérios, e nos colocou no segundo lugar em mortes do mundo.

Houve uma boa notícia, pelo menos. Isso não é pouco num tempo de tanto luto. O Instituto Butantan anunciou que a vacina que desenvolve junto com a Sinovac chinesa completou a fase 3 dos testes clínicos. Segundo o governo de São Paulo, o imunizante evita 100% dos casos graves e 78% dos casos leves. Ficaram faltando dados, na interpretação de alguns analistas. O mais importante deles é sobre o percentual dos que tomaram a vacina e não contraíram a doença. Não ficou claro, para quem acompanhou a coletiva do governo paulista, qual é a taxa de eficácia na imunização, que é, afinal, o objetivo de qualquer vacina. Os testes no Brasil foram realizados com o grupo que está mais exposto: o pessoal da saúde. Foi, realmente, um teste bem mais robusto do que o desenvolvido com a população em geral.

O pedido de registro emergencial vai ser feito à Anvisa hoje e já estão no solo brasileiro mais de 10 milhões de doses. Foi o momento de alívio num dia tenso e triste.

No Ministério da Saúde, o general Pazuello apareceu na entrevista coletiva, coisa que não faz há tempos. Chegou agradecendo o trabalho dos jornalistas. Era falso. Ao longo de 62 minutos, deu um espetáculo de autoritarismo castrense. No tom que os militares de alta patente costumam falar aos recrutas, repreendeu e deu ordens aos repórteres. "A gente repete, repete, repete e a notícia sai distorcida", declarou. Em seguida, proibiu a imprensa de analisar as notícias. "Me mostrem quando foi que um brasileiro ou a população brasileira delegou aos redatores ou a qualquer um dos senhores a interpretação dos fatos. Nós não queremos a interpretação dos fatos dos senhores."

Eu interpreto que Pazuello nada sabe de comunicação e entrou em contradição com os fatos várias vezes. Para citar uma: ele disse que o governo federal comprará 100 milhões de doses da CoronaVac, do Butantan, e essa é, sim, uma excelente notícia. Mas, em seguida, afirmou que isso havia sido dito várias vezes e que já foi assinado um memorando de entendimento em outubro. O ministro deve ter se esquecido do episódio constrangedor que envolveu esse memorando. Pazuello assinou, no dia 21 de outubro, o protocolo para a compra de 46 milhões de doses. No mesmo dia, contudo, o presidente Bolsonaro avisou que não compraria a vacina. "Já mandei cancelar", declarou Bolsonaro sobre o texto assinado pelo ministro. E, como se não fosse humilhação suficiente, o ministro, dias depois, teve de gravar um vídeo ao lado do presidente, falando: "Ele manda, eu obedeço, simples assim."

O Brasil não chegou à terrível marca de 200 mil mortos por acaso. Foi uma construção diária do governo de Jair Bolsonaro. É fruto do negacionismo, da insensibilidade, da incapacidade de gestão. É resultado dos incentivos diários do presidente para que a população não use qualquer medida protetiva e faça o oposto do que os médicos orientam. Bolsonaro demitiu dois ministros da Saúde. Luiz Henrique Mandetta trabalhou para defender a saúde dos brasileiros, fez todos os alertas ao governo, montou uma articulação com estados e municípios e insistiu nas medidas de proteção. Nelson Teich ficou poucos dias no cargo e saiu defendendo o presidente que não o deixou trabalhar. Aí veio Pazuello, que confunde país com batalhão, convencimento com ordem-unida, logística com requisições autoritárias. E pensa que pode, numa democracia, determinar como os jornalistas devem exercer o seu ofício. Deveria saber que nem na ditadura militar seus antigos superiores conseguiram calar a imprensa brasileira.

A pandemia é uma tragédia que se abateu sobre a Humanidade. Enfrentá-la com um governo inepto multiplicou nossa dor. Como curar feridas de 200 mil mortes? Essa é a pergunta que ronda o Brasil.

142. INCUTIR A DÚVIDA, COLHER A CERTEZA

10.1.2021

Quando o presidente da República diz que houve fraude nas eleições de 2018, está acusando a Justiça Eleitoral de cumplicidade ou negligência com o crime. Ou a Justiça fez parte da fraude ou não foi capaz de garantir a lisura do processo eleitoral. Diante disso, o que fazer? A Procuradoria-Geral da República teria de notificar o presidente para a apresentação das provas, dado que ele está publicamente dando a notícia de um crime. O procurador-geral, contudo, nada faz que incomode o presidente.

Tudo se passa no Brasil como se a democracia não pudesse se defender de um ataque que está sendo preparado lenta e consistentemente. Em parte, me explicou uma autoridade do Judiciário, "porque tudo é muito inusitado". Em parte, porque o procurador-geral da República foi neutralizado. O presidente Jair Bolsonaro não está agindo por impulso. Está repetindo, há dois anos, ilações sem comprovação. Ele está incutindo a dúvida para colher a certeza. E nada se faz, além das notas de repúdio, porque é inusitado que um presidente da República conspire contra a democracia. Só que está acontecendo. Aqui e nos Estados Unidos.

Bolsonaro age de caso pensado e de forma coerente. Ele tem um plano e dois anos pela frente para executá-lo usufruindo a imunidade que o cargo lhe dá. Seu objetivo final todos conhecem. A democracia brasileira não tem sabido usar os instrumentos que ela oferece para se defender. Esta semana, Bolsonaro deu um passo adiante ao fazer uma ameaça. A de que ocorrerá aqui algo mais grave do que o que houve nos Estados Unidos, com a invasão do Capitólio, caso o voto não volte a ser impresso nas próximas eleições.

O presidente brasileiro justificou o que houve nos Estados Unidos. Disse que tudo foi causado por fraude, que tudo aconteceu porque "potencializaram a tal da pandemia". Com isso ele está alimentando duas mentiras. A de que a pandemia foi "criada" com um propósito e a de que houve fraude nos Estados Unidos nas eleições de novembro passado. Isso justificaria o ataque ao Capitólio, pelo que se depreende dessa fala. De forma terminativa, garantiu: "Ninguém pode negar isso aí." Todos os tribunais americanos, no entanto, recusaram as alegações de Trump de que houve fraude, todos os estados, mesmo os governados pelos republicanos, certificaram a eleição. Ou seja, todo mundo pode negar isso aí que o presidente brasileiro está afirmando.

A democracia americana tem duzentos anos e foi alvo de um ataque. Trump estimulou, durante semanas, a invasão do Capitólio. Ainda que fosse um *lame duck*, um governante em fim de mandato e com poderes declinantes, as instituições dos fundadores da pátria americana não foram capazes de evitar o assalto. A conspiração foi preparada à luz do dia e pelas redes sociais. O presidente usou o aparato da Presidência para falar aos seus seguidores no próprio dia do atentado. E toda a reação foi *a posteriori*.

Nós temos uma democracia jovem que já passou por duros testes. O general Etchegoyen, que foi ministro no governo de Michel Temer, disse numa entrevista a Andréa Jubé, do jornal *Valor*, que o Brasil despreza a força da nossa democracia. "A cada tosse, achamos que ela não vai aguentar." Como não ter dúvidas, se o próprio general é capaz de fazer a seguinte afirmação: "Qual a atitude efetiva de Bolsonaro de desapreço à Constituição Federal, comparável à de alguns ministros do STF que não se constrangeram em agredir a gramática para dar sustentação à esdrúxula tese de apoio à reeleição, na mesma legislatura, dos presidentes das duas Casas do Congresso?"

No STF, venceu o respeito à proibição da reeleição na Câmara e no Senado, embora alguns ministros quisessem ignorar o sentido da palavra "vedado". O general usa esses votos, que acabaram derrotados, para abonar o que Bolsonaro já fez. Ele não acha que seja atitude efetiva de desapreço pela Constituição o presidente participar de passeatas pedindo o fechamento do Congresso e do STF. Nem quando Bolsonaro foi para um desses eventos no helicóptero da Aeronáutica, tendo o ministro da Defesa a bordo, e disse que as Forças Armadas estavam com eles. O difícil, general, é encontrar demonstrações de apreço de Bolsonaro pela Constituição. De desapreço, há muitas. Etchegoyen é um general de pijama, hoje na iniciativa privada. Mas defende que Bolsonaro nunca mostrou desapreço pela democracia.

Diante dessa falta de sensibilidade para as afrontas à lei por parte de líderes políticos e militares, o presidente continua semeando dúvidas sobre o sistema eleitoral para colher o caos quando for a hora.

143. SOBRAM FARRAPOS DA FANTASIA LIBERAL

15.1.2021

Eu conto ou vocês contam ao ministro Paulo Guedes que o projeto dele acabou? Nunca teve viabilidade com o atual presidente, na verdade. Guedes embarcou numa canoa na qual não havia espaço para as ideias liberais. Ele sofre vetos diários às suas propostas e tem engolido em seco. Não privatizou, não reduziu barreiras ao comércio, exceto ao de armas, não diminuiu o tamanho do Estado. Seus assessores, ou gestores nomeados por ele, de vez em quando ficam no dilema entre pedir demissão ou ser humilhado pelo presidente Bolsonaro. Tudo o que Guedes conseguir agora será prêmio de consolação.

Não interessa mais se o presidente do Banco do Brasil fica ou não. André Brandão já foi informado que não tem qualquer autonomia de gestão, apesar de presidir um banco com acionistas privados e com atuação num mercado que passa por imensas mudanças e aumento de competição. A Caixa Econômica Federal, inteiramente estatal, virou um braço da propaganda política bolsonarista. Pedro Guimarães, com seus quinze revólveres e seus litros de cloroquina, faz qualquer papel que agrade ao chefe. Virou ajudante de *lives* e animador de auditório. A mais recente agência que abriu foi por ordem do presidente, não por ser bom ou não para a Caixa. A intervenção na CEF já ocorreu em outros governos, mas agora ela virou o quintal da Presidência. O presidente do Banco Central tentava, ontem à tarde, convencer o governo de que era preciso segurar Brandão no cargo. Se ficar, terá perdido qualquer liberdade de ação.

Paulo Guedes dá aos interlocutores sempre a mesma resposta quando é perguntado sobre suas derrotas: "O presidente é que foi eleito, ele é que tem os votos." O ministro, porém, havia garantido que este seria um governo liberal na economia. Para acreditar, é preciso ignorar tudo o que Bolsonaro disse antes de se eleger. Bolsonaro já falou que o presidente Fernando Henrique merecia ser fuzilado por ter privatizado, só para citar um eloquente sinal. O mercado financeiro comprou a tese de que o ministro dobraria o presidente. Ocorreu o oposto.

A lista da intervenção de Bolsonaro nos assuntos do Ministério da Economia é enorme. Nesses dois anos, Bolsonaro vetou propaganda do Banco do Brasil, revogou aumento de gasolina, avisou que nem a Ceagesp será privatizada, criou e capitalizou estatais militares, sepultou o projeto de fusão dos programas sociais, demitiu o presidente do BNDES e o secretário da Receita Federal. O secretário da Fazenda teve que sumir para não perder o cargo. A reforma administrativa dormiu na gaveta do presidente até ficar bem aguada, irreconhecível.

Na semana passada, o presidente disse que o Brasil havia quebrado e ele não podia fazer mais nada. Só isso já deveria ser suficiente para o ministro, que chegou acusando de incompetentes todos os antecessores, pegar o seu boné. Mas Guedes, que estava de férias, preferiu sair do seu descanso e, mais uma vez, explicar uma declaração do presidente.

O Tesouro terá de rolar mais de R$ 600 bilhões de dívida nos primeiros quatro meses. Se o presidente anuncia que o país está quebrado, o que os financiadores da dívida podem pensar? O ministro, quando tenta justificar tudo o que o presidente diz, erra. Nesse caso, ele afirmou que Bolsonaro só se referia ao setor público. Piorou a declaração.

No Chile de Pinochet, os Chicago Boys impuseram reformas liberais, num projeto ditatorial cujo resultado foram milhares de mortos. Liberalismo deveria ser o oposto de autoritarismo, mas muitos dos chamados "liberais" não são necessariamente democratas. O grupo associado a Bolsonaro nunca se incomodou com a defesa que ele faz da ditadura e da tortura. Nunca se incomodou por ele ter dito, quando deputado, que a ditadura deveria ter matado 30 mil. Para eles, o importante era a promessa de reduzir o tamanho do Estado, abrir a economia, privatizar, vender imóveis públicos, acabar com os subsídios. No 25º mês da administração, a conquista dos supostos liberais é uma reforma da Previdência feita pelo Congresso na qual o presidente só entrou para defender vantagens corporativas para a sua clientela.

Paulo Guedes já sabe do seu fracasso. Mas tentará terceirizar a culpa para o Congresso, a oposição, o presidente da Câmara, deputado Rodrigo Maia, a imprensa, a social-democracia. Vai fazer vistas grossas para todo o autoritarismo do governo. Inclusive na economia.

144. UM JOELHO SOBRE O NOSSO PESCOÇO

16.1.2021

É mais do que Manaus, é o Amazonas inteiro. É mais do que o Amazonas, é o Brasil que não consegue respirar. A tragédia dos amazonenses é a de todos nós. No pescoço do país, retirando o oxigênio, há uma pandemia e o peso de um péssimo governo. O ministro da Saúde, Eduardo Pazuello, o submisso, na quinta-feira (14) à noite, ao lado do presidente, disse que Manaus estava em colapso. Falou como se não fosse ele o ministro. Era o reconhecimento do seu próprio fracasso, mas ele responsabilizou a localização geográfica da cidade e a falta da cloroquina. "Outro fator é que Manaus não teve a efetiva ação no tratamento precoce", declarou, usando o novo nome do remédio ineficaz prescrito por Bolsonaro.

O promotor que entrou no hospital carregando o cilindro com ar, comprado por ele, e que chegou no momento exato em que seu filho ia parar de respirar. O choro dele dizendo que viu pessoas morrendo no caminho até salvar o filho. A cidadã que gravou um vídeo explicando o drama que a cidade vive. A enfermeira que pediu "orem pelo Amazonas". Estados se preparando para receber bebês prematuros. São pedaços de um filme de horror vivido em Manaus.

Agora é a hora da emergência e tudo o que se fizer para abastecer Manaus de oxigênio será pouco, porque vidas estão sendo perdidas. Mas é preciso entender o que se passou por lá. O ministro, que esteve dias antes na cidade, deveria ter visto os sinais da tragédia e agido para preveni-la. Contudo, preferiu ordenar o uso da cloroquina, o "tratamento precoce".

A transmissão de quinta-feira do presidente e de seu ministro da Saúde, com a presença do presidente da Caixa, era o retrato do descaso com a vida humana que este governo tem exibido desde o primeiro dia desta pandemia. Pazuello leu de soslaio algo escrito por Bolsonaro num papel e elogiou como "inteligentíssima" uma pergunta que colocava em dúvida a eficácia do uso de máscaras. No mesmo dia, circulava nas redes um vídeo com parlamentares governistas e uma juíza estimulando as pessoas a tirar as máscaras. E cantando música que invoca a "pátria amada". Seria patético se não fosse criminoso.

Enquanto nas redações do país jornalistas processavam as informações e buscavam imagens e relatos que dessem o tom do desespero de Manaus, Bolsonaro iniciou sua *live* anunciando que estava mandando abrir mais agências da Caixa. Empombado, o ministro da Saúde começou dando uma lição geográfica como se palestrasse para estrangeiros. "Manaus é uma ilha no meio da floresta amazônica. Brasília é a última grande cidade ao Norte e a partir daí são três horas de voo de Brasília. Em cima da floresta. Isso é a distância e o desafio logístico", ensinou, e continuou com essa fala inútil, fora do tom e da hora, com platitudes sobre o ciclo chuvoso.

A única coisa decente a fazer era pedir demissão por incompetência. Logística é gerir estoques, é estudar previamente o fluxo dos produtos e equipamentos que precisam estar no lugar certo na hora exata. Em Manaus, pessoas estavam naquele instante morrendo por colapso logístico. Pazuello se atrasou em tudo, apesar de alertado pelos produtores sobre a falta de oxigênio. Como já acontecera com a falta de seringas e agulhas, o ministro deixa tudo para depois. A sua hora H é a do atraso.

O governo federal, na Federação brasileira, coordena, articula, socorre, pacifica, é o único que pode ter a informação centralizada de tudo o que ocorre neste país continental. O Brasil se organizou em Federação para estar unido em suas muitas identidades e situações geográficas. O governo Bolsonaro falhou desde o início porque sabotou seu papel. Fez isso porque o presidente da República debocha da doença e das recomendações médicas, espalha o vírus do negacionismo, milita contra medidas de proteção. Lidera um governo de invertebrados, que o seguem e não se rebelam contra os absurdos diários de Bolsonaro.

Não há uma hora boa para se ter um mau governo, mas há o pior momento, que é em plena pandemia, quando o que mais se precisa é de um presidente que tenha compaixão e senso de urgência, que acredite na ciência e siga a orientação dos médicos. Um bom governo não nos livraria do vírus, mas protegeria vidas humanas, agiria preventivamente, uniria o país, coordenaria os esforços. Um bom governo não atormentaria o país com agressões cotidianas em meio ao nosso padecimento. Manaus é uma parábola dramática do que estamos vivendo. O país não consegue respirar.

145. A PIOR GESTÃO DA PANDEMIA

19.1.2021

O comportamento do presidente Bolsonaro durante esta pandemia não está sendo apenas execrável, está sendo criminoso. Ele deveria estar hoje respondendo a um processo de impeachment. Brasileiros morreram por causa da sua atitude e de suas decisões. Ele é o chefe do governo e dá o comando. Uma sucessão de erros tem origem em ordens diretas do presidente. O Ministério da Saúde demorou a negociar a compra de vacinas e perdeu várias oportunidades, o Itamaraty deixou de fazer acordos e criou crises bizarras com países como a China.

O ministro Eduardo Pazuello, da Saúde, em mais uma de suas desastrosas entrevistas, mostrou ontem que não sabe qual é o inimigo. "Essa é a nossa guerra", afirmou, e não se referia ao vírus, mas sim à imprensa. "A guerra contra as pessoas que estão manipulando o nosso país há muitos anos." Depois, declarou guerra aos fatos. Negou ter feito o que fez e dito o que disse, numa desconcertante tempestade de mentiras. Afirmou que nunca indicou cloroquina, nunca mencionou tratamento precoce. Há documentos divulgados por sua gestão, há declarações públicas que desmentem o ministro. Com o governador do Amazonas ao lado, garantiu que atendeu, sim, ao estado, mas as mortes por asfixia de amazonenses falam por si. Por que mente o ministro Pazuello? Porque o presidente mente.

Ontem, Bolsonaro disse "apesar da vacina...". Era "apesar" mesmo que ele queria dizer. Ele torceu contra. Ele comemorou quando um voluntário dos testes clínicos morreu, em novembro. "Morte, invalidez, anomalia. É a vacina que o Doria queria obrigar os paulistanos. Mais uma que Jair Bolsonaro ganha", declarou o presidente. A morte foi por suicídio. O presidente usava a tragédia para mentir mais uma vez sobre a vacina que ele sempre viu como uma queda de braço com o governador de São Paulo, João Doria (PSDB).

Se Doria não tivesse dado a ordem firme ao Butantan de que importasse a vacina, mesmo antes da aprovação da Anvisa e mesmo diante de todos os ataques do presidente, o Brasil não teria vivido o dia de ontem. Nem teria vivido o domingo (17), o dia de Mônica Calazans, a enfermeira paulista que foi a primeira brasileira a ser vacinada contra a covid-19. O governo federal perdeu várias chances de se abastecer de vacina. Em negociações internacionais, o Brasil pediu menos do que precisava ou se atrasou nas conversas. Com erros assim, estamos atrás até de países vizinhos.

A Fiocruz acertou ao não se deixar contaminar pelas mensagens truncadas do governo. Terá a capacidade de produzir aqui a vacina, mas, neste momento, aguarda o lote de 2 milhões de doses prontas retido na Índia. Depois, dependerá do Ingrediente Farmacêutico Ativo, o IFA, que virá da China e que está pendente da burocracia do Escritório de Vacinas da China, órgão que coordena todas as ações para exportação de imunizantes.

Os canais diplomáticos poderiam fazer tudo isso andar mais rápido, porém estão obstruídos. O presidente, o filho do presidente e o Itamaraty fizeram, em várias ocasiões, críticas gratuitas à China. Bolsonaro chegou a dizer que não compraria a vacina da China "porque ela não transmite segurança para a população pela sua origem". Em novembro, depois de mais um ataque do deputado federal Eduardo Bolsonaro ao país, o ministro Ernesto Araújo, das Relações Exteriores, em vez de apaziguar criticou o embaixador chinês por ele ter reagido à agressão. Agora é da China que necessitamos para receber o IFA da vacina da AstraZeneca.

Ao longo desta pandemia, houve por parte de Bolsonaro palavras sórdidas e omissões. Essas omissões mataram. O ministro da Saúde errou e os erros custam vidas. Quantas? O Brasil tem 10% das mortes por covid-19 no mundo e 2,7% da população global. Estamos desperdiçando vidas aos milhares.

Ontem Bolsonaro, mais uma vez, ameaçou o país com ditadura — "se as Forças Armadas quiserem". Quer provocar uma nova polêmica e desviar a atenção do ponto central: ele deveria estar respondendo a um processo de impeachment. O presidente da Câmara dos Deputados, Rodrigo Maia, afirmou que "no futuro" esse tema deve entrar em pauta, mas agora a questão é a pandemia. "Com tantas vidas perdidas, como o caso dramático de Manaus, acho que esse tem que ser o nosso foco." O erro de Maia é não fazer a correta relação de causa e efeito. O colapso de Manaus não é uma fatalidade. Poderia não ter acontecido se o governo fosse outro. Deixar o presidente no comando está provocando mais mortes. Esse é o foco.

146. O MINISTRO DOS CONFLITOS EXTERIORES

22.1.2021

"Alívio" era a palavra que se ouvia ontem na Fiocruz pela notícia de que a Índia embarcará hoje para o Brasil o lote de 2 milhões de doses da vacina AstraZeneca Oxford. Também hoje, a Anvisa deve liberar os 4,8 milhões de doses a mais da CoronaVac, do Butantan. Isso não apaga os erros do ministro Ernesto Araújo, que nos levou a uma situação surreal, em que a diplomacia bloqueia os canais, apesar de existir para limpar os caminhos. As agressões à China foram muitas, azedaram o diálogo, e o preço a pagar por esse erro é em vidas humanas.

Até o ex-presidente Michel Temer se mobilizou, ontem, para conversar com autoridades chinesas. O ministro da Saúde falou com o embaixador e depois disse que não havia problemas diplomáticos. Segundo o embaixador, é a burocracia que explica a demora do envio do IFA. Ora, o diplomata não admitiria que os problemas são "diplomáticos". O pretexto é sempre outro. Evidentemente, os expedientes burocráticos podem ser mais rápidos ou mais lentos, dependendo do contexto.

O fato, em si, de estarem tantas autoridades tentando fazer diplomacia — Michel Temer, o vice Hamilton Mourão, a ministra Tereza Cristina, Rodrigo Maia — é o atestado do colapso da diplomacia promovida por Ernesto Araújo. Nesse caso, a demissão dele seria até um passo óbvio. Se o ministro, em vez de fazer seu trabalho, cria impasses e conflitos que outros têm que resolver, não deveria ficar no cargo até por uma razão prática.

O Brasil está na seguinte situação: paga o custo de manter os salários de pessoas altamente qualificadas e elas não podem exercer as habilidades para as quais foram treinadas no serviço público. Nenhum país perde da noite para o dia um ativo desses, que é ter um corpo de diplomatas eficientes, reconhecidos no mundo inteiro. E por que os bons diplomatas — e eles são inúmeros — não conseguem fazer seu trabalho? A gestão caótica e delirante de Ernesto Araújo não deixa. Um embaixador, por exemplo, aguarda instruções para agir. Ernesto Araújo ou não dá instruções ou dá e elas não têm lógica nem ganho palpável para o Brasil. Porque o ministro vive em luta contra inimigos imaginários, como o "globalismo" e o "comunismo", que estariam ameaçando, como escreveu outro dia, os valores dos Estados Unidos.

O trabalho diplomático tem vários códigos. Uma embaixada não deixa uma autoridade ligar diretamente para o seu correspondente em outro país para ouvir um "não". Para evitar constrangimentos, a embaixada faz uma ação antecipada, para sentir o terreno e desatar os nós antes que eles apareçam. O ministro Eduardo Pazuello ligou na primeira semana do ano para o ministro da Saúde da Índia pedindo o envio das doses compradas pela Fiocruz, e o indiano, um diplomata de carreira, teve de avisar, delicadamente, que o Brasil precisava pagar antes, pois o Serum é uma empresa privada. Depois veio o vexame de anunciar a ida do avião, já com o adesivo de propaganda do governo, para buscar as vacinas, mas sem antes combinar com os indianos. O amadorismo está em cada iniciativa simplesmente porque existem regras do jogo diplomático que não estão sendo seguidas. Ernesto virou o ministro dos conflitos exteriores. E paralisa o corpo de funcionários do Itamaraty. Ontem, finalmente, anunciou-se a vinda das doses.

A boa política externa antecipa-se aos problemas, como um xadrez bem jogado. E, desde o começo desta pandemia, estava claro que o Brasil precisaria se posicionar estrategicamente no mercado de compra de vacinas. Houve um episódio em que Araújo foi procurado pelo ministro das Relações Exteriores de um país, grande desenvolvedor de vacinas, meses atrás. A conversa tinha um interesse comercial, mas o nosso ministro preferiu discorrer sobre o "globalismo da Organização Mundial da Saúde". Nada foi adiante.

Quando Araújo escreveu uma sucessão de tuítes sobre o ataque ao Capitólio, em Washignton D.C., em janeiro deste ano, praticamente endossando o movimento extremista, rasgando todo o manual da boa diplomacia e do bom senso, houve uma reação da Associação dos Diplomatas. Nas mensagens coletivas que trocaram por um aplicativo, um integrante da carreira escreveu que a defesa do Itamaraty não pode ficar apenas sobre os ombros dos embaixadores aposentados.

A chegada de 2 milhões de doses da vacina importadas pela Fiocruz da AstraZeneca da Índia é excelente. A liberação pela Anvisa do uso dos 4,8 milhões de doses do Instituto Butantan é outra boa notícia. O país terá, a partir deste fim de semana, mais 6,8 milhões de doses. Mas o fundamental agora é fabricar aqui, nos dois institutos, com os IFAs que virão da China. Quanto mais cedo, melhor.

147. ERRO ECONÔMICO NA CRISE SANITÁRIA

23.1.2021

O Ministério da Economia ficou ausente de questões decisivas para a economia no combate à pandemia. Na vacinação, os economistas poderiam ter induzido a estratégia de comprar mais vacinas e não menos, exatamente para não concentrar o risco. Em tempos de incerteza e de escassez, o certo é diversificar riscos e ampliar potenciais fornecedores. Em relação ao auxílio emergencial, era fundamental ter um plano para este momento em que as transferências vão secar.

Em conversa esta semana com o economista José Alexandre Scheinkman, ele me chamou a atenção para este ponto:

— O Ministério da Economia deveria ter alertado o governo que precisava formar um portfólio diversificado. Nós, economistas, entendemos esse problema de risco e diversificação. O pessoal da Saúde pode não pensar nessa estratégia de portfólio. O Canadá encomendou quatro vacinas para cada cidadão, de tipos diferentes. No programa americano também há várias vacinas encomendadas.

Esta semana o ex-ministro da Saúde Luiz Henrique Mandetta explicou, numa entrevista à GloboNews, como o governo errou nas negociações da Organização Pan-Americana de Saúde. Em vez de usar o fato de ser um país grande para aumentar sua capacidade de negociação, o Brasil se apequenou. Primeiro, disse que não entraria no consórcio; depois, que só compraria 10% da sua necessidade.

Neste momento, está havendo um choque na capacidade de oferta. Mas a equipe econômica se deixou convencer pela ideia de Bolsonaro de que, por sermos grandes, somos um mercado desejado. Em momento de escassez de oferta e muita demanda, é o oposto.

O Ministério da Economia errou por se manter distante desta crise. E, desde o início, este é também um problema econômico. O equívoco veio de avaliações erradas. As primeiras análises feitas pelo ministério até o começo de março eram de que a pandemia não se espalharia pelo país porque o Brasil seria "um país fechado", como me disse uma autoridade. Depois as análises subestimaram a extensão do contágio, os estragos e o custo. Veio daí a já famosa frase do ministro Paulo Guedes de que com R$ 5 bilhões ele venceria o vírus. O custo ultrapassou R$ 600 bilhões. O governo gastou muito e mal.

No fim do ano, o cenário com o qual o Ministério da Economia trabalhava era o de que a pandemia estava reduzindo de intensidade e por isso não seriam necessárias novas medidas de socorro à economia. O indicador que os orientava era o do isolamento social. Como o percentual caía, concluíram que a economia recuperaria o nível de atividade, principalmente no setor de serviços. A queda do distanciamento levou a um aumento da contaminação. Sucessivas vezes durante esta pandemia, a realidade contrariou o cenário no qual apostou o ministério. Ele ficou, como se diz no jargão do mercado, todo o tempo *behind the curve*, ou seja, correndo atrás dos fatos.

Se avaliasse a evolução provável dos eventos com as ferramentas que os economistas têm, o ministério teria concluído que o governo estava abrindo riscos excessivos ao sustentar aquela visão de Bolsonaro de que o STF o impedia de tomar decisões federais de coordenação do combate à pandemia. Esse erro elevou os danos colaterais da crise sanitária.

Nos Estados Unidos, o presidente Joe Biden tomou decisões que mostram como é largo o espaço para a coordenação da União, mesmo numa Federação que sempre reconheceu a grande autonomia dos estados e das cidades. Biden convocou a Agência Federal de Administração de Emergências para fortalecer a vacinação. A Fema vai montar centros de imunização. Biden determinou que sejam feitas campanhas nacionais, algumas dedicadas exclusivamente às comunidades céticas. Vai fazer campanha pelo uso de máscaras, que será obrigatório nos prédios federais. O governo federal se ofereceu aos estados e às cidades para "desenvolver, equipar, prover gerenciamento de informação, oferecer pessoal e locais" para vacinação. Enfim, a cada ato sensato de Biden, é inevitável ver a inação de Bolsonaro no Brasil e o espantoso custo disso em vidas humanas e perdas econômicas.

A falta de gestão da crise a aprofunda e prolonga, o que eleva a necessidade de fornecer socorro financeiro às famílias e às pequenas empresas. As quedas na saúde estão totalmente ligadas às quedas na economia. Por não preparar a tempo um substituto ao auxílio emergencial, o Ministério da Economia está se deixando empurrar para alguma solução que será, de novo, improvisada.

148. AÇÃO DELIBERADA DE ESPALHAR VÍRUS

30.1.2021

Crime de epidemia. Essa é a acusação feita a Jair Bolsonaro na representação encaminhada à Procuradoria-Geral da República para que o procurador-geral ofereça denúncia contra o presidente. "Da mesma forma que alguém que agrave uma lesão existente responde por lesão corporal, presidente que intensifica a epidemia existente responde por esse crime. Jair Bolsonaro sempre soube das consequências de suas condutas, mas resolveu correr o risco."

O crime é previsto no artigo 267 do Código Penal: "Causar epidemia, mediante a propagação de germes patogênicos." E a punição é prisão de dez a quinze anos, podendo agravar-se a pena se houver morte, quando se torna, então, crime hediondo. Há outras ações às quais essa representação se refere e que apontam vários artigos do Código Penal que Bolsonaro teria infringido, como o 132, que é pôr em perigo a vida ou a saúde de outrem.

O grupo com um desembargador e alguns procuradores aposentados — alguns exerceram até recentemente postos altos no Ministério Público — que entrou com a ação apoiou-se em pesquisa. Recentemente publicado, o estudo traçou uma linha do tempo dos atos e das palavras do presidente da República nesta pandemia para, assim, mostrar que houve uma ação deliberada por parte dele para contaminar o máximo de pessoas, na suposição de que dessa forma se atingiria a tal "imunidade de rebanho".

A representação foi apresentada ao procurador-geral, Augusto Aras, pela, até recentemente, procuradora federal dos Direitos do Cidadão Deborah Duprat, pelo ex-procurador-geral da República Claudio Fonteles, por dois ex-procuradores federais dos Direitos do Cidadão, Álvaro Augusto Ribeiro Costa e Wagner Gonçalves, pelo subprocurador-geral aposentado Paulo de Tarso Braz Lucas e pelo desembargador aposentado do TRF da 4ª Região Manoel Lauro Volkmer de Castilho.

O começo da cronologia que apresentam é o dia 7 de março de 2020. Havia seis infectados no Brasil. O presidente foi a Miami, área de risco para a pandemia. "No dia 15 daquele mês, já de volta ao Brasil, convoca e participa de manifestações políticas com grande aglomeração, sempre sem máscara, tendo contato físico com manifestantes, desrespeitando a recomendação da quarentena após retorno. E, mais grave, pelo menos desde a véspera do evento, ou seja, em 14 de março, já era pública a informação de que parte da comitiva presidencial tinha sido infectada pelo novo coronavírus. Portanto, Bolsonaro foi para a manifestação ciente de que poderia ser um vetor de propagação de um vírus até então de baixa presença no território nacional." A longa fila de eventos em que o presidente estimulou a contaminação, aos quais a representação se refere, está na pesquisa do Cepedisa/FSP/USP e da ONG Conectas Direitos Humanos.

O mundo inteiro está sendo atingido pela mesma tragédia sanitária. Mas o ponto sustentado pelos autores da ação é que, aqui, houve mais exposição. "No caso do Brasil, ao evento natural somou-se a ação criminosa de um presidente da República que expôs, desde o início da pandemia até os dias atuais, a população a um risco efetivo de contaminação", diz o texto da representação.

Augusto Aras pode simplesmente ignorar o documento em sua mesa? Não pode. Ele pode arquivar, mas tem a obrigação de tomar providências. Ignorar uma representação como essa é uma impossibilidade institucional, me explica um especialista.

Conversei com outro procurador, que permanece no serviço público, e perguntei que chances tem essa ação de avançar. Aras, como ele mesmo já disse explicitamente, acha que essa não é a sua função, apesar de ser. O problema é que o próprio Aras pode ser acusado de prevaricação, por deixar de cumprir o seu dever. E pode ser acusado pelos colegas.

— O artigo 51 da Lei Complementar nº 75/93, Lei Orgânica do MPU, diz que "a ação penal pública contra o procurador-geral da República, quando no exercício do cargo, caberá ao subprocurador-geral da República que for designado pelo Conselho Superior do Ministério Público" — explica o procurador.

Aras não tem maioria no CSMP. A ação seria diretamente levada ao Supremo Tribunal Federal. Aras tem esperança de ser indicado para uma vaga no STF. Concorre com outros dois fortes candidatos, o ministro da Justiça, André Mendonça, e o ministro do STJ, Humberto Martins.

Bolsonaro se blindou, mas tem tido, como diz a representação, inúmeras "condutas criminosas" ao longo desta pandemia. E nessa ação foi acusado de crime grave.

149. AOS QUE NÃO BRINCARAM O CARNAVAL

16.2.2021

Hoje é terça de Carnaval e não haverá blocos com aquela alegria resistente querendo esticar o que já estaria acabando. Não houve desfile no Sambódromo, as baterias não tomaram os corações ao passar com seu ritmo e cadência, nem as baianas rodaram sua dança envolvente. As costureiras não bordaram o brilho da Avenida. Os foliões que saíram não encontraram respaldo. Não é engraçado vestir-se de alguma paródia se a morte, à espreita na esquina, não é uma fantasia.

Houve aglomeração e escutei no domingo (14) a interminável festa de um vizinho, mas mais interessante é o silêncio de quem não foi para a rua, mesmo sendo apaixonado pela folia. Por isso dedico esta coluna aos que não brincaram o Carnaval de 2021. É admirável a festa do avesso, da ausência, dos que demonstram respeito ao outro. Cada folião que não saiu, que dispensou a fantasia, que se enfeitou para si mesmo, estava celebrando a vida.

O Rio é do folguedo momesco. Eu admiro essa alegria como parte essencial da natureza do país, apesar de me sentir estrangeira às vezes. No Rio, o Carnaval de rua renasceu há vários anos em blocos de nomes tradicionais, divertidos e poéticos. Os trios elétricos da Bahia. Os ranchos de Belém. O Largo da Batata, em São Paulo. Metódico, São Paulo tem se esmerado para que o seu Sambódromo brilhe mais do que a Sapucaí carioca. Vai vai que consegue. No Recife, o frevo com suas muitas pernas trançantes e suas sombrinhas coloridas avisou ao galo que não cante de madrugada. Em Brasília, o pacotão ficou embrulhado. Em Salvador, o Pelô fez silêncio. Manaus. Manaus é o centro da nossa dor.

Ninguém melhor que Maria Bethânia refletiu o momento ao pedir "vacina, respeito, verdade e misericórdia", na *live* em que mostrou a força inteira da sua voz de rainha. Ela reclamou da saudade do público distante, mas esteve tão próxima... Fez o que sempre soube fazer no canto, na poesia, na mensagem direta. Bethânia é opinião. Ao falar do menino Miguel, que caiu de um prédio no Recife, lembrava o passado que não corrigimos. Quando cantou "Cálice", a música soou como se tivesse sido composta na véspera. As raízes do Brasil estavam todas no canto da filha de Dona Canô.

O folião desgarrado que volta pra casa, lúcido e triste, com sua fantasia um pouco estragada pelos excessos, sempre me pareceu a melhor poesia do Carnaval. A alegria se esbaldou, o canto aquietou, os pés já não pulam, o grupo se desfez e essa volta lenta, ainda marcado da festa, é a imagem que sempre prendeu meus olhos quando andei pela cidade nos carnavais. Hoje, se houver algum folião voltando com restos de festa, não será uma imagem poética. Eu veria, se o visse, a pessoa que decidiu que o risco coletivo não lhe importa.

Eu nasci numa cidade que tem hoje 92 mil habitantes. Com quantas caratingas se conta a dor de hoje do Brasil? Que métrica mediria o que temos vivido? As mortes somadas não informam tudo sobre o sofrimento deste tempo. Houve também as esperas longas e angustiadas por um parente, um amigo, uma pessoa amada, houve a aflição de contar os dias, isolado num quarto, temendo que o ar fugisse dos pulmões e, ainda, a espera ansiosa pelo resultado dos testes de laboratório. Houve a solidão e a saudade.

Na história dos Carnavais haverá a cicatriz de 2021. Esse lapso, intermédio, ausência, parêntesis, será o que de melhor teremos a contar nos anos vindouros. A folia recolhida foi o maior presente dado ao outro. Ó abre-alas, que vamos passar sem o Carnaval. Momo foi levado a uma república. Destronou-se. Reinará no futuro, em outros Carnavais.

O pior é a festa dos incautos, insensatos e insensíveis, dos que desprezam o risco, não por coragem, mas pela covardia de expor outros ao perigo, dos que por estupidez duvidam da ciência, fruta madura da inteligência humana.

Há muito sobre o que escrever no Brasil, numa coluna de jornal. Temas nunca me faltaram, nesses trinta anos em que escrevo diariamente. Hoje a melhor notícia é a festa que não houve, a fantasia não vestida, os foliões que não foram vistos por aí. Aos que se recolheram, mesmo tendo alma carnavalesca, todo o meu respeito nesta Terça Magra do Carnaval de 2021.

Bethânia mistura palavra falada e cantada. Declama e canta. Estilo dela. Opinião. Buscou Cecília Meireles para avisar que "a primavera chegará, mesmo que ninguém mais saiba seu nome, nem acredite no calendário, nem possua jardim para recebê-la".

150. BOLSONARO ESCANCARA O POPULISMO ECONÔMICO

23.2.2021

A interferência na Petrobras é mais grave do que o mercado refletiu ontem, no banho de sangue dos pregões. Ao fim, a Petrobras tinha perdido R$ 98 bilhões em dois dias. Outras estatais também caíram. O que Bolsonaro quer? Ele busca ganhos políticos. Faz demagogia com os caminhoneiros para usá-los politicamente, faz populismo com todos os que sentem no bolso o preço da gasolina ou do diesel, cria um inimigo e ainda manipula o imaginário brasileiro com a frase "o petróleo é nosso". São estratégias conhecidas.

A ditadura chilena dos anos 1970 usou os caminhoneiros como arma política. A ditadura da Venezuela usou a gasolina barata, o inimigo externo e o nacionalismo para se eternizar. O jogo é conhecido dos candidatos a ditador.

Enquanto isso, para acalmar os investidores locais e internacionais, a equipe econômica tenta usar uma arma de destruição em massa dos princípios da Constituição. A proposta é aprovar uma PEC como condição para dar o auxílio emergencial. A Constituição estabelece percentuais das receitas que vão, obrigatoriamente, para determinadas áreas, como saúde e educação. A PEC elimina essa obrigação. E o faz com uma linguagem incompreensível. Veja isto: "Revogar o *caput* e os §§ 1º e 2º do art. 212 da Constituição." Isso mata o Fundeb. Simples assim. E está lá, como se fosse inofensivo, no item 4 do artigo

4 da PEC. Todo o esforço brasileiro de criar um fundo de valorização do ensino básico, debatido intensamente no ano passado, seria apagado com uma penada. Ora, senhores da equipe econômica, na democracia uma mudança dessa profundidade não pode ser feita na chantagem da necessidade de um auxílio emergencial nem no afogadilho de uma votação marcada para daqui a dois dias.

Mas há outras encrencas nas últimas decisões de Bolsonaro que vão bater no bolso do contribuinte. Pela Lei de Responsabilidade Fiscal (artigo 14), qualquer aumento de subsídio tem de ser compensado com elevação de imposto. Não basta cortar uma despesa. Está na lei que a compensação precisa ser resultado do "aumento de receita proveniente da elevação de alíquotas, ampliação da base de cálculo, majoração ou criação de tributos". Então aqueles R$ 4 bilhões a R$ 5 bilhões a mais de gasto pela redução dos tributos do diesel e do gás de cozinha deverão ser compensados com novo imposto. E mais. Pela Lei das Estatais, se qualquer estatal tiver prejuízo por uma medida tomada pelo governo, o Tesouro precisará compensar a empresa. Se a Petrobras tiver perdas de caixa com uma nova política de preços, o Tesouro precisará compensá-la. No fim, quem pagará a conta do populismo econômico de Bolsonaro será o contribuinte.

Trocar presidente de estatal é natural. Passar por cima de leis, normas e estatutos e ainda acusar o antigo dirigente da empresa de "jogar contra o país" não é natural. A ironia é que o economista Roberto Castello Branco, que deixará a presidência da Petrobras, fez parte do trio inicial do programa econômico do candidato Jair Bolsonaro. Era Paulo Guedes, ele e Rubem Novaes, ex-Banco do Brasil. Castello Branco entregou exatamente o que lhe foi pedido. Isso é que deixou economistas do mercado perplexos.

— Se Bolsonaro fizer metade do que prometeu nos últimos dias, o risco fiscal vai aumentar e o BC será forçado a subir juros em março pela confusão causada pelo presidente da República — avalia um economista que influencia muita gente no mercado.

O consumidor está bravo porque o combustível subiu muito este ano. Gasolina, 34%; diesel, 27%. Mas, no ano passado, com a pandemia, houve queda de 13% no diesel e redução de 4% na gasolina. Em parte, os preços estão subindo agora por causa do câmbio. O real é uma das moedas que mais perdem valor diante do dólar e isso é resultado direto das crises criadas pelo próprio presidente. O dólar sobe e impacta diversos preços, que batem no bolso dos consumidores. Veja-se o caso da energia de Itaipu, até agora presidida pelo general Joaquim Silva e Luna, que vai para a Petrobras. A energia de Itaipu subiu entre 35% e 40%. Ela é corrigida pelo dólar. O assunto não gerou polêmica porque Itaipu reajusta os preços automaticamente, a distribuidora repassa para o consumidor, que culpa a concessionária. A Itaipu do general Luna subiu seus preços pela mesma lógica de Castello Branco.

Bolsonaro desde o início sabotou o projeto liberal que vendeu na eleição. Agora, foi além no estelionato. Ele escancarou seu populismo econômico, um caminho que sempre termina em crise.

151. UM ANO DEPOIS, A DÚVIDA É SOBRE NÓS

28.2.2021

Não cabe mais perguntar que governo é este. A resposta está dada. O Brasil chega ao seu pior número diário de vidas perdidas, em um ano de pandemia, com o colapso se espalhando pelos estados e o presidente Bolsonaro dizendo que a máscara é que é o risco. O que cabe agora é tentar saber que país é este. Quem somos nós? De que matéria somos feitos? O futuro perguntará aos contemporâneos desta tragédia o que fizemos enquanto os brasileiros morriam, o inimigo avançava impiedosamente e o governo era sócio da morte.

No dia das 1.582 vidas perdidas, ou da queda de cinco Boeings, como comparou o cientista Miguel Nicolelis, qual era a cena no Brasil? A Câmara dedicava horas seguidas à discussão sobre a emenda que protege os parlamentares dos crimes que vierem a cometer. O Senado debatia a suspensão do financiamento dos ministérios da Saúde e da Educação. Por serem pontos tão absurdos, as duas Casas ensaiaram recuos. E o presidente da República? Ele, como fez todos os dias no último ano, na sua macabra mesmice, atirou contra a saúde dos brasileiros. Dessa vez dizendo que uma universidade alemã tem um estudo que prova o risco do uso de máscaras em crianças. Sempre assim, negando as provas da ciência, falando de algum suposto remédio. Sempre mentindo, o presidente do Brasil.

Bolsonaro nós sabemos quem é. Ele quer que haja armas e munições, quando precisamos de leitos e vacinas. Ele exibe desprezo pela vida, quando precisamos de empatia e conforto diante deste luto vasto e irremediável. O luto dos enterros sem flores, sem abraços, sem consolo. Contamos nossos mortos numa rotina fúnebre e interminável. O presidente conta as armas com as quais os seus seguidores vão nos ameaçar se, eventualmente, reagirmos.

Quem somos nós? O futuro nos perguntará e é preciso que o país saiba que terá de responder. Mais uma vez, fomos o povo que tolerou o intolerável. Como na escravidão, no genocídio dos índios, na ditadura, na desigualdade, temos aceitado a afronta, a vilania, a infâmia. Castro Alves pode fazer de novo a pergunta: que bandeira é esta?

Esta é a nossa contemporaneidade. Lembra os nossos piores passados. É tão longo o suplício que perdemos as palavras. Não há palavras fortes o suficiente para definir o que vivemos. O presidente comete crimes diariamente. A cada crime sem punição ele se fortalece, porque sabe que pode avançar um pouco mais. Como o vírus que domina o corpo fraco, a cada dia fica mais difícil contê-lo.

De outros países nos olham com espanto e desprezo. Nenhum povo suportaria tal opróbrio. Eles sabem o que temos feito aqui e o que temos aceitado. E não entendem. Caminhamos para o risco de colapso nacional, de falência múltipla dos órgãos de Saúde do país. Só agora alguns estados falam em *lockdown*. Antes havia, no máximo, uma restrição de circulação à noite, como se o vírus fosse noturno e dormisse de dia. Vários países começam a comemorar queda de contágios, internações e mortes. Comprovam as vantagens do distanciamento social, das vacinas e do uso de equipamentos de proteção. O presidente diariamente passeia, diletante, pelo país, com seu séquito de homens brancos sem máscaras, com os quais exerce o poder, oferecendo-lhes migalhas do seu mandonismo. São os invertebrados de Bolsonaro.

O médico Ricardo Cruz escreveu para Denise, sua mulher, "prepare-se para o pior". O pior chegou para a sua família e para o país. Ricardo Cruz era amado por seus colegas e pacientes. Organizou um centro de reflexão sobre as angústias que vivemos neste século e o batizou de "Humanidades". O último recado digitado por ele, mostrado por este jornal em brilhante reportagem, é um alerta vivo. Estamos no pior momento. Despreparados.

O presidente da República mente diariamente e as mentiras estão nos matando. Bolsonaro não se interessa por pessoas, e sim por perfis nas redes, inúmeros deles falsos. Em colunas passadas, fiz a lista dos crimes cometidos por Bolsonaro e apontei artigos e incisos das leis que ele afrontou. Mas isso o país já sabe. Alguém sempre diz que não existem hoje as condições políticas para um impeachment. E os milhares de mortos que enterramos? Quantos deles teriam sido poupados se fosse outro o governo do Brasil? Não cabe mais perguntar que presidente é este. O país não pode alegar desconhecimento. Cabe fazer uma pergunta mais dura. Quem somos nós?

152. BOLSONARO, NOSSAS MORTES SÃO CULPA SUA

11.4.2021

O tempo deixará ainda mais claro o que já é inegável hoje. Grande parte das mortes que temos sofrido no Brasil é de responsabilidade direta do presidente da República. Ele agiu intensa e deliberadamente para que o vírus se espalhasse. Ele tem sido incansável nas mentiras, no estímulo à exposição ao risco, na criação de conflitos políticos. Ele nunca deixou de sabotar os esforços de proteção da vida de qualquer gestor público, nas três esferas administrativas. Ainda hoje, com mais de um ano de pandemia. Ainda hoje, com mais de 350 mil mortos. Faltam oxigênio, remédios, vagas nos hospitais, vacinas. Mas Bolsonaro protege o vírus e as suas mutações. Bolsonaro é o comandante supremo da morte no Brasil.

Alguém pode achar exagero, afinal é o vírus que mata e não o presidente. Líderes poupam vidas com suas decisões. Ele não. Todos os seus atos, todas as suas palavras, desde o desembarque do coronavírus no Brasil, tiveram o único resultado de fortalecer o inimigo. É a bala que mata ou quem aperta o gatilho? A lista das culpas de Bolsonaro nesta pandemia é exaustiva e nem é preciso refazê-la. A leitora e o leitor sabem, viram, sofreram, se indignaram. A verdade é conhecida. Ela é uma só. Bolsonaro é culpado.

O presidente não faz seu trabalho sozinho. Tem colaboradores. Os médicos que validaram o charlatanismo, os generais que apoiam um governo que ameaça a segurança nacional, os empresários que o aplaudem, os ministros subservientes às suas decisões criminosas, os pastores que usam a palavra de Deus em vão, os políticos que tergiversam, os juízes que distorcem a interpretação das leis. Contra o presidente e seus colaboracionistas existe também muita gente. A resistência tem na liderança médicos, enfermeiros, cientistas, comandantes na guerra pela vida. A resistência é feita por quem diz "não" a Bolsonaro, em qualquer área, em qualquer parte do país, dentro e fora do governo. Na cultura, nas artes, no jornalismo, na educação, nas redes sociais, nas florestas, nas rotinas domésticas, nos laboratórios, nas lutas políticas. Quem trabalhou pela vacina está na resistência.

O Brasil virou um grande cemitério em que se enterra até durante a noite. É trágico, é indescritível. Entre a vida e a morte não há meio-termo, meio-tom, vacilação, dúvida. Os que respiram mal, os que mal respiram exigem que falemos por eles. Neste momento mesmo milhares de pessoas contaminadas estão contando os dias e as horas dessa doença terrível, olhando para seus sintomas, com medo de piorar e ter que ir para uma fila onde se morre antes do fim.

Bolsonaro é culpado de necrofilia. O necrófilo ama a morte. A definição nos foi entregue pelo ex-ministro Celso de Mello, que se aposentou do STF no ano passado. Ela é exata. Descreve a distorção mental e moral do governante. Bolsonaro faz isso por gosto e sadismo, mas se escuda em um argumento supostamente racional. O de que quanto mais rápido o vírus se propagar mais brasileiros estarão com anticorpos, mais cedo teremos o que ele define como "imunidade de rebanho". Ele e seu rebanho repetem uma mentira científica e médica.

Bolsonaro é culpado das mortes porque subestimou o vírus, divulgou mentiras, estimulou o contágio, produziu conflitos federativos, combateu medidas protetivas, omitiu-se, adiou decisões, subverteu o dever do cargo que ocupa. Tentou inutilmente minar a credibilidade das vacinas. E quando o país já está cercado de medos e mortes, o presidente ainda tira do armário o fantasma do autoritarismo e nos ameaça com a morte cívica. Esses dois anos têm sido de luta pela vida e pela democracia.

Bolsonaro não muda. Ele finge mudar para permanecer o mesmo. Ele tem usado todos os poderes da Presidência como armas contra o país. Quanto mais rápido acabar este governo, mais vidas pouparemos. Quanto mais ordens do governo forem revogadas, mais chances o país terá. Eu poderia escrever sobre alguns eventos ou conversas de bastidores. Artimanhas e articulações. Números da economia, porcentagens, oscilações do mercado financeiro. Há muitos fatos e dados e eles são a matéria-prima do jornalismo. Mas há um fato maior que todos os outros. Drummond escreveu poemas em meio à Segunda Guerra Mundial que nos ajudam a ver o que é o mais relevante em momentos extremos. "Chegou o tempo em que a vida é uma ordem. A vida apenas, sem mistificação."

25.7.2021

A DEMO-CRACIA MORRE NO FIM DESTE ENREDO

O agressor da democracia não vai parar. É como o agressor da mulher que após ser perdoado volta a atacar e, muitas vezes, o fim é a morte da vítima. Quem me fez esse raciocínio foi uma autoridade da República. Todos os dias a democracia apanha do presidente Jair Bolsonaro. Os generais e os civis que o cercam reforçam suas atitudes ou tentam justificá-lo. Essa violência só vai parar no fim deste governo, mas deixará cicatrizes. Quando as instituições estão funcionando ninguém precisa dizer isso em notas e declarações.

O presidente fala uma coisa e na hora que aperta ele recua, igualzinho ao homem que agride mulher. O agressor recua, garante que a ama, algumas pessoas asseguram que ele vai mudar, contudo a violência cresce. Um dia ele chegará com um revólver e acabará matando a mulher. É dessa certeza que surgiu a Lei Maria da Penha — explicou a pessoa com quem conversei sobre as crescentes ameaças do presidente e dos generais que o seguem, da reserva ou da ativa, à democracia. Eles obedecem à mesma lógica de agredir e negar que agrediu, prenunciando outro ato ainda mais forte.

Nesse último episódio, revelado pelo *Estadão*, o ministro da Defesa, Walter Braga Netto, enviou um aviso por meio de emissário ao presidente da Câmara, deputado Arthur Lira (PP-AL), com o seguinte teor: "A quem interessar, se não tiver eleição auditável não terá eleição." Foi dentro de uma escalada de agressões. Tudo se passou entre os dias 7 e 8 de julho. A nota oficial do ministro da Defesa e dos comandantes militares tentando coagir a CPI da Pandemia no Senado foi divulgada no dia 7. No dia 8, Bolsonaro afirmou que ou vai ter o voto impresso ou não vai ter eleição, o general Braga Netto mandou aquela mensagem golpista e o comandante da Força Aérea deu uma entrevista a *O Globo* elevando o tom da ameaça contida na nota do dia 7, sendo em seguida apoiado pelo comandante da Marinha. O atentado foi combinado. Eram as instituições funcionando. Com o objetivo de destruir a democracia.

O roteiro que se seguiu era previsível. Vieram os desmentidos com palavras ambíguas, as afirmações de que a democracia vai bem, e novo ataque do presidente. Em nova nota, Braga Netto negou ter mandado recado ao presidente da Câmara, mas nela ele defendeu o voto impresso, chamando-o de "auditável", e repetiu a ingerência em assuntos sobre os quais as Forças Armadas não têm que se pronunciar. A quem disse que o ministro da Defesa estava invadindo a esfera política, Bolsonaro respondeu: "Quando vejo algumas autoridades tuitarem que isso é uma questão política, que certas pessoas não devem se meter nisso, quero dizer a vocês que isso é uma questão de segurança nacional. Eleições são uma questão de segurança nacional." E assim fechou aquele dia de debates sobre o recado do general ao presidente da Câmara. A declaração de Bolsonaro é uma forma de autorizar as intervenções militares no tema que o presidente elegeu como pretexto. Todo golpe autoritário inventa seu pretexto — o voto impresso é o de Bolsonaro. O do presidente americano Donald Trump foram as acusações mentirosas de fraude em 2020. Ao fim, os trumpistas invadiram o Capitólio.

O agressor da democracia brasileira instalou cúmplices em postos estratégicos. Braga Netto é da reserva, mas a carreira militar é usada para que ele sempre fale escudado nas Forças Armadas. Os atuais comandantes assumiram esses postos com o mandato de mostrar que os militares defendem o projeto político de Bolsonaro. Foram escolhidos para apoiar o agressor. O general Luiz Eduardo Ramos, quando foi para o governo, era da ativa e estava no comando do II Exército. Ele fez parte do canal dessa bolsonarização dos militares. O almirante Flavio Rocha, da Secretaria de Assuntos Estratégicos, ainda está na ativa. O projeto é deixar sempre a impressão de que as Forças Armadas vão atuar para proteger Bolsonaro.

O procurador-geral da República, Augusto Aras, e seus auxiliares diretos agiram várias vezes de forma contrária ao papel constitucional da PGR. Quando ministro da Justiça, André Mendonça teve atitudes e defendeu teses que feriam a Constituição, basta citar o dossiê preparado em sua gestão contra os funcionários antifascistas. A Polícia Federal colocou seus documentos sob sigilo, quando a publicidade tem de ser a regra numa república. Aras foi reconduzido, Mendonça foi indicado para a Corte Constitucional, um delegado da Polícia Federal é o novo ministro da Justiça. As agressões à democracia deixam cicatrizes. Algumas delas podem ser permanentes.

A democracia está sendo agredida. O agressor é o presidente da República. Ele tem ajudantes militares e civis. O maior risco é não ver o perigo, porque, como nos casos de violência contra a mulher, o fim pode ser a morte.

FIM

SIGLAS

Abin – Agência Brasileira de Inteligência
Abrinq – Associação Brasileira dos Fabricantes de Brinquedos
ADPF – Arguição de Descumprimento de Preceito Fundamental
AGU – Advocacia-Geral da União
AI-5 – Ato Institucional nº 5
Alerj – Assembleia Legislativa do Estado do Rio de Janeiro
Aman – Academia Militar das Agulhas Negras
Ancine – Agência Nacional do Cinema
Anvisa – Agência Nacional de Vigilância Sanitária
BC – Banco Central
BNDE – Banco Nacional de Desenvolvimento Econômico
BNDES – Banco Nacional de Desenvolvimento Econômico e Social
Bope – Batalhão de Operações Policiais Especiais
BPC – Benefício de Prestação Continuada
Cade – Conselho Administrativo de Defesa Econômica
Ceagesp – Companhia de Entrepostos e Armazéns Gerais de São Paulo
Ceasa – Centrais de Abastecimento
CEF – Caixa Econômica Federal
CEO – Chief Executive Officer
Cepedisa – Grupo de Estudos de Direito Sanitário
Cesp – Companhia Energética de São Paulo

Chesf – Companhia Hidro Elétrica do São Francisco
CLP – Centro de Liderança Pública
CNI – Confederação Nacional da Indústria
CNPJ – Cadastro Nacional da Pessoa Jurídica
Coaf – Conselho de Controle de Atividades Financeiras
Conama – Conselho Nacional do Meio Ambiente
Conaveg – Comissão Executiva para Controle do Desmatamento Ilegal e Recuperação da Vegetação Nativa
Contag – Confederação Nacional dos Trabalhadores na Agricultura
COP-25 – Conferência das Nações Unidas sobre as Mudanças Climáticas de 2019
Covid-19 – *Corona Virus Disease 2019* (Doença do Coronavírus)
CPF – Cadastro de Pessoas Físicas
CPI – Comissão Parlamentar de Inquérito
CPMF – Contribuição Provisória sobre Movimentação Financeira
CPP – Código de Processo Penal
CSLL – Contribuição Social sobre o Lucro Líquido
CSMP – Conselho Superior do Ministério Público
DEM – Democratas (*partido político*)
Deter – Detecção de Desmatamento em Tempo Real
DOI-Codi – Destacamento de Operações de Informação – Centro de Operações de Defesa Interna
EFTA – Associação Europeia de Comércio Livre (abreviado AECL; em inglês: European Free Trade Association, abreviado EFTA)
Embrapa – Empresa Brasileira de Pesquisa Agropecuária
Enem – Exame Nacional do Ensino Médio
FAT – Fundo de Amparo ao Trabalhador
Febraban – Federação Brasileira de Bancos
Fema – Agência Federal de Administração de Emergências (EUA)
FGTS – Fundo de Garantia do Tempo de Serviço
Fiesp – Federação das Indústrias do Estado de São Paulo
Fiocruz – Fundação Oswaldo Cruz
FMI – Fundo Monetário Internacional
FNDE – Fundo Nacional de Desenvolvimento da Educação
FSP – Faculdade de Saúde Pública

Funai – Fundação Nacional do Índio
Fundeb – Fundo de Manutenção e Desenvolvimento da Educação Básica
Fundef – Fundo de Manutenção e Desenvolvimento do Ensino Fundamental e de Valorização do Magistério
Fust – Fundo de Universalização dos Serviços de Telecomunicação
GLO – Garantia da Lei e da Ordem
GSI – Gabinete de Segurança Institucional
HIV – Vírus da Imunodeficiência Humana
Ibama – Instituto Brasileiro do Meio Ambiente e dos Recursos Naturais Renováveis
IBGE – Instituto Brasileiro de Geografia e Estatística
ICMBio – Instituto Chico Mendes de Conservação da Biodiversidade
ICMS – Imposto sobre Circulação de Mercadorias e Serviços
IFA – Insumo Farmacêutico Ativo
Imazon – Instituto do Homem e Meio Ambiente da Amazônia
IML – Instituto Médico-Legal
Inep – Instituto Nacional de Estudos e Pesquisas Educacionais Anísio Teixeira
Inpe – Instituto Nacional de Pesquisas Espaciais
INSS – Instituto Nacional do Seguro Social
IPCA – Índice Nacional de Preços ao Consumidor Amplo
Ipea – Instituto de Pesquisa Econômica Aplicada
IRPJ – Imposto de Renda de Pessoa Jurídica
LGBT – Lésbicas, Gays, Bissexuais e Transgênero
MAS – Movimiento al Socialismo (*partido político*)
MDB – Movimento Democrático Brasileiro (*partido político*)
MEC – Ministério da Educação
Mercosul – Mercado Comum do Sul
MP – Medida Provisória
MP – Ministério Público
MPDF – Ministério Público do Distrito Federal
MPF – Ministério Público Federal
MPM – Ministério Público Militar
MPU – Ministério Público da União
OAB – Ordem dos Advogados do Brasil

OCDE – Organização para a Cooperação e Desenvolvimento Econômico
OMS – Organização Mundial da Saúde
ONG – Organização Não Governamental
ONU – Organização das Nações Unidas
Paeg – Programa de Ação Econômica do Governo
PDT – Partido Democrático Trabalhista
PEC – Proposta de Emenda Constitucional
PF – Polícia Federal
PGR – Procuradoria-Geral da República
PIB – Produto Interno Bruto
PLN 04 – Projeto de Lei do Congresso Nacional nº 4 de 2019
PM – Polícia Militar
PP – Progressistas (*partido político*)
Prodes – Programa de Cálculo do Desflorestamento da Amazônia
PSD – Partido Social Democrático
PSDB – Partido da Social Democracia Brasileira
PSL – Partido Social Liberal
PT – Partido dos Trabalhadores
PUC – Pontifícia Universidade Católica
PwC – PriceWaterhouseCoopers
SBPC – Sociedade Brasileira para o Progresso da Ciência
Sisbin – Sistema Brasileiro de Informações
SNI – Serviço Nacional de Informações
STF – Supremo Tribunal Federal
STJ – Superior Tribunal de Justiça
SUS – Sistema Único de Saúde
TAC – Termo de Ajustamento de Conduta
TCU – Tribunal de Contas da União
TI – Terra Indígena
TRF – Tribunal Regional Federal
TSE – Tribunal Superior Eleitoral
UFRJ – Universidade Federal do Rio de Janeiro
USP – Universidade de São Paulo
UTI – Unidade de Terapia Intensiva

AGRA-
DECI-
MENTOS

"Oi, Miriam, quando der para falar, me avisa." Era Jorge Oakim, *publisher* da Intrínseca. Eu havia acabado de postar um vídeo nas redes sociais dizendo que, como escritora, tinha sonhos realizados e planos pela frente. Jorge quis saber que planos eram aqueles. Um é este que o leitor tem em mãos. Como jornalista de economia, eu sabia exatamente o tamanho da recessão que a pandemia provocara e como o mercado editorial fora atingido. Portanto, o meu primeiro agradecimento vai para Jorge Oakim. Com o estímulo dele, passei a dedicar parte do meu tempo aos livros nos longos e dolorosos meses do isolamento social.

O jornalista Alvaro Gribel é parte da minha equipe há mais de uma década, conhece cada texto publicado. Foi dele o trabalho de fazer a primeira seleção de colunas. A escolha final foi trabalhosa. O desafio era reunir textos que, juntos, contassem a história do governo Bolsonaro, desde o começo um desastre em várias dimensões. Para isso eu pude contar com a inteligência de Lucas Telles. Nas outras etapas da edição, foi um prazer conviver com Renata Rodriguez e Elisa Rosa.

Durante uma pandemia, emergências acontecem. Foi no meio delas que Kathia Ferreira demonstrou todo o seu profissionalismo. Um grande problema na preparação de um livro de crônicas do cotidiano político é a contextualização. Se excessiva, muda a natureza do livro, se falha, impede a compreensão. Esse foi o ajuste fino que fizemos juntas, Kathia e eu.

Heloisa Starling, historiadora e especialista em Hannah Arendt, me ajudou a encontrar a melhor citação da grande filósofa para a epígrafe. Sérgio Abranches tem estado em todos os meus projetos, de vida e literários. Foi dele a sugestão do título, e foi fundamental sua ajuda na seleção. Agradeço ao Vladimir e ao Matheus, filhos queridos e colegas com os quais converso tanto sobre os temas aqui tratados.

Eu tenho muitos irmãos. Eles têm visões diferentes sobre vários temas, mas são todos defensores apaixonados da democracia. Por isso a eles o livro é dedicado.

MÍRIAM LEITÃO é mineira de Caratinga. Como jornalista recebeu diversos prêmios, entre eles o Maria Moors Cabot, da Universidade Columbia, de Nova York. Como escritora ganhou o Jabuti de Livro do Ano de Não Ficção em 2012 por *Saga brasileira* e foi finalista do Prêmio São Paulo de Literatura 2015 por *Tempos extremos*, lançado pela Intrínseca. Também pela Intrínseca publicou *História do futuro: o horizonte do Brasil no século XXI* (2015), *A verdade é teimosa* (2017) e a coletânea de crônicas *Refúgio no sábado* (2018), com a qual foi finalista do Jabuti. É casada com Sérgio Abranches, tem dois filhos, Vladimir e Matheus, e um enteado, Rodrigo. É avó de Mariana, Daniel, Manuela e Isabel.

CIP-BRASIL. CATALOGAÇÃO NA PUBLICAÇÃO
SINDICATO NACIONAL DOS EDITORES DE LIVROS, RJ

L549D

LEITÃO, MÍRIAM, 1953-
A DEMOCRACIA NA ARMADILHA: CRÔNICAS DO DESGOVERNO / MÍRIAM LEITÃO. - 1. ED. - RIO DE JANEIRO: INTRÍNSECA, 2021.
496 P.; 23 CM.

ISBN 978-65-5560-330-9

1. CRÔNICAS BRASILEIRAS. 2. BOLSONARO, JAIR, 1955-. 3. BRASIL - POLÍTICA E GOVERNO. 4. COVID-19 PANDEMIA, 2020 - ASPECTOS POLÍTICOS - BRASIL. I. TÍTULO.

21-72502

CDD: 869.8
CDU: 82-94(81)

CAMILA DONIS HARTMANN - BIBLIOTECÁRIA - CRB-7/6472
09/08/2021 10/08/2021

PREPARAÇÃO
KATHIA FERREIRA

REVISÃO
WENDELL SETUBAL
EDUARDO CARNEIRO

CAPA E PROJETO GRÁFICO
MARCELO PEREIRA | TECNOPOP

FOTO DA AUTORA
RAFAELA CASSIANO

[2021]

EDITORA INTRÍNSECA LTDA.
RUA MARQUÊS DE SÃO VICENTE, 99/3º ANDAR GÁVEA
22451-041 RIO DE JANEIRO RJ
TEL./FAX (21) 3206-7400
WWW.INTRINSECA.COM.BR

1ª EDIÇÃO OUTUBRO DE 2021
TIPOGRAFIAS KNOCKOUT E SCALA
PAPEL POLEN SOFT 70G/M²
IMPRESSÃO GEOGRÁFICA